La Massaï blanche

Corinne Hofmann

La Massaï blanche

Traduit de l'allemand
par
Anne Weber

Plon

Titre original

Die weiße Massai

© A1 Verlags GmbH München, 1999.
© Plon, 2000, pour la traduction française.
ISBN original : 3-927743-36-4
ISBN : 2-259-19164-9

Arrivée au Kenya

A notre arrivée à l'aéroport de Mombasa, nous sommes accueillis par l'air des tropiques et, déjà, je le pressens : ici, je me sentirai bien. Mais, apparemment, je suis la seule à être sensible à cette atmosphère envoûtante car mon ami Marco lâche laconiquement ·

« Ça pue, ici ! »

Après le passage des douanes, un car-safari nous conduit à notre hôtel. Sur le chemin, nous traversons en ferry un fleuve qui sépare la côte sud de Mombasa. Il fait chaud ; nous ouvrons grands les yeux. Nous ne savons pas encore que ce voyage va bouleverser ma vie.

De l'autre côté du fleuve, nous roulons une heure environ sur de petites routes qui traversent des villages. La plupart des femmes debout devant leurs huttes, emmitouflées dans des tissus noirs, semblent être musulmanes.

L'Africa Sea Lodge est une construction moderne de style africain. Nous emménageons dans un petit bungalow rond, joliment aménagé. Un tour sur la plage confirme ma première impression : c'est le plus beau de tous les pays que j'aie jamais visités, j'aimerais bien y rester.

Après deux jours, habitués aux lieux, nous décidons d'aller à Mombasa par nos propres moyens. Nous empruntons le bus public et le ferry de Likoni, et nous visitons la ville. En passant à côté de nous, un rasta nous lance discrètement : « Haschisch, marijuana. » Marco hoche la tête : « *Yes, yes, where can we make a deal ?* » Après avoir échangé quelques mots avec Marco, l'homme nous demande de le suivre. Je dis à Marco : « Arrête, c'est trop dangereux ! » mais il ne m'écoute pas. Bientôt, nous arrivons dans un quartier délabré et désert. Je voudrais mettre fin à l'expédition, mais l'homme nous demande de l'attendre, puis disparaît. Je ne me sens pas à l'aise et Marco finit par se rendre compte qu'il vaut mieux que nous partions. Nous nous éclipsons juste à temps avant que le rasta revienne en compagnie d'un policier. Je suis furieuse et demande à Marco :

« Tu vois ce qui aurait pu arriver ? »

L'après-midi est déjà avancé, nous devons penser au retour. Mais quelle route prendre ? Je ne sais plus où se trouve l'embarcadère du ferry, et Marco a lui aussi perdu l'orientation. Eclate notre première dispute sérieuse. Nous mettons longtemps à retrouver notre chemin ; après une longue marche, le ferry est enfin en vue. Entre les voitures qui attendent se tiennent des centaines de personnes avec des cartons, des chariots et des poulets. Toutes veulent embarquer sur le ferry à double pont.

Finalement, nous parvenons à monter nous aussi à bord, où se produit un événement inouï. Marco me dit : « Corinne, regarde là-bas, c'est un Massaï ! » Je demande : « Où ça ? » et je me tourne dans la direction qu'il m'indique. Je suis frappée comme si j'avais reçu la foudre. Un homme très grand et très beau, à la peau foncée, est assis sur le garde-corps dans une position décontractée. Il nous fixe de ses yeux sombres, nous, les seuls Blancs au milieu de cette cohue. Je pense : « Mon Dieu qu'il est beau, je n'ai jamais vu personne de semblable. »

Il n'est vêtu que d'un petit pagne rouge, mais il porte de nombreuses parures. Un grand bouton de nacre, fixé à des perles de toutes les couleurs, brille sur son front. Ses longs cheveux roux sont tressés en nattes fines. Sur son visage sont peints des signes qui descendent jusque sur la poitrine, où se croisent deux colliers de perles colorées. Aux poignets, il porte des bracelets. Son visage est d'une beauté si harmonieuse qu'on dirait presque un visage de femme. Mais son attitude, son regard fier et sa musculature puissante ne laissent aucun doute quant à sa virilité. Je ne peux plus détourner le regard. Assis devant le soleil couchant, il ressemble à un jeune dieu.

Dans cinq minutes, le ferry accostera et tous se mettront à courir, à prendre d'assaut les cars et à se disperser à tous vents. Je ne reverrai plus jamais cet homme. Je me sens triste et, en même temps, j'ai du mal à respirer. A côté de moi, Marco est en train de terminer une phrase : « ... il faut nous méfier de ces Massaïs, ils dévalisent les touristes. » Cela m'est parfaitement égal : je réfléchis à un moyen d'entrer en contact avec cet homme dont la beauté me coupe le souffle. Je ne parle pas l'anglais, et continuer à le fixer ne mène à rien.

La rampe de chargement s'abaisse et, entre les voitures qui démarrent, les gens se bousculent pour rejoindre la terre ferme. Je ne vois plus que le dos brillant et la démarche souple du Massaï qui disparaît au milieu des passagers traînant les pieds, chargés de leurs fardeaux. Je pense : « C'est fini », et je ne suis pas loin de fondre en larmes. Je ne sais pourquoi cela m'affecte autant.

De retour sur la terre ferme, nous nous dépêchons d'atteindre les cars. Il fait nuit maintenant — au Kenya, la nuit tombe en l'espace d'une demi-heure. Les nombreux cars se remplissent de passagers et de bagages. Nous restons devant, désarçonnés. Nous savons le nom de notre hôtel mais nous ignorons le nom de la plage. Impatiente, je touche le coude de Marco : « Et si tu demandais à quelqu'un ? » Il me répond que c'est à moi de le faire, alors que je ne suis jamais venue au Kenya et que je ne parle pas un mot d'anglais. D'ailleurs, c'était son idée d'aller à Mombasa. Je suis triste et je pense au Massaï dont l'image me hante déjà.

Debout dans l'obscurité, nous nous disputons. Tous les cars sont partis lorsque, derrière nous, une voix profonde dit : « *Hello !* » Nous nous retournons en même temps, et mon cœur s'arrête de battre un instant. « Mon » Massaï ! Il me dépasse d'une tête, bien que je mesure 1,80 mètre. Il nous regarde et nous parle dans une langue que nous ne comprenons ni l'un ni l'autre. Je ne sais plus du tout où j'en suis. Pendant ce temps, Marco essaie d'expliquer où nous voulons aller. « *No problem* », répond le Massaï, et il nous fait signe d'attendre. Une demi-heure environ passe pendant laquelle je ne cesse de regarder ce bel homme. Il ne me prête guère attention ; Marco, en revanche, est très agacé. « Qu'est-ce que tu as ? me demande-t-il. Ta manière de fixer cet homme est gênante, j'ai honte. Essaie de te maîtriser, je ne t'ai jamais vue comme ça ! » Le Massaï, debout tout près de nous, ne dit rien. Seuls les contours de son long corps et son odeur, qui exerce sur moi un effet érotique, me disent qu'il est toujours là.

Aux abords de la gare routière, de petites boutiques ressemblant à des baraquements proposent toutes la même chose : du thé, des sucreries, des légumes, des fruits et de la viande pendue à des crochets. Devant les échoppes faiblement éclairées par des lampes à pétrole se tiennent des gens en haillons. En tant que Blancs, nous ne passons pas inaperçus.

« Allez, on retourne à Mombasa et on prend un taxi. Le Massaï n'a pas l'air de comprendre ce qu'on veut, et je ne lui fais pas confiance. En plus, je crois qu'il t'a ensorcelée », dit Marco. Le fait que, justement, parmi tous ces Noirs, il se soit adressé à nous me paraît un signe du destin.

Peu après, un car s'arrête, le Massaï nous lance : « *Come, come !* » Il monte et nous réserve deux places. Je me demande s'il va redescendre ou voyager avec nous. Quand je le vois prendre place de l'autre côté de l'allée centrale, juste derrière Marco, je me sens rassurée. Le car emprunte une petite route plongée dans l'obscurité. De temps à autre, on aperçoit un feu qui laisse deviner la présence d'êtres humains. La nuit transforme tout, nous sommes complètement désorientés. Marco trouve que le trajet est beaucoup trop long, et fait plusieurs tentatives pour descendre. Toute ma persuasion et quelques mots d'encouragement du Massaï sont nécessaires pour le convaincre qu'il doit faire confiance à cet inconnu. Je n'ai pas peur, au contraire, je voudrais que ce voyage dure éternellement. La présence de mon ami commence à me gêner. Il voit tout en noir et, en plus, il me cache la vue ! Je réfléchis à ce qui se passera quand nous arriverons à l'hôtel.

Une bonne heure plus tard, le moment crucial arrive. Le car s'arrête et, après avoir remercié notre bienfaiteur, Marco descend, soulagé. Je regarde encore une fois le Massaï, sans parvenir à dire un mot, puis je descends précipitamment. Lui continue le voyage, il va plus loin, peut-être même en Tanzanie. A partir de ce moment, je n'arrive plus à me sentir vraiment en vacances.

Je réfléchis beaucoup sur moi-même, sur Marco et ma

boutique. Depuis près de cinq ans, je tiens à Biel, en Suisse, un magasin achat-vente de vêtements, spécialisé dans les robes de mariée. Après quelques difficultés au démarrage, il marche très bien et j'emploie trois couturières. A vingt-sept ans, j'ai déjà un niveau de vie élevé.

J'ai rencontré Marco au moment de l'aménagement de la boutique ; il y avait des travaux de menuiserie à faire. Il était poli et gai, et, comme je venais d'arriver à Biel et que je ne connaissais personne, j'ai accepté un jour son invitation à dîner. Notre amitié a évolué peu à peu et, six mois plus tard, nous avons pris un appartement en commun.

A Biel, nous passons pour le « couple de rêve », nous avons beaucoup d'amis et tous attendent que nous nous mariions. Mais je m'épanouis dans mon rôle de femme d'affaires, et je suis à la recherche d'une seconde boutique à Berne. Il me reste peu de temps pour penser à me marier et à avoir des enfants. Il est vrai que Marco ne se montre pas enchanté par mes projets, je gagne déjà beaucoup plus que lui. Cela a provoqué dernièrement des disputes entre nous.

Et maintenant, cette expérience nouvelle ! J'essaie de comprendre ce qui se passe en moi. Emotionnellement, je me suis beaucoup éloignée de Marco, je perçois à peine sa présence. Ce Massaï a pris possession de mon cerveau. Je ne peux rien manger. A l'hôtel, malgré d'excellents buffets, je suis incapable d'avaler quoi que ce soit. Mon estomac est noué. Toute la journée, je garde les yeux rivés sur le bord de mer, je me promène le long de la plage dans l'espoir de le voir. De temps à autre, j'aperçois quelques Massaïs, mais tous sont plus petits et loin d'avoir sa beauté. Marco me laisse faire, il n'a pas d'autre choix. Il attend impatiemment la fin du séjour, persuadé que tout rentrera dans l'ordre. Mais ce pays a bouleversé ma vie et, désormais, rien ne sera plus comme avant.

Marco décide d'entreprendre un safari dans le Massaï Mara. Cette idée ne me plaît pas outre mesure car, dans ces conditions, je n'ai aucune chance de revoir le Massaï. Mais je suis d'accord pour une excursion de deux jours.

Le safari est épuisant, les cars pénètrent loin à l'intérieur des terres. Cela fait plusieurs heures que nous sommes partis et, pour Marco, tout va trop lentement.

« Toute cette fatigue pour quelques éléphants et quelques lions ! Ce n'était vraiment pas la peine, on les voit aussi bien chez nous, au zoo. » Moi, l'excursion me plaît. Bientôt, nous atteignons les premiers villages massaïs. Le car s'arrête et le conducteur demande si nous avons envie de visiter les huttes et de rencontrer les habitants. Je réponds : « Bien sûr », et les autres participants du safari me jettent des regards hostiles. Le conducteur négocie le prix. Nous pataugeons dans la boue argileuse en tennis blancs, en faisant attention à ne pas marcher dans les bouses de vaches qui jonchent le sol. A peine sommes-nous arrivés près des huttes, les *manyattas*, que les femmes se précipitent sur nous avec des hordes d'enfants ; elles commencent à tirer sur nos vêtements et essaient de troquer des épées, des étoffes et des bijoux contre tout ce que nous portons sur nous, ou presque.

Pendant ce temps, les touristes masculins ont été attirés dans les huttes. Je ne veux plus faire un pas de plus dans cette boue. Je m'arrache à ces femmes brutales et, suivie de centaines de mouches, je fonce vers le car. Les autres touristes reviennent eux aussi en courant et crient : « Démarrez ! » Le conducteur dit en souriant : « J'espère que vous êtes vaccinés maintenant. Vous avez vu ce que c'est que cette tribu, les derniers habitants non civilisés du Kenya. Le gouvernement a pas mal de problèmes avec eux. »

Le car est envahi par une odeur nauséabonde et les mouches deviennent insupportables. Marco rit et me dit : « Au moins, maintenant, tu sais d'où il vient, ton bellâtre, et comment ces gens-là vivent. » Curieusement, je n'ai pas du tout pensé à mon Massaï pendant ces quelques minutes.

Le voyage se poursuit dans le silence, nous croisons des troupeaux d'éléphants. Dans l'après-midi, nous arrivons dans un hôtel pour touristes. Passer la nuit au milieu d'un semi-désert, dans cet hôtel de luxe, semble irréel. Nous montons dans nos chambres et prenons une douche. Tout est collant : le visage, les cheveux. Puis on nous sert un dîner copieux. Après bientôt cinq jours de jeûne, je ressens de l'appétit. Le lendemain matin, nous nous levons très tôt pour voir des lions, et nous apercevons trois animaux endormis. Puis nous entamons le long trajet du retour. A mesure que nous approchons de Mombasa, un étrange sentiment de bonheur m'envahit. Pour moi, une chose est certaine : notre séjour dure encore près d'une semaine et il faut que je retrouve mon Massaï.

Le soir, à l'hôtel, a lieu un spectacle de danses massaïs suivi d'une vente de bijoux ; j'espère beaucoup le revoir à cette occasion. Nous sommes assis au premier rang. Les guerriers entrent ; ils sont environ une vingtaine, des petits, des grands, des beaux et des laids, mais mon Massaï ne se trouve pas parmi eux. Je suis déçue. Malgré tout, le spectacle me plaît et, de nouveau, je sens cette odeur, différente de celle des autres Africains.

Il y a un dancing en plein air près de l'hôtel, la disco-thèque Bush Baby, où les autochtones sont admis. Je presse Marco : « Allez, on va voir cette boîte ! » Marco est réticent, la direction de l'hôtel a averti sa clientèle des dangers, mais j'obtiens gain de cause. Après une brève marche dans l'obscurité le long de la route, nous aperce-vons de la lumière et nous entendons faiblement du rock. Nous entrons et, d'emblée, l'endroit me séduit. Enfin autre chose que ces discothèques d'hôtel, nues et climati-sées : la piste de danse est en plein air et il y a des bars entre les palmiers. Aux comptoirs se mêlent partout les touristes et les autochtones. L'atmosphère est décontrac-tée. Marco commande une bière, moi un Coca. Je danse seule, car Marco n'aime guère danser.

Vers minuit, quelques Massaïs arrivent dans la boîte. Je reconnais quelques-uns de ceux qui ont participé au spec-tacle à l'hôtel, dans la soirée. Déçue, je retourne à notre table, déterminée à passer les soirées qui restent dans cette discothèque ; c'est ma seule chance de retrouver mon Massaï. Marco proteste, mais il n'a pas envie de patienter seul à l'hôtel. Aussi, tous les soirs après le dîner, nous rejoignons le Bush Baby.

Le deuxième soir — nous sommes le 21 décembre —, mon ami en a assez de ces sorties. Je lui promets que ce sera la dernière fois. Nous sommes assis à une table sous un palmier qui est devenue notre table habituelle. Je me décide à danser en solo au milieu des danseurs noirs et blancs. Il faut absolument qu'il vienne !

Peu après vingt-trois heures, je suis déjà trempée de sueur, la porte s'ouvre. Mon Massaï ! Il dépose sa matraque au contrôle, marche lentement vers une table et s'assoit en me tournant le dos. Mes genoux tremblent, j'arrive à peine à me tenir debout. Je me mets à transpirer de plus belle. Je dois m'accrocher à un pilier au bord de la piste pour ne pas tomber.

Pendant des jours, j'ai attendu cet instant. Aussi calmement que possible, je retourne à notre table et dis à Marco : « Regarde, c'est le Massaï qui nous a aidés. S'il te plaît, demande-lui de s'asseoir à notre table et offre-lui une bière pour le remercier ! » Marco se retourne et, à cet instant, le Massaï nous voit. Il fait un signe de la main, se lève et — incroyable mais vrai — se dirige vers nous. « *Hello, friends !* » En riant, il nous tend une main fraîche et souple.

Il s'assoit juste en face de moi, à côté de Marco. Mon Dieu, pourquoi est-ce que je ne parle pas anglais ? Marco s'efforce d'entretenir une conversation et il s'avère que le Massaï ne parle pas très bien anglais non plus. Nous essayons de communiquer avec des gestes et des mimiques. Il regarde d'abord Marco, puis moi, et demande en me désignant : « *Your wife ?* » Marco répond : « *Yes, yes* », et je rectifie, indignée : « *No, only boy-friend, no married !* » Le Massaï ne comprend pas. Il demande si nous avons des enfants. Je répète : « *No, no ! No married !* »

Il n'a jamais été aussi près de moi. Seule la table nous sépare, et je peux le fixer à mon aise. Il est d'une beauté fascinante, avec ses bijoux, ses cheveux longs et son regard fier. S'il ne tenait qu'à moi, le temps pourrait s'arrêter. Il demande à Marco : « Pourquoi tu ne danses pas avec ta femme ? » Quand Marco, tourné vers le Massaï, lui répond qu'il préfère boire de la bière, je saisis l'occasion pour lui faire comprendre que j'aimerais bien danser avec lui. Il regarde Marco et, comme celui-ci ne réagit pas, on y va.

Nous dansons, lui plutôt en sautillant, comme dans une danse folklorique, moi à l'européenne. Aucun muscle de son visage ne bouge. Je ne sais pas du tout si je lui plais. Cet homme, aussi loin de moi qu'il soit, m'attire comme un aimant. Le troisième morceau est un slow, et j'ai envie de me serrer contre lui, mais je réussis à me retenir et à quitter la piste ; autrement, je perdrais le contrôle de la situation.

Comme je l'avais craint, quand nous revenons à notre

table, Marco dit : « Viens, Corinne, on rentre à l'hôtel, je suis fatigué. » Mais je ne veux pas. Le Massaï lui explique en gesticulant qu'il veut nous inviter à voir sa maison le lendemain, et nous présenter une amie. J'approuve vite, avant que Marco ne décline l'invitation. Nous prenons rendez-vous devant l'hôtel.

Je reste allongée toute la nuit sur le lit sans trouver le sommeil. Au petit matin, j'ai compris que ma liaison avec Marco touchait à sa fin. Il m'interroge du regard et, tout à coup, les mots sortent tout seuls : « Marco, je n'en peux plus. Je ne sais pas ce qui m'est arrivé avec ce parfait inconnu. Tout ce que je sais, c'est que ce sentiment est plus fort que la raison. » Marco me console et me prédit gentiment que, quand nous serons de retour en Suisse, tout s'arrangera. D'une petite voix, je lui réponds : « Je ne veux pas rentrer. Je veux rester ici dans ce beau pays, chez ces gens aimables et, surtout, près de ce Massaï fascinant. » Bien sûr, Marco ne comprend pas.

Le lendemain, par une chaleur étouffante, nous attendons devant l'hôtel, comme convenu. Soudain, le Massaï surgit de l'autre côté de la rue et vient vers nous. Après quelques mots de salutation, il nous dit : « *Come, come !* », et nous le suivons. Nous marchons environ vingt minutes à travers la forêt et la broussaille. De nouveau, j'admire sa démarche. Il semble à peine toucher le sol. Bien que chaussé de lourdes sandales fabriquées avec des pneus, il semble planer. Marco et moi avons l'air lourdauds à côté de lui.

Puis nous apercevons cinq petites maisons rondes disposées en cercle, un peu comme à l'hôtel, mais beaucoup plus petites. Au lieu d'être en béton, elles sont en pierre et revêtues d'argile rouge. Le toit est en paille. Devant l'une des maisons se trouve une femme robuste avec une grosse poitrine. Le Massaï nous la présente comme son amie Priscilla, et nous apprenons par la même occasion son nom à lui : Lketinga.

Priscilla nous accueille gentiment, à notre grand étonnement elle parle anglais. « *You like tea ?* » nous demande-t-elle. J'accepte en remerciant. Marco trouve qu'il fait beaucoup trop chaud, il préférerait une bière. Evidemment, cela reste du domaine du rêve, ici. Priscilla va chercher un petit réchaud à gaz qu'elle pose à nos pieds, et nous attendons que l'eau chauffe. Nous parlons de la Suisse, de notre travail, et nous leur demandons depuis combien de temps ils vivent ici. Priscilla vit sur la côte depuis dix ans déjà. Lketinga, lui, vient d'arriver il y a seulement un mois, c'est pourquoi il ne parle pas encore bien l'anglais.

Nous prenons des photos et, chaque fois que je me trouve près de Lketinga, je dois faire un effort pour ne pas le toucher. Nous buvons le thé, qui a un goût excellent mais qui est très chaud. Nous nous brûlons presque les doigts en touchant les tasses émaillées.

La nuit tombe rapidement, et Marco dit : « Viens, il faut qu'on rentre. » Nous prenons congé de Priscilla et échangeons nos adresses, en promettant d'écrire. Le cœur lourd, je trotte derrière Marco et Lketinga sur le chemin du retour. Devant l'hôtel, Lketinga demande : « *Tomorrow Christmas, you come again to Bush Baby ?* » Je le regarde avec un grand sourire et, avant que Marco puisse répondre, je dis : « *Yes !* »

Demain sera notre avant-avant-dernier jour, j'ai décidé d'annoncer à mon Massaï que je quitterai Marco après les vacances. Comparé à ce que je ressens pour Lketinga, tout ce que j'ai vécu avant me semble dérisoire. Il faudra que je trouve un moyen de le lui faire comprendre et de lui dire que je reviendrai bientôt seule. Un instant, je me demande ce qu'il peut bien ressentir mais, aussitôt, je donne moi-même la réponse à la question : il ne peut pas faire autrement que d'éprouver la même chose que moi !

Aujourd'hui, c'est Noël, quoique, par quarante degrés à l'ombre, on ne puisse pas vraiment parler d'ambiance de Noël. Je me prépare pour la soirée du mieux que je peux et je mets ma plus belle robe de vacances. Pour l'occasion, nous avons commandé du champagne, qui est cher et mauvais et, en plus, servi beaucoup trop chaud. A dix heures, Lketinga et ses amis ne sont toujours pas en vue. Et s'il ne venait pas aujourd'hui ? Demain est notre dernier jour ; le surlendemain, nous partons très tôt pour l'aéroport. Impatiente, je garde les yeux fixés sur la porte, et j'espère ardemment qu'il va arriver.

A ce moment-là surgit un Massaï. Il regarde dans la salle, puis se dirige vers nous d'un pas hésitant. Après nous avoir salué d'un « *Hello* », il nous demande si nous sommes les Blancs qui avions rendez-vous avec Lketinga. Nous hochons la tête ; j'ai la gorge serrée et me mets à transpirer. Il nous apprend que Lketinga est allé sur la plage, cet après-midi, ce qui est normalement interdit aux autochtones. D'autres Noirs se sont moqués de sa coiffure et de ses vêtements. En fier guerrier, il ne s'est pas laissé faire, et il a battu ses ennemis avec son *rungu*, sa matraque. Il se trouve dans l'une des prisons entre la côte sud et la côte nord. Le Massaï est venu nous informer et il nous souhaite un bon retour de la part de Lketinga.

Marco me traduit ce que l'homme vient de dire et, quand je comprends ce qui s'est passé, quelque chose s'effondre en moi. Au prix d'un effort considérable, j'arrive à retenir des larmes de déception. Je supplie Marco : « Demande ce que nous pouvons faire, nous n'avons plus que demain ! » Il me répond froidement : « C'est comme ça, ici, nous n'y pouvons rien et, d'ailleurs, je suis content qu'on rentre bientôt. » Mais je n'abandonne pas aussi vite : « Edy (c'est le nom du Massaï), est-ce que nous pouvons aller le chercher ? » Edy confirme. Il dit que, le soir même, il va faire une collecte auprès des autres Massaïs et que, le lendemain à dix heures, il se mettra en route pour essayer de trouver Lketinga. L'entreprise est difficile parce qu'on ignore dans quelle prison il a été emmené ; il y en a cinq possibles.

Je demande à Marco si nous ne pouvons pas nous joindre à Edy ; après tout, Lketinga nous a aidés. Après une longue discussion, il se déclare d'accord, et nous prenons rendez-vous avec Edy à dix heures devant notre hôtel. Je n'arrive pas à fermer l'œil de la nuit. Tout ce que je sais, c'est que je dois revoir Lketinga avant de rentrer en Suisse.

A la recherche de Lketinga

Marco a changé d'idée, il restera à l'hôtel. Il tente de me dissuader mais ses conseils bien intentionnés ne peuvent rien contre la voix intérieure qui me dit que je dois y aller. Je le laisse à l'hôtel en promettant d'être rentrée vers deux heures. Edy et moi partons en direction de Mombasa en *matatu*. C'est la première fois que j'utilise ce genre de taxi. C'est un petit bus avec environ huit places assises. Quand il s'arrête, il y a déjà treize personnes à l'intérieur, serrées les unes contre les autres au milieu des bagages. Le contrôleur s'accroche à l'extérieur du véhicule. Désemparée, je regarde la cohue. « *Go, go in !* » me dit Edy, et je grimpe par-dessus les sacs et les jambes en essayant, le dos courbé, de me tenir quelque part afin de ne pas tomber sur d'autres passagers dans les virages.

Dieu merci, nous descendons après une quinzaine de kilomètres. Nous sommes à Ukunda, le premier des grands villages à disposer d'une prison. Nous y allons ensemble. Avant même que j'aie franchi le seuil, un homme trapu nous arrête. J'interroge Edy du regard. Il négocie avec le type, on m'ordonne de ne pas bouger, et quelques minutes plus tard l'homme ouvre une porte derrière lui. Comme il fait noir à l'intérieur et que je suis debout au soleil, je ne distingue pas grand-chose. De la pièce du fond sort une puanteur si épouvantable que j'ai envie de vomir. Le gros crie quelques mots dans le trou obscur et, quelques secondes plus tard, apparaît un homme sale en haillons. Apparemment, c'est un Massaï, bien qu'il ne porte aucune parure. Effrayée, je fais non de la tête et je demande à Edy : « C'est le seul Massaï qui se trouve ici ? » Cela a l'air d'être le cas ; l'homme est repoussé à l'intérieur de la pièce où les autres prisonniers sont accroupis. Nous partons, et Edy me lance : « Viens, on reprend un *matatu*, c'est plus rapide que les grands cars. On continuera nos recherches à Mombasa. »

Nous empruntons le ferry de Likoni, puis un autre taxi-brousse qui nous emmène à la périphérie de la ville, où se trouve une prison beaucoup plus grande que la précédente. En tant que Blanche, on me regarde méchamment. L'homme derrière la barrière fait semblant de ne pas nous voir. D'un air ennuyé, il lit son journal, et nous restons là sans savoir quoi faire. Je touche le bras d'Edy : « Demande-lui ! » Rien ne se passe, jusqu'à ce qu'Edy me suggère de poser discrètement quelques shillings kenyans devant le type. Mais combien ? Je n'ai encore jamais eu besoin de corrompre quelqu'un. Je laisse 100 shillings sur la table, ce qui correspond à peu près à 10 francs suisses.

Il les encaisse d'un geste en apparence distrait et daigne enfin parler avec nous. Non, aucun Massaï du nom de Lketinga n'est arrivé récemment. Il y a deux Massaïs ici, dit-il, mais ils sont beaucoup plus petits que l'homme que nous décrivons. Je veux les voir quand même, on ne sait jamais, peut-être le gardien se trompe-t-il, et il a encaissé l'argent. Il se lève en me jetant un regard sombre et ouvre une porte.

Ce que je vois me choque. Dans une pièce sans fenêtre s'entassent plusieurs hommes ; les uns sont assis sur des cartons, les autres sur des journaux ou à même le sol en béton. Eblouis par la lumière, ils se protègent les yeux derrière une main. Seul un petit passage est laissé libre au milieu des prisonniers accroupis. L'instant d'après, je comprends pourquoi : un gardien arrive avec un seau de « nourriture » qu'il verse directement sur le béton. C'est inimaginable ; on ne traiterait même pas des porcs de cette façon. En entendant le mot « Massaï », deux hommes s'avancent, mais aucun d'eux n'est Lketinga. Je suis découragée. Qu'est-ce qui m'attend, à supposer que je le trouve ?

Nous allons dans le centre-ville, où nous prenons un autre *matatu* qui nous emmène par une route cahoteuse sur la côte nord. Edy me rassure et me dit que nous le trouverons sûrement là-bas. Mais nous n'arrivons même pas jusqu'à l'entrée de la prison. Un policier armé nous demande ce que nous cherchons. Edy le lui explique, mais l'autre fait non de la tête : ils n'ont pas eu d'arrivage depuis deux jours. Nous quittons l'endroit ; je suis désemparée.

Edy me rappelle qu'il est déjà tard et que nous devons nous dépêcher si je veux être de retour à l'hôtel à deux heures. Mais je ne veux pas rentrer à l'hôtel. Je n'ai plus qu'aujourd'hui pour trouver Lketinga. Edy me suggère de retourner à la première prison car les détenus sont souvent transférés d'une prison à l'autre. Nous retournons donc à Mombasa, sous une chaleur écrasante.

Nous croisons le ferry qui va dans l'autre sens, et je constate qu'il n'y a presque pas de passagers sur ce bateau, seulement des véhicules dont l'un est particulièrement voyant ; vert vif, avec des fenêtres grillagées. Edy m'explique qu'il s'agit de la voiture qui transporte les prisonniers. Penser à ces malheureux me rend malade, mais mes pensées s'arrêtent là. Je suis fatiguée, assoiffée et en sueur. A quatorze heures trente, nous sommes de retour à Ukunda.

Devant la prison se tient maintenant un autre gardien qui a l'air beaucoup plus aimable. Edy décrit une fois de plus la personne que nous cherchons. La discussion est animée, je ne comprends rien. « Edy, qu'est-ce qui se passe ? » Edy m'explique qu'à peine une heure plus tôt Lketinga a été emmené sur la côte nord. Il a été détenu à Kwale, puis il a fait une brève halte ici, avant qu'on le transfère dans la prison d'où nous venons et où il devra rester jusqu'à son procès.

Je commence à me sentir mal. Nous avons passé toute la matinée à le chercher, et voilà qu'on vient de le croiser une demi-heure plus tôt, dans le panier à salade. Edy me jette un regard déconcerté, puis me conseille de rentrer à l'hôtel, en m'assurant qu'il refera une tentative le lendemain puisqu'il sait maintenant où se trouve Lketinga. Il me suggère de lui laisser de l'argent pour qu'il puisse payer une caution.

Sans trop réfléchir, je demande à Edy de retourner avec moi sur la côte nord. Il accepte sans enthousiasme. Nous refaisons le trajet en silence et, pendant tout le voyage, je me demande : « Corinne, pourquoi fais-tu tout ça ? Qu'est-ce que tu vas dire à Lketinga quand tu le verras ? » Je ne le sais pas ; je me sens simplement poussée par une force obscure.

Peu avant six heures, nous atteignons de nouveau la prison sur la côte nord. Devant le bâtiment se trouve toujours le même homme armé. Il nous reconnaît et nous informe que Lketinga est arrivé deux heures et demie plus tôt. Je me sens parfaitement éveillée maintenant. Edy explique que nous voulons sortir le Massaï de prison. Le gardien fait non de la tête : avant le réveillon du 31, c'est impossible, dit-il, parce que le procès n'a pas encore eu lieu et que le directeur de la prison est en vacances.

Je m'étais attendue à tout sauf à cela. Même contre de l'argent, ils ne laisseront pas sortir Lketinga. Difficilement, j'obtiens que le gardien me permette au moins de le voir dix minutes ; il a compris que je prends l'avion le lendemain. Un grand sourire sur les lèvres, Lketinga sort dans la cour. J'ai un choc. Il n'a plus de parures, ses cheveux sont enroulés dans un torchon sale et il dégage une odeur épouvantable. Malgré tout, il semble content de me voir et s'étonne seulement que je sois venue sans Marco. Je pourrais hurler : il ne comprend vraiment rien, celui-là ! Je lui dis que nous rentrons chez nous le lendemain, mais que je vais revenir le plus vite possible. Je lui marque mon adresse et lui demande la sienne. Il écrit péniblement son nom et le numéro de la boîte postale. J'ai juste le temps de lui glisser de l'argent avant que le gardien ne l'emmène. Il se retourne en marchant, me remercie et me demande de saluer Marco.

Lentement, nous sortons pour attendre un bus ; la nuit commence à tomber. Tout à coup, je sens à quel point je suis épuisée ; je fonds en larmes sans pouvoir m'arrêter. Dans le *matatu* bondé, tous les yeux sont rivés sur cette femme blanche en pleurs accompagnée d'un Massaï. Cela m'est égal, j'ai envie de mourir.

Il est déjà vingt heures passées quand nous arrivons au ferry de Likoni. Tout à coup, je pense à Marco, et je me sens coupable d'avoir disparu ainsi ; j'ai plus de six heures de retard par rapport à l'horaire convenu.

Pendant que nous attendons le ferry, Edy me dit : « *No bus, no matatu to Diani Beach.* » Je crois avoir mal entendu. « Au-delà de vingt heures, il n'y a plus de transport public entre le ferry et l'hôtel. » Je crois rêver ! Nous sommes là, à attendre le ferry dans l'obscurité et, de l'autre côté, nous allons rester bloqués. Je passe devant les voitures qui attendent pour voir s'il y a des Blancs. Parmi elles, se trouvent deux cars-safari qui rentrent. Je frappe à la vitre et demande s'ils peuvent m'emmener. Le conducteur refuse, il n'a pas le droit de prendre des étrangers. De toute façon, il n'a plus de place dans le bus, occupé par des Indiens. Au dernier moment, une voiture monte sur la rampe d'accès. J'ai de la chance : les passagères sont deux bonnes sœurs italiennes à qui j'explique mon problème. Etant donné ma situation, elles sont prêtes à nous emmener à l'hôtel, Edy et moi.

Pendant trois quarts d'heure, nous roulons dans l'obscurité, et je commence à avoir peur de Marco. Comment réagira-t-il ? Même s'il me donnait une gifle, je le compren-

21

drais, il serait en droit de le faire. J'espère même qu'il ira jusque-là et que cela me fera retrouver la raison. Je ne comprends toujours pas ce qui m'arrive ni pourquoi j'ai perdu le contrôle de moi-même. Je sens seulement que je n'ai jamais été aussi fatiguée de ma vie. Pour la première fois, j'ai peur : peur de Marco et peur de moi-même.

Devant l'hôtel, je prends congé d'Edy et, peu après, je retrouve Marco. Il me regarde avec tristesse, sans hurlements, sans reproches, simplement un regard. Je me jette à son cou et me remets à pleurer. Marco m'emmène dans notre bungalow et essaie de me calmer. Je m'étais attendue à tout, sauf à cet accueil affectueux. Il dit simplement : « Tout va bien, Corinne. Je suis tellement content que tu sois encore en vie ! J'étais sur le point d'aller à la police et de te déclarer disparue. J'avais déjà perdu l'espoir et pensais ne plus te revoir. Tu veux que j'aille te chercher quelque chose à manger ? » Sans attendre ma réponse, il sort et revient avec une assiette pleine. Cela a l'air délicieux et, pour lui faire plaisir, je mange autant que je peux. Ce n'est qu'après que j'ai terminé qu'il me demande : « Alors, tu l'as trouvé, au moins ? » Je réponds « Oui », puis je lui raconte tout. Il me regarde et dit : « Tu es folle, mais très forte. Quand tu veux quelque chose, tu n'abandonnes pas. Seulement, pourquoi ne puis-je pas être à la place de ce Massaï ? » Je n'en sais rien, moi non plus. Je n'arrive pas à m'expliquer le mystère et la magie qui entourent cet homme. Si quelqu'un m'avait dit quinze jours plus tôt que j'allais tomber amoureuse d'un guerrier massaï, je lui aurais ri au nez. Et maintenant j'affronte un chaos indescriptible.

Pendant le vol du retour, Marco me demande : « Et alors, qu'est-ce qu'on va faire ? C'est à toi de décider. » J'ai du mal à lui faire comprendre à quel point je suis troublée. « Je vais chercher un appartement aussi vite que possible, même si ce n'est pas pour très longtemps, parce que je veux retourner au Kenya, peut-être pour toujours. »

Six mois très longs

Le temps de dénicher un nouvel appartement au-dessus de Biel, deux mois passent. Le déménagement est simple car je n'emporte que mes vêtements et quelques affaires personnelles ; je laisse tout le reste à Marco. Le plus dur, pour moi, est d'abandonner mes deux chats. Mais, puisque je vais bientôt quitter la Suisse, c'est la seule solution. Je continue à m'occuper du magasin, mais je me sens moins motivée, je rêve toujours du Kenya. Je m'achète tout ce que je peux trouver sur ce pays. Dans la boutique, j'écoute des chansons swahilis du matin au soir. Mes clients se rendent compte que je ne suis plus aussi attentive qu'avant, mais je ne peux ni ne veux raconter ce qui me préoccupe.

Tous les jours, j'attends du courrier. Presque trois mois après mon retour du Kenya, je reçois enfin des nouvelles. Pas de Lketinga, mais de Priscilla. Elle écrit beaucoup de choses insignifiantes. J'apprends néanmoins que Lketinga a été relâché trois jours après notre départ. Le jour même, j'écris à l'adresse que Lketinga m'a donnée, en lui parlant de mon projet de retourner au Kenya en juin ou juillet, seule, cette fois-ci.

Un autre mois passe, et enfin je reçois une lettre de Lketinga. Il me remercie de mon aide et me dit qu'il serait ravi si je revenais dans son pays. Le jour même, je me précipite dans une agence de voyage et réserve trois semaines dans le même hôtel, en juillet.

Maintenant, il faut s'armer de patience. Le temps semble s'être arrêté, les jours passent au ralenti. De nos amis communs, un seul m'est resté fidèle et m'appelle de temps en temps pour prendre un verre avec moi. Lui au moins semble me comprendre. Le jour du départ approche, je suis inquiète : seule Priscilla répond à mes lettres. Mais rien ne peut m'ébranler ; je continue de penser qu'il ne me manque que cet homme pour être heureuse.

Maintenant, je peux m'exprimer à peu près correctement en anglais ; mon amie Jelly me donne des cours tous les jours. Trois semaines avant le départ, mon frère cadet,

Eric, et Jelly, sa petite amie, décident de se joindre à moi. Les six mois les plus longs de ma vie sont derrière moi. Nous décollons.

Les retrouvailles

En juillet 1987, après neuf bonnes heures de vol, nous atterrissons à Mombasa. Je retrouve la chaleur, l'aura qui m'avaient frappée. A cette différence près que, cette fois-ci, tout m'est familier : Mombasa, le ferry et le long trajet en car jusqu'à l'hôtel.

Je suis tendue. Va-t-il être là ou non ? A la réception, j'entends derrière moi une voix : « *Hello !* » Nous nous retournons, et le voilà ! Il vient vers moi avec un sourire rayonnant. C'est comme si les six mois qui viennent de s'écouler n'avaient jamais existé. Je lui touche le bras et dis : « Jelly, Eric, regardez, c'est lui, Lketinga. » Mon frère, gêné, fouille dans son sac, tandis que Jelly lui dit bonjour en souriant. Je les présente. Je me contente de lui serrer la main.

Dans la confusion générale, nous commençons par nous installer dans nos bungalows ; Lketinga nous attend au bar. Je peux enfin demander à Jelly : « Alors, comment tu le trouves ? » Elle me répond en cherchant ses mots : « Un peu spécial, c'est sûr, il faut peut-être que je m'habitue à lui d'abord. Pour le moment, il me semble plutôt exotique et sauvage. » Mon frère se tait. Je me dis qu'apparemment je suis la seule à être enthousiaste, et je ne peux m'empêcher d'être un peu déçue.

Je me change et nous allons au bar, où Lketinga nous attend avec Edy. Je le salue chaleureusement, lui aussi, puis nous essayons d'engager une conversation. Lketinga m'apprend qu'il était reparti dans sa tribu, peu après avoir été libéré de prison, et qu'il n'est rentré à Mombasa que la semaine précédente. Priscilla l'avait informé de mon arrivée. Qu'ils aient eu le droit de venir nous saluer dans l'hôtel est exceptionnel, dit-il, parce que, normalement, les Noirs qui ne travaillent pas dans l'établissement sont interdits d'accès.

Sans l'aide d'Edy, je ne peux pas échanger grand-chose avec Lketinga. Mon anglais n'est pas encore très bon et Lketinga n'en connaît pas plus de dix mots. Alors nous restons simplement sur la plage en silence et nous nous sourions, tandis que mon amie et Eric passent la plus grande partie de la journée au bord de la piscine ou dans leur chambre. Nous sommes en fin d'après-midi et je réfléchis à ce que nous allons faire maintenant. Nous ne pouvons nous attarder à l'hôtel et, en dehors de notre premier serrement de mains, il ne s'est rien passé. J'ai souvent rêvé, au cours des six derniers mois, de me trouver dans les bras de ce bel homme, je me suis imaginé des baisers et des nuits folles. Maintenant qu'il est là, j'ai peur de toucher son bras sombre. Alors je m'abandonne au bonheur de le savoir à mes côtés.

Eric et Jelly vont se coucher, épuisés par le long voyage et la chaleur humide. Lketinga et moi allons en flânant jusqu'à la discothèque Bush Baby. Je me sens comme une reine à côté de mon « prince ». Nous nous asseyons à une table et regardons les danseurs. Il rit souvent. Et, comme nous ne pouvons pas discuter ensemble, nous restons simplement à écouter la musique. La proximité de Lketinga et l'atmosphère de l'endroit me troublent ; j'aimerais caresser son visage ou peut-être même savoir quel effet cela ferait de l'embrasser. Au premier slow, je saisis ses mains et je fais un signe vers la piste. Il reste debout, désemparé, sans faire mine de vouloir m'approcher.

Tout à coup, nous nous retrouvons dans les bras l'un de l'autre, et nous bougeons au rythme de la musique. La tension intérieure que j'avais ressentie s'évanouit. Je tremble de tout mon corps mais, cette fois-ci, je peux m'accrocher à lui. Le temps semble s'arrêter, et peu à peu s'éveille mon désir pour cet homme, un désir qui était resté latent pendant six mois. Je n'ose pas lever la tête et le regarder. Que va-t-il penser de moi ? Je sais si peu de choses de lui ! Nous ne retournons à notre place que lorsque la musique change de rythme, et je me rends compte que nous avons été les seuls à danser. J'ai l'impression que des douzaines de paires d'yeux nous suivent.

Nous restons là encore un moment, puis nous partons. Il est minuit passé quand il me ramène à l'hôtel. Devant l'entrée, nous nous regardons dans les yeux, et il me semble que l'expression de son visage a changé. Je vois quelque chose comme de l'étonnement et de l'excitation dans ses yeux sauvages. J'ose enfin m'approcher de sa belle bouche et y poser doucement mes lèvres. Je sens alors son corps entier se figer, et il me jette un regard presque effrayé.

« *What you do* ? » me demande-t-il, et il fait un pas en arrière. Tout à coup dégrisée, je suis là, sans rien comprendre, la honte m'envahit, je me retourne et me précipite dans l'hôtel, bouleversée. Une fois couchée, j'ai une crise de larmes, j'ai l'impression que le monde s'effondre. Une seule pensée m'obsède : je désire cet homme à la folie et, apparemment, je ne lui plais pas. Je finis quand même par m'endormir.

Je me réveille très tard, le petit déjeuner est fini depuis longtemps. Cela m'est égal car je n'ai pas faim. Avec la mine que j'ai, je ne veux pas qu'on me voie ; je mets des lunettes de soleil et, en faisant attention à passer inaperçue, je me dirige vers la plage en longeant la piscine où mon frère batifole avec Jelly comme un coq amoureux.

Sur la plage, je me couche sous un palmier et je fixe le ciel bleu. Est-ce que c'était tout ? Me suis-je trompée ? Non, crie quelque chose en moi. Comment aurais-je trouvé la force de me séparer de Marco et de renoncer pendant six mois à toute relation sexuelle, sinon pour cet homme ?

Tout à coup, je perçois une ombre au-dessus de moi et je sens qu'on me touche doucement le bras. J'ouvre les yeux et me trouve devant le beau visage de Lketinga. Il m'adresse un sourire rayonnant et dit simplement : « *Hello !* » Je suis contente d'avoir mis mes lunettes de soleil. Il me regarde longuement et semble étudier mon visage. Après quelque temps, il me demande des nouvelles d'Eric et de Jelly, et m'explique difficilement que nous sommes invités l'après-midi chez Priscilla à prendre le thé. Couchée sur le dos, je vois ses yeux qui me regardent avec douceur et espoir. Comme je ne réponds pas tout de suite, son expression change, ses yeux s'assombrissent et commencent à briller d'un éclat fier. Je lutte avec moi-même, mais je finis quand même par lui demander à quelle heure nous sommes invités.

Eric et Jelly sont d'accord et, à l'heure convenue, nous

attendons à l'entrée de l'hôtel. Au bout de dix minutes, un des *matatus* bondés s'arrête. Deux longues jambes descendent, suivies du long corps de Lketinga. Il est accompagné d'Edy. Je connais déjà le chemin pour aller chez Priscilla, mais mon frère jette un regard sceptique aux singes qui jouent et mangent non loin du sentier.

Les retrouvailles avec Priscilla sont très chaleureuses. Elle sort son réchaud à gaz et prépare le thé. Pendant que nous attendons, les trois Africains discutent entre eux, et nous les regardons sans rien comprendre. Souvent, ils éclatent de rire, et je sens qu'on parle aussi de moi. Deux heures plus tard, nous repartons. Priscilla me dit de revenir avec Lketinga quand je veux.

Bien que j'aie payé pour deux semaines supplémentaires, je décide de quitter l'hôtel et de m'installer chez Priscilla. J'en ai assez des éternelles sorties en boîte et des dîners sans Lketinga. La direction de l'hôtel m'avertit que je risque de me retrouver à la fin de ce séjour sans argent et sans vêtements. Mon frère, plus que sceptique, m'aide à tout transporter dans la brousse. Lketinga porte mon grand sac de voyage ; il a l'air content.

Priscilla me laisse sa hutte et emménage avec une amie. Après la tombée de la nuit, il devient difficile d'éviter plus longtemps le contact physique. Je m'assois sur l'étroit lit de camp et, le cœur battant la chamade, j'attends le moment tant désiré. Lketinga s'installe à côté de moi, et je ne vois que le blanc de ses yeux, le bouton de nacre sur son front et les anneaux d'ivoire dans ses oreilles. Soudain, tout va très vite. Lketinga me pousse sur le lit et, déjà, je sens sa virilité en pleine excitation. Avant même que j'aie pu me rendre compte si mon corps était prêt, je sens une douleur, j'entends des sons étranges, puis tout est fini. Je pourrais pleurer, tellement je suis déçue ; je m'étais imaginé autre chose. Ce n'est que maintenant que je prends conscience que j'ai affaire à un homme d'une culture qui m'est étrangère. Mes réflexions s'arrêtent là pour le moment car, déjà, tout recommence. Au cours de la nuit ont lieu d'autres assauts et, après le troisième ou le quatrième « accouplement », je renonce à vouloir prolonger un peu cet acte par des baisers ou des caresses car Lketinga n'a pas l'air d'aimer ça.

Enfin, il commence à faire jour, et j'attends que Priscilla

frappe à la porte. En effet, vers sept heures du matin, j'entends des voix. Je jette un coup d'œil dehors ; devant la porte se trouve une bassine remplie d'eau. Je la place dans la hutte et me lave soigneusement : la peinture de Lketinga a déteint partout sur mon corps.

Quand je vais voir Priscilla, Lketinga dort encore. Elle a déjà prépare du thé et m'en offre. Lorsqu'elle me demande comment s'est passée ma première nuit dans une habitation africaine, je n'arrive pas à garder le silence. Elle m'écoute, visiblement gênée, puis me dit : « Corinne, nous ne sommes pas comme les Blancs. Rentre chez Marco, tu peux passer des vacances au Kenya, mais ne cherche pas ici un homme pour la vie. » On lui avait dit que les Blancs étaient bons avec les femmes, même la nuit. » Les Massaïs sont différents », poursuit-elle. Et elle m'explique que ce que je viens de vivre est la façon normale de faire l'amour ici. Les Massaïs n'embrassent pas. La bouche sert à manger, dit-elle. S'embrasser — elle fait une grimace en prononçant le mot — est une chose horrible. Un homme ne touche jamais une femme en dessous de la ceinture, et une femme n'a pas le droit de toucher le sexe d'un homme. Les cheveux et le visage d'un homme sont également ment tabous.

Je ne sais pas si je dois rire ou pleurer. Je désire un homme très beau, et je n'ai pas le droit de le toucher. Je songe à l'histoire du baiser qui a si mal tourné, ce souvenir rend plausible ce que je viens d'entendre.

Pendant la conversation, Priscilla ne m'a pas regardée ; elle a sûrement dû faire un effort pour évoquer ce sujet devant moi. Je pense à plein de choses, et je doute d'avoir bien compris ce qu'elle m'a dit. Tout à coup, Lketinga surgit dans le soleil matinal. Avec son torse nu, son pagne rouge et ses longs cheveux roux, il est d'une beauté éblouissante. Les événements de la nuit dernière sont repoussés au fin fond de mon cerveau ; tout ce que je sais, c'est que je veux cet homme et aucun autre. Je l'aime et, d'ailleurs, tout peut s'apprendre. C'est ce que je me dis pour me rassurer.

Plus tard, nous prenons un *matatu* bondé pour aller à Ukunda, le bourg le plus proche. Là-bas, nous tombons sur d'autres Massaïs assis dans une échoppe locale constituée de quelques planches clouées tant bien que mal, d'un toit, d'une longue table et de quelques chaises. Le thé est préparé dans une grande casserole au-dessus du feu. Quand nous prenons place, on me jette des regards tantôt curieux, tantôt critiques. De nouveau, des paroles fusent dans tous les sens. De toute évidence, on parle de moi. J'examine les hommes attablés : aucun n'est aussi beau que Lketinga ni n'a l'air aussi gentil.

Nous restons là des heures, cela m'est égal de ne rien comprendre. Lketinga s'occupe de moi de façon touchante. Il n'arrête pas de me commander à boire et, plus tard, il fait venir une assiette de viande. Ce sont des morceaux de chèvre que j'ai du mal à avaler ; la viande est encore saignante et très dure. Je mastique trois bouchées, puis mon estomac se révolte, et je fais signe à Lketinga de finir à ma place ; mais, bien qu'ils aient visiblement faim, ni lui ni les autres hommes ne touchent à quoi que ce soit dans mon assiette.

Une demi-heure après, ils se lèvent, et Lketinga essaie avec force gestes de m'expliquer quelque chose. Je comprends qu'ils veulent tous aller manger, mais que je ne peux pas venir. Je voudrais les accompagner. « *No, big problem ! You wait here.* » Ils disparaissent derrière un mur et, peu après, on y apporte des monceaux de viande. Après quelque temps, mon Massaï revient. Il a l'air d'avoir bien mangé. Je ne comprends toujours pas pourquoi je devais rester à l'écart ; il me dit simplement : « *You wife, no lucky meal.* » Je me dis que je vais interroger Priscilla le soir.

Nous quittons l'échoppe et empruntons un *matatu* pour retourner à la plage. Nous descendons près de l'Africa Sea Lodge et décidons d'aller voir Jelly et Eric. Près de l'entrée, un gardien nous arrête mais, quand je lui explique que nous voulons juste rendre visite à mon frère et à son amie, il nous laisse entrer sans problème. A la réception, le manager me salue en souriant : « *So, you will now come back in the hotel ?* » Je réponds qu'au contraire je me plais bien dans la brousse. Il se contente de hausser les épaules, et il dit : « On va voir pour combien de temps ! »

Nous trouvons les deux amoureux au bord de la piscine. Tout excité, Eric vient vers moi : « Ce n'est pas trop tôt ! On attendait de tes nouvelles ! » Et il me demande si j'ai bien dormi. Sa sollicitude me fait rire et je réponds :

« Certes, j'ai déjà dormi dans des conditions plus confortables, mais je suis heureuse ! » Lketinga rit et demande : « *Eric, what's the problem ?* » Quelques baigneurs blancs nous regardent avec de grands yeux. Quelques femmes ralentissent en passant devant mon beau Massaï paré et orné de nouvelles peintures, et ne se gênent pas pour lui lancer des regards d'admiration. Lui, de son côté, ne les gratifie même pas d'un regard ; il a l'air assez gêné d'avoir à contempler toute cette chair nue.

Nous ne restons pas longtemps car je voudrais faire quelques courses : du pétrole, du papier hygiénique et, surtout, une lampe de poche. Jusque-là, je n'ai pas eu besoin d'aller aux toilettes, la nuit, mais il n'en sera pas toujours ainsi. Les toilettes, constituées de deux planches au sol avec un trou au milieu, sont situées en dehors du village, dans une petite maison couverte de feuilles de palmier tressées qui se trouve à deux mètres du sol. On y accède par une minuscule échelle étroite et assez dangereuse.

Nous trouvons tout dans une petite boutique où les employés de l'hôtel semblent également s'approvisionner. Tout est bon marché, ici. En dehors des piles pour la lampe de poche, ces courses ne me coûtent pratiquement rien par rapport aux prix européens.

A quelques mètres de là se dresse un autre baraquement vétuste sur lequel est marqué à la peinture rouge « *Meat* ». Lketinga veut y aller. Au plafond, j'aperçois un énorme crochet de boucher auquel pend une chèvre écorchée. Lketinga m'interroge du regard et me dit : « *Very fresh ! You take one kilo for you and Priscilla.* » Je suis écœurée à l'idée d'avoir à manger cette viande, mais je ne dis rien. Le vendeur prend une hache et coupe une des pattes arrière de l'animal, avant de détacher en deux ou trois coups supplémentaires un gros morceau et de rependre le reste au crochet. Notre viande enveloppée dans du papier journal, nous repartons en direction du village.

Priscilla est très contente que nous lui offrions de la viande. Elle prépare du thé et va chercher un deuxième réchaud chez la voisine. La viande est coupée en morceaux, lavée et cuite dans l'eau salée pendant deux heures. Pendant ce temps, nous buvons le thé (le *chai*), une boisson que je commence à trouver agréable. Priscilla et Lketinga discutent sans arrêt. Après un certain temps, Lketinga se lève et dit qu'il doit partir mais qu'il reviendra bientôt. Je cherche à savoir ce qu'il veut faire, mais il se contente de dire : « *No problem, I come back.* » Puis il me sourit et disparaît. Je demande à Priscilla où il est allé. Elle répond qu'elle n'en sait trop rien car on n'a pas le droit de poser ce genre de question à un guerrier massaï. Cela ne regarde que lui, mais elle suppose qu'il est allé à Ukunda. Je m'exclame, un peu indignée : « Mais pour l'amour de Dieu, qu'est-ce qu'il va faire à Ukunda ? Nous en venons ! — Peut-être veut-il manger quelque chose », réplique Priscilla. Mes yeux se posent sur la viande qui bout dans une grande casserole de fer-blanc : « Et ça, c'est pour qui ? — C'est pour nous, les femmes, m'explique-t-elle. Lketinga n'a pas le droit de toucher à cette viande-là. Un guerrier massaï ne mange jamais ce qu'une femme a touché ou regardé. Ils n'ont pas le droit de manger en présence de femmes. La seule chose qui leur soit permise, c'est de boire le thé. »

Je repense à la curieuse scène à Ukunda. Je comprends maintenant pourquoi tous les hommes avaient disparu derrière le mur. Lketinga n'a donc pas le droit d'aller au restaurant avec moi, et jamais je ne pourrai lui préparer à manger. Bizarrement, je suis plus choquée par cette nouvelle que par l'idée d'avoir à me passer des plaisirs du sexe. Une fois que je me suis un peu ressaisie, je voudrais en savoir davantage. Comment cela se passe-t-il entre gens mariés ? Là encore, la réponse de Priscilla me déçoit. La femme est toujours avec les enfants et l'homme passe le plus clair de son temps avec des hommes de sa condition, des guerriers, dont un au moins doit lui tenir compagnie lors des repas. Prendre un repas seul n'est pas convenable.

Je reste sans voix. Je m'étais imaginé que l'on cuisinait et mangeait ensemble, dans la brousse ou dans une simple hutte. Mes rêves romantiques s'effondrent. Je n'arrive plus à retenir mes larmes et Priscilla me regarde, effrayée. Puis elle éclate de rire, ce qui me rend assez furieuse. Soudain, je me sens seule et je me rends compte que Priscilla m'est elle aussi étrangère, qu'elle vit dans un autre monde.

Que fait donc Lketinga ? Entre-temps, la nuit est tombée, et Priscilla sert la viande dans deux assiettes en aluminium cabossées. J'ai faim, maintenant. Je goûte et constate avec étonnement que la viande est douce. Mais elle a un goût très étrange qui ressemble à de la viande salée. Nous mangeons avec les doigts, en silence.

Tard dans la soirée, je prends congé et me retire dans l'ancienne petite maison de Priscilla. Fatiguée, j'allume la lampe à pétrole et me couche sur le lit. Dehors bruissent les grillons. Je pense à la Suisse, à ma mère, à ma boutique et à ma vie quotidienne à Biel. Comme la vie est différente, ici ! Malgré des conditions de vie très modestes, les gens ont l'air plus heureux, peut-être justement parce qu'ils peuvent vivre plus simplement. Cette pensée me traverse l'esprit et, aussitôt, je me sens mieux.

Soudain, la porte en bois s'ouvre en grinçant, et dans l'embrasure de la porte apparaît Lketinga, un grand sourire aux lèvres. Il me regarde brièvement et s'assoit à côté de moi sur le lit de camp. « *Hello, how are you ? You have eaten meat ?* » me demande-t-il ; il m'interroge si gentiment et de façon si attentionnée que je me sens bien, et je recommence à éprouver un fort désir pour lui. A la lumière de la lampe à pétrole, il est merveilleusement beau. Sa parure brille, son torse nu n'est décoré que de deux rangées de perles. Savoir que sous le pagne se trouve directement la peau m'excite beaucoup. Je saisis sa main fine et fraîche, et la presse contre mon visage. A cet instant, je me sens liée à cet homme qu'au fond je ne connais pas du tout, et je sais que je l'aime. Je l'attire contre moi. Je pose ma tête contre la sienne et sens l'odeur sauvage de ses longs cheveux rouges. Nous restons ainsi une éternité, l'excitation le submerge, lui aussi. Nous ne sommes séparés que par ma légère robe d'été que je finis par enlever. Il me pénètre et, cette fois-ci, je sens un bonheur nouveau, même si cela ne dure pas très longtemps et que je n'atteins pas l'orgasme. Je me sens en accord avec cet homme et, cette nuit-là, je sais que, malgré tous les obstacles, je suis déjà prisonnière de son monde.

La nuit, je sens des tiraillements dans le ventre et je saisis ma lampe de poche que j'ai heureusement déposée au chevet du lit. Tout le monde entend sans doute les grincements de la porte car, en dehors des grillons qui bruissent, sans cesse, tout est silencieux. Je prends la direction de la

« toilette-poulailler » ; je monte les dernières marches à toute vitesse et j'atteins l'endroit juste avant qu'il ne soit trop tard. Comme je suis accroupie, mes genoux tremblent. Rassemblant mes dernières forces, je me relève, j'attrape la lampe puis je reviens dans la hutte en repassant par la petite échelle. Lketinga dort paisiblement. Je me fais une petite place entre lui et le mur.

Quand je me réveille, il est déjà huit heures, et le soleil est tellement fort que l'air est étouffant dans la hutte. Après le thé traditionnel et le rituel de la toilette, je voudrais me laver les cheveux. Mais comment, sans eau courante ? Nous recevons l'eau dans des bidons de vingt litres que Priscilla me remplit tous les jours au puits non loin de la maison. J'essaie d'expliquer à Lketinga ce que j'ai l'intention de faire. Il se montre tout de suite très serviable : « *No problem, I help you !* » A l'aide d'une boîte de conserve, Lketinga me verse de l'eau sur la tête. Il me shampouine même les cheveux, en riant comme un fou. En voyant toute cette mousse, il s'étonne que j'aie encore tous mes cheveux après.

Puis nous décidons de rendre visite à mon frère et à Jelly. Nous les trouvons attablés devant un petit déjeuner copieux. En voyant tous ces plats exquis, je me rends compte à quel point mes petits déjeuners dans la brousse sont frugaux. Aujourd'hui, c'est moi qui parle, Lketinga est assis à côté, et il écoute. Quand je raconte mon expédition nocturne et que les deux autres se regardent avec consternation, il demande : « *What's the problem ?* » Je réponds en riant : « *No problem. Everything is OK !* »

Nous invitons Eric et Jelly à déjeuner chez Priscilla. J'ai envie de faire des spaghettis. Ils sont d'accord, et Eric m'assure qu'ils trouveront le chemin tout seuls. Il nous reste deux heures pour dénicher des spaghettis, de la sauce tomate, des oignons et des herbes aromatiques. Lketinga ne sait pas de quel genre de plat nous parlons, mais il dit en riant : « *Yes, yes, it's OK.* »

Nous montons dans un *matatu* pour aller dans un supermarché pas très loin de l'hôtel où nous trouvons tous les ingrédients. Quand nous arrivons enfin au village, il ne me reste que peu de temps pour préparer le « repas de fête ». Accroupie par terre, je prépare le repas. Priscilla et Lketinga me jettent des regards amusés et disent :

« *This is no food !* » Mon ami massaï regarde fixement l'eau bouillante et observe avec curiosité comment les bâtonnets durs peu à peu se tordent. C'est un mystère pour lui, et il doute que ce soit mangeable. Pendant que les pâtes cuisent, j'ouvre la boîte de sauce tomate à l'aide d'un couteau. Je verse le contenu dans une poêle cabossée, et Lketinga me demande d'une voix stupéfaite : « *Is this blood ?* » C'est à moi maintenant d'éclater de rire. En gloussant, je réponds : « Du sang ? *Oh no*, sauce tomate ! »

A ce moment-là arrivent en transpirant Jelly et Eric. « Quoi, tu fais la cuisine par terre ? » me demande Jelly, surprise. Je lui réponds : « Eh bien, oui ! Tu croyais qu'on avait une cuisine, ici ? » Quand nous sortons les spaghettis les uns après les autres en nous aidant de fourchettes, Priscilla et Lketinga s'affolent pour de bon. Priscilla va chercher sa voisine. Elle aussi regarde les spaghettis blancs et la casserole avec la sauce rouge puis, en désignant les pâtes, elle dit : « *Worms ?* » avec une grimace. Nous rions. Les trois autres croient que nous mangeons des asticots au sang et ne touchent à rien. En un sens, je les comprends car, plus je regarde dans la casserole, plus j'ai l'appétit coupé en pensant à des asticots baignant dans du sang.

En faisant la vaisselle, je me trouve devant une nouvelle difficulté. Il n'y a ni produit vaisselle ni grattoir. Priscilla résout ce problème en se servant d'Omo et en grattant avec les ongles. Mon frère constate laconiquement : « Ma chère sœur, je ne te vois pas rester ici pour toujours. En tout cas, pour le moment, tu n'as plus besoin de lime pour tes beaux ongles longs. » En un sens, il a raison.

Il reste encore deux jours de vacances à Eric et Jelly, puis je resterai seule avec Lketinga. Le dernier soir de leur séjour, l'hôtel organise un spectacle de danse massaï. Eric et Jelly n'en ont jamais vu. Lketinga y participera, et nous attendons tous trois avec impatience le début de la représentation. Les Massaïs se réunissent devant l'hôtel et déposent des épées, des bijoux, des ceintures de perles et des tissus pour la vente qui aura lieu après le spectacle.

Environ vingt-cinq guerriers arrivent en chantant. Je me sens liée à ces gens, et je suis fière de ce peuple comme s'ils étaient tous mes frères. Ils bougent avec une élégance incroyable et dégagent une aura impressionnante. Le sentiment d'avoir trouvé une patrie, chose que je n'avais jamais ressentie auparavant, me fait monter les larmes aux yeux. J'ai l'impression d'avoir trouvé ma famille, mon peuple. Jelly n'est pas rassurée devant tant de Massaïs parés et couverts d'une peinture qui leur donne un air sauvage et elle me glisse dans l'oreille : « Corinne, tu es sûre que c'est là ton avenir ? » Je réponds : « Oui. » C'est tout ce que j'ai à dire.

Vers minuit, le spectacle est terminé, les Massaïs s'en vont. Lketinga vient nous montrer l'argent qu'il a gagné dans la vente de bijoux. Cela nous semble peu mais cette somme lui permettra de subsister quelques jours. Nous prenons congé car Eric et Jelly quitteront l'hôtel tôt le lendemain. Lketinga fait promettre à mon frère de revenir : « *You are my friends now !* » Jelly me serre dans ses bras et me dit en pleurant de faire attention, de bien réfléchir à tout et de rentrer en Suisse dans dix jours. Apparemment, elle n'a pas confiance.

Nous prenons le chemin du retour. Des myriades d'étoiles brillent mais on ne voit pas la lune. Lketinga connaît parfaitement le chemin à travers la brousse, malgré l'obscurité. Je dois m'accrocher à son bras pour ne pas le perdre de vue. Près du village, un chien nous accueille en aboyant. Lketinga émet quelques sons brefs et aigus, et le clébard s'en va. Dans la hutte, je cherche en tâtonnant ma lampe de poche. Une fois que je l'ai trouvée, je me mets à la recherche d'allumettes pour notre lampe à pétrole. Je pense brièvement à la vie en Suisse. Comme l'existence est simple, là-bas ! Des réverbères, de la lumière électrique, tout semble fonctionner tout seul. Je suis épuisée et voudrais me coucher. Lketinga, lui, rentre du travail, il a faim et me demande de lui préparer un thé. Jusque-là, j'avais toujours laissé cette tâche à Priscilla. Dans la pénombre, je dois commencer par remettre du pétrole. En tenant le paquet de thé, je demande : « *How much ?* » Lketinga rit et verse un tiers du paquet dans l'eau bouillante. Plus tard, on ajoute du sucre. Non pas deux ou trois cuillers, mais une tasse pleine. Je suis étonnée et me dis que ce thé sera sûrement imbuvable. En fait, il est presque aussi bon que celui de Priscilla. Maintenant je comprends que le thé puisse remplacer un repas.

Je passe la journée du lendemain avec Priscilla. Nous

avons du linge à laver ; Lketinga décide d'aller sur la côte nord pour voir dans quels hôtels seront organisés des spectacles de danse. Il ne me demande pas si je veux venir.

J'accompagne Priscilla au puits et j'essaie de porter comme elle un bidon de vingt litres jusqu'à la hutte. Pour le remplir, on descend d'environ cinq mètres un seau qui contient trois litres, puis on le remonte. Ensuite, on puise l'eau à l'aide d'une boîte de conserve vide et on la verse dans le bidon à travers une petite ouverture, jusqu'à ce qu'il soit plein. Tout le monde fait très attention à ne pas perdre une goutte du précieux liquide.

Lorsque mon bidon est plein, j'essaie de le porter sur deux cents mètres, jusqu'à la hutte. Bien que je me sois toujours crue assez robuste, je n'y arrive pas. Priscilla, en revanche, hisse son bidon sur sa tête en deux ou trois mouvements puis, d'un pas tranquille et décontracté, rejoint la hutte. Je n'ai parcouru que la moitié du chemin quand elle revient pour me décharger de mon bidon. Les doigts me font mal, déjà. La scène se répète plusieurs fois car la lessive locale (Omo) s'avère très moussante. La lessive à la main m'abîme les articulations, d'autant plus qu'il faut la faire à l'eau froide et que je m'y applique avec la méticulosité qui caractérise les Suisses. Au bout d'un certain temps, mes mains sont toutes rouges à force de frotter, le produit me brûle. Mes ongles sont fichus. Quand j'arrête enfin, épuisée, le dos douloureux, Priscilla termine à ma place.

Il est midi passé depuis longtemps, et nous n'avons toujours rien mangé. D'ailleurs, qu'aurions-nous pu manger ? Nous n'avons pas de provisions à la maison car, autrement, nous serions envahis de cafards et de souris. Nous faisons donc nos courses tous les jours à l'épicerie. Malgré la chaleur écrasante, nous nous mettons en route. Normalement, il faut une demi-heure de marche, mais Priscilla bavarde longuement avec chaque personne que nous croisons. Il est d'usage ici de s'adresser à tout le monde en disant « *Jambo* », puis de raconter toute l'histoire familiale.

Enfin arrivées, nous achetons du riz et de la viande, des tomates, du lait et même du pain mou. Maintenant, il nous reste à refaire tout le chemin en sens inverse, puis à préparer la cuisine. En fin d'après-midi, Lketinga n'a toujours pas réapparu. Je demande à Priscilla si elle sait quand il rentrera, et elle me répond en riant : « *No, I can't ask this a Massai man !* » Epuisée par le travail en plein soleil auquel je ne suis pas habituée, je m'allonge dans la hutte, où il fait frais, pendant que Priscilla commence à préparer le repas. Je suis fatiguée aussi parce que je n'ai rien mangé de la journée.

Mon Massaï me manque ; sans lui, ce monde est moitié moins intéressant et attirant. Enfin, peu avant la tombée de la nuit, il s'approche de la hutte de sa démarche lente et élégante, et l'habituel « *Hello, how are you ?* » retentit. Un peu froissée, je réponds : « *Oh, not so good ! — Why ?* » demande-t-il, effrayé. Comme l'expression de son visage m'inquiète un peu, je décide de ne pas mentionner son absence prolongée car cela risquerait de créer des malentendus, étant donné notre niveau d'anglais. Du coup, je réponds, en montrant mon ventre : « *Stomach !* » Il me regarde avec un grand sourire et dit : « *Maybe baby ?* » En riant, je réponds « Non ! » Cette idée ne me serait pas venue car je prends la pilule, ce que Lketinga ne sait pas, et d'ailleurs il ne connaît probablement pas ce moyen de contraception.

Obstacles bureaucratiques

Nous nous rendons dans un hôtel où sont censés séjourner un Massaï et son épouse blanche. J'ai du mal à me représenter leur genre de vie mais je suis très curieuse ; il y a pas mal de questions que je voudrais poser à cette femme. Quand nous faisons leur connaissance, je suis déçue. Ce Massaï a l'air d'un Noir « ordinaire », il ne porte ni bijoux ni habits traditionnels mais un costume chic fait sur mesure, et il a quelques années de plus que Lketinga. La femme a elle aussi près de cinquante ans. Nous parlons tous en même temps et Ursula, qui est allemande, s'exclame : « Quoi, tu veux venir ici et vivre avec ce Massaï ? » J'acquiesce et lui demande timidement quel est le problème. « Tu sais, me répond-elle, mon mari et moi vivons ensemble depuis quinze ans déjà. Il est juriste, mais continue à avoir beaucoup de mal avec la mentalité allemande. Alors imagine Lketinga, qui n'est jamais allé à l'école, qui ne sait ni lire ni écrire, et qui parle à peine l'anglais. Il n'a pas la moindre idée des us et coutumes en Europe et a fortiori de ce pays parfait qu'est la Suisse. Cette histoire est condamnée à l'échec ! » Elle poursuit en m'expliquant que les femmes n'ont aucun droit ici et que, pour elle, il est exclu de vivre au Kenya. « Mais pour passer des vacances, c'est formidable ! » Elle me conseille d'acheter tout de suite d'autres vêtements à Lketinga. « Tu ne peux pas te promener avec lui comme ça ! »

Elle parle et parle, et la perspective des innombrables problèmes qui m'attendent me démoralise de plus en plus. Le mari d'Ursula est lui aussi d'avis qu'il serait mieux que Lketinga puisse venir me voir en Suisse. J'ai du mal à l'imaginer et, intuitivement, je suis contre cette idée mais, malgré tout, nous acceptons l'aide que ce couple nous offre et, le lendemain, nous allons avec eux à Mombasa afin de demander un passeport pour Lketinga. Quand j'émets quelques doutes, Lketinga me demande si j'ai un mari en Suisse. Si ce n'est pas le cas, je pourrais l'emmener sans problème, ajoute-t-il — alors qu'il vient de dire dix minutes plus tôt qu'il n'a aucune envie de quitter le Kenya parce qu'il ne sait pas où se trouve la Suisse ni comment est ma famille.

En allant à Mombasa, je suis submergée de doutes qui s'avéreront justifiés. Les jours paisibles au Kenya sont terminés ; commence alors le stress bureaucratique. Nous entrons à quatre dans le bâtiment administratif et nous faisons la queue pendant une bonne heure avant d'être reçus. Derrière un grand bureau d'acajou est assis un fonctionnaire censé s'occuper des demandes de passeports. Entre le mari d'Ursula et lui s'engage une discussion dont Lketinga et moi ne comprenons rien. Je vois seulement les regards qu'ils jettent à plusieurs reprises sur Lketinga et son allure exotique. Après cinq minutes, le mari d'Ursula nous lance : « *Let's go !* » et, désarçonnés, nous quittons le bureau. Je trouve insensé d'attendre une heure pour être reçu cinq minutes.

Ce n'est qu'un début. Le mari d'Ursula nous explique qu'il reste encore pas mal de choses à régler, qu'il est hors de question que Lketinga parte en même temps que moi ; au meilleur des cas, si tout va bien, il me suivra dans un mois à peu près. Avant, nous devrons faire faire des photos, puis retourner dans ce bureau et remplir des formulaires qui sont momentanément épuisés mais qui seront disponibles d'ici cinq jours. Je suis indignée : « Dans une aussi grande ville, il n'y a pas de formulaires de demandes de passeport ? » J'ai du mal à le croire. Quand, après avoir cherché longuement, nous trouvons enfin un photographe, il nous dit de revenir récupérer les photos plusieurs jours après. Epuisés par la chaleur et la longue attente, nous décidons de revenir sur la côte. Ursula et son mari disparaissent dans leur hôtel de luxe. Maintenant que nous savons où se trouve l'administration concernée, nous pourrons nous débrouiller seuls, disent-ils, et, en cas de problème, nous les trouverons à l'hôtel.

Le temps nous coule entre les doigts, trois jours après, nous retournons à l'Office avec les photos. Cette fois-ci, nous devons attendre encore plus longtemps que la première fois. Plus nous approchons de la porte, plus je deviens nerveuse car Lketinga ne se sent pas à l'aise, et je panique en pensant à mon mauvais anglais. Quand nous nous trouvons enfin devant l'*officer*, je lui présente péniblement notre requête. Après un certain temps, il lève le nez de son journal et me demande ce que je veux faire avec un type pareil — il jette un regard méprisant sur Lketinga — en Suisse. Je réponds : « *Holidays.* » L'*officer* éclate de rire et me dit que, tant que ce Massaï n'aura pas de vêtements civilisés, il n'a aucune chance d'obtenir un passeport. Comme il n'a pas de formation et ne connaît pas l'Europe, je devrai payer pour lui une caution de 1 000 francs suisses et lui acheter en même temps un billet d'avion aller-retour. Ce n'est que lorsque j'aurai réglé tout cela que l'on pourra me donner un formulaire de demande de passeport.

Enervée par l'arrogance de ce gros lard, je lui demande combien de temps cela prendra, une fois que j'aurai tout réglé. « Environ quinze jours », me répond-il, puis il nous fait signe de partir et se replonge dans son journal. Devant tant d'insolence, je ne sais plus quoi dire. Mais au lieu de me décourager, son comportement me pousse au contraire à agir pour lui montrer qui sera gagnant dans cette affaire. Je ne veux surtout pas que Lketinga se sente inférieur, et je voudrais bientôt le présenter à ma mère.

Je m'accroche de plus en plus à cette idée fixe et décide d'aller avec Lketinga, qui commence à être impatient et déçu, à l'agence de voyages la plus proche afin de faire le nécessaire. Nous tombons sur un Indien très aimable qui comprend la situation et m'avertit : d'après lui, beaucoup de femmes blanches ont déjà perdu leur argent de cette façon-là. Nous nous mettons d'accord : il me donne une attestation prouvant que j'ai acheté un billet d'avion et je laisse en dépôt chez lui l'argent nécessaire. Il me donne un reçu et me promet de me rendre l'argent si Lketinga n'obtient pas de passeport.

Je sais que c'est risqué, mais je me fie à ma bonne connaissance de l'être humain. Ce qui compte, c'est que Lketinga sache où il doit aller quand il aura son passeport, afin de donner sa date de départ. Dans un état d'esprit combatif, je me dis : « C'est encore un pas en avant ! »

Sur un marché proche, nous achetons pour Lketinga un pantalon, une chemise et des chaussures. Ce n'est pas facile car nous avons des goûts opposés. Lui voudrait un pantalon rouge ou blanc. Le blanc est une couleur impossible pour la vie dans la brousse, me semble-t-il, et le rouge n'est pas vraiment une couleur « masculine » pour un vêtement occidental. Le destin me vient en aide : les pantalons sont tous trop courts pour mon Massaï, qui fait près de deux mètres. Après avoir longuement cherché, nous trouvons un jean qui lui va. Puis cela recommence pour les chaussures. Jusque-là, il n'a porté que des sandales fabriquées avec des vieux pneus de voiture. Nous nous mettons d'accord sur des chaussures de sport. Deux heures après, il est vêtu de neuf, mais je l'aimais mieux avant. Sa démarche n'est plus la même : au lieu de planer, il a l'air de traîner des pieds. Lui, en revanche, est fier de posséder pour la première fois de sa vie un pantalon long, une chemise et des baskets.

Evidemment, il est trop tard pour retourner à l'Office ; Lketinga me propose alors d'aller sur la côte nord. Il voudrait me présenter à des amis et me montrer où il a vécu avant de s'installer chez Priscilla. J'hésite car il est déjà quatre heures et il faudrait que nous rentrions sur la côte sud dans la nuit. Une fois de plus, il dit : « *No problem, Corinne !* » Nous attendons un *matatu* pour le nord, mais nous ne trouvons de la place que dans le troisième car qui passe. Nous sommes entassés comme des sardines. Au bout de quelques minutes, je suis couverte de sueur.

Heureusement, nous atteignons bientôt un grand village massaï où je vois pour la première fois des femmes massaïs parées qui m'accueillent joyeusement. Dans les huttes règne un va-et-vient permanent. Je ne sais pas ce qui les étonne le plus : de me voir moi, ou de voir les nouveaux habits de Lketinga. Tous tripotent la chemise claire et le pantalon, et même les chaussures font l'objet d'un examen admiratif. La couleur de la chemise devient de plus en plus sombre. Deux ou trois femmes me parlent en même temps et je souris sans rien dire ni rien comprendre.

Nous nous tenons dans l'une des huttes lorsqu'une multitude d'enfants arrive et me regarde avec de grands yeux, en pouffant de rire. Soudain, Lketinga me dit : « *Wait here* », et le voilà parti. Je me sens assez mal à l'aise. Une femme me propose du lait ; je décline à cause des mouches. Une autre m'offre un bracelet massaï que j'enfile tout de suite, ravie. Apparemment, tous fabriquent des bijoux, ici.

Un peu plus tard, Lketinga réapparaît et me demande : « *You hungry ?* » Cette fois-ci, je réponds par l'affirmative car j'ai vraiment faim. Nous allons au restaurant de brousse, tout proche, qui ressemble à celui d'Ukunda, en beaucoup plus grand. Ici, une partie du restaurant est réservée aux hommes, une autre aux femmes. Bien sûr, je dois aller avec les femmes et Lketinga rejoint les autres guerriers. La situation ne me plaît pas, j'aimerais mieux être dans ma petite hutte sur la côte sud. On pose une assiette devant moi où nagent, dans un liquide qui ressemble vaguement à de la sauce, des morceaux de viande et même quelques tomates. Dans une deuxième assiette se trouve une sorte de galette. J'observe une femme attablée devant le même « menu », qui arrache des morceaux de galette avec la main droite, les trempe dans la sauce et s'en sert pour saisir un morceau de viande avant d'enfourner le tout. J'essaie de l'imiter mais j'ai besoin de mes deux mains. Tout à coup, le silence se fait, et tous me regardent manger. Je suis gênée, d'autant qu'au moins dix enfants se sont regroupés autour de moi. Puis tout le monde parle de nouveau, mais je continue à me sentir observée. Je dévore tout aussi vite que possible en espérant que Lketinga réapparaîtra bientôt. Quand il ne reste plus que les os, je vais vers une sorte de tonneau où l'on puise de l'eau pour se la verser sur les mains et les débarrasser ainsi de la graisse, ce qui est bien sûr illusoire.

J'attends longtemps ; enfin Lketinga arrive. J'aurais voulu lui sauter au cou. Mais il me regarde bizarrement, comme s'il était fâché, et je ne sais même pas ce que j'ai fait. A l'état de sa chemise, je vois qu'il a mangé, lui aussi. Il dit : « *Come, come !* » Sur le chemin qui mène à la route, je lui demande : « *Lketinga, what's the problem ?* » L'expression de son visage me fait peur. C'est moi, la cause de son irritation ; il prend ma main gauche et me dit : « *This hand no good for food ! No eat with this one !* » Je comprends ce qu'il dit, mais je ne sais toujours pas pourquoi il me fait la tête. Je lui en demande la raison, mais je n'obtiens pas de réponse.

Fatiguée par cette journée difficile et désemparée devant ce nouveau mystère, je me sens incomprise et je voudrais rentrer chez nous, dans notre petite maison sur la côte sud. J'essaie de faire comprendre ce souhait à Lketinga : « *Let's go home !* » Il me regarde, je ne sais pas comment car je ne vois que le blanc de ses yeux et le bouton de nacre qui brille. « *No*, dit-il. *All Massai go to Malindi tonight.* » J'ai l'impression que mon cœur va s'arrêter de battre. Si j'ai bien compris, Lketinga veut aller à Malindi le soir même, pour un spectacle de danse. « *It's good business in Malindi* », poursuit-il. Comme il sent que je ne suis pas très enthousiaste, il me demande tout de suite d'une voix inquiète : « *You are tired ?* » Oui, je suis fatiguée. Je ne sais pas exactement où se trouve Malindi, et je n'ai pas de vêtements de rechange sur moi. Pas de problème, dit-il. Je peux dormir chez les *Massai ladies* ; il sera de retour le lendemain matin. En entendant ces mots, je me sens soudain éveillée. L'idée de devoir rester là, sans lui et sans pouvoir parler à personne, me terrifie : « *No, we go to Malindi together.* » Enfin, Lketinga retrouve le sourire, et j'entends son « *No problem !* » qui m'est maintenant familier. Avec quelques autres Massaïs, nous montons dans un bus public qui est plus confortable que ces véhicules casse-cou que sont les *matatus*. Quand je me réveille, nous sommes à Malindi.

Nous commençons par chercher un logement pour autochtones car, après le spectacle, tout risque d'être complet. Il n'y a pas beaucoup de choix. Nous trouvons un *lodging* où sont déjà installés d'autres Massaïs, et nous récupérons la dernière pièce libre qui ne mesure pas plus de trois mètres sur trois. Des sommiers en fer recouverts de matelas fins et creusés au milieu sont installés contre deux des murs en béton. Sur chaque lit sont posées deux couvertures en laine. Une ampoule nue pend au plafond, deux chaises traînent au milieu de la pièce. La location a au moins l'avantage d'être bon marché. Il nous reste tout juste une demi-heure avant que le spectacle des danseurs massaïs commence. Je vais boire un Coca en vitesse.

En retournant dans la chambre, peu après, je découvre un spectacle assez étonnant. Lketinga est assis sur l'un des lits, il a baissé le jean jusqu'aux genoux et s'énerve en tirant dessus. Apparemment, il veut l'enlever parce qu'il est bientôt temps d'y aller et qu'il ne peut évidemment pas participer au spectacle vêtu à l'européenne. En le voyant ainsi, j'ai du mal à m'empêcher de rire. Comme Lketinga a gardé ses baskets aux pieds, il n'arrive pas à ôter le jean, qui reste coincé entre ses jambes : impossible de le remonter ou de l'enlever. Je m'agenouille devant Lketinga en riant et j'essaie de dégager les chaussures des jambes de pantalon pendant qu'il crie : « *No, Corinne, out with this !* » en désignant le pantalon. Je réponds : « *Yes, yes* », et je tâche de lui expliquer qu'il doit d'abord remettre les jambes dans le pantalon puis enlever les chaussures avant de pouvoir enlever le vêtement.

La demi-heure est largement passée quand nous courons vers l'hôtel. Dans ses habits traditionnels, je le trouve mille fois plus beau. Ses nouvelles chaussures, qu'il a bien sûr voulu porter sans chaussettes, lui ont déjà fait des ampoules aux pieds. Nous arrivons juste à temps pour le spectacle. Je m'assois avec les spectateurs blancs, dont certains me jettent des regards dédaigneux, mes vêtements, à force d'avoir été portés toute la journée, ne sont pas vraiment devenus plus beaux ni plus propres. Je ne dégage pas non plus une odeur aussi fraîche que les touristes qui viennent de prendre une douche, sans parler de mes longs cheveux collants. Malgré tout, je suis certainement la femme la plus fière dans cette pièce. A la vue des danseurs, je suis submergée par le même sentiment d'appartenance que la fois précédente.

Lorsque le spectacle et la vente sont terminés, il est presque minuit. Je n'ai plus qu'une envie : dormir. Dans le *lodging*, je voudrais me laver un peu mais Lketinga entre dans la pièce accompagné d'un autre Massaï et me demande si je ne vois pas d'inconvénient à ce que son ami dorme dans le deuxième lit. Je ne suis pas ravie à l'idée de partager ces trois mètres sur trois avec un inconnu, mais je ne dis rien pour ne pas paraître impolie. Tout habillée, je m'allonge à côté de Lketinga sur l'étroite couche qui s'affaisse au milieu ; je finis malgré tout par m'endormir.

Le lendemain matin, je peux enfin prendre une douche, dans des conditions qui ne sont certes pas luxueuses — de la douche ne sort qu'un filet d'eau glacée — mais, malgré mes vêtements sales, je me sens un peu mieux sur la route du retour.

A Mombasa, je m'achète une robe simple car nous devons retourner à l'Office pour nous occuper du passeport et redemander le formulaire. Aujourd'hui, nous obtenons gain de cause. Après avoir vérifié le billet d'avion provisoire et l'attestation qui prouve le dépôt de l'argent, le fonctionnaire nous donne enfin le formulaire de demande de passeport. En essayant de répondre aux nombreuses questions, je constate que je ne comprends pas bien la plupart d'entre elles et décide de remplir le papier avec l'aide d'Ursula et de son mari.

Après cinq heures de route, nous sommes enfin de retour dans notre petite maison sur la côte sud. Priscilla était très inquiète parce qu'elle ne savait pas où nous avions passé la nuit. Lketinga doit lui expliquer pourquoi il revient habillé à l'occidentale. Je m'allonge un peu car il fait très chaud dehors. En plus, j'ai faim. J'ai sûrement perdu plusieurs kilos, déjà.

Il reste six jours avant mon retour en Suisse, et je n'ai toujours pas parlé avec Lketinga d'un avenir commun au Kenya. Tout tourne autour de ce fichu passeport. Alors je réfléchis à ce que je pourrais bien faire ici. Etant donné le niveau de vie modeste, il ne faut pas beaucoup d'argent pour vivre ; il n'empêche que j'ai besoin d'une occupation et de revenus supplémentaires. J'ai l'idée de trouver dans un des nombreux hôtels un local commercial et d'y ouvrir une boutique. Je pourrais employer une ou deux femmes, apporter des patrons de Suisse et tenir un atelier de couture. Les beaux tissus ne manquent pas, il y a de bonnes couturières qui travaillent pour environ 300 francs suisses par mois, et la vente est mon domaine de prédilection.

Enthousiasmée par ce projet, j'appelle Lketinga et j'essaie de le lui expliquer mais, bientôt, je constate qu'il ne me comprend pas. Comme la chose me semble importante, je vais chercher Priscilla. Pendant qu'elle traduit, Lketinga hoche la tête de temps en temps. Priscilla m'explique que, sans permis de travail ou sans mariage, ce projet est irréalisable. Mais elle dit que l'idée est bonne et qu'elle connaît quelques personnes, ici, qui ont gagné pas mal d'argent avec leur atelier de couture. Je demande à Lketinga s'il serait intéressé, éventuellement, par un mariage. Contrairement à mon attente, il se montre plutôt réservé. Très raisonnable, il me conseille, puisque j'ai un magasin en Suisse qui marche bien, de ne pas le vendre et de venir plutôt passer des vacances au Kenya deux ou trois fois par an. Je t'attendrai toujours, me dit-il.

Je commence à me fâcher un peu. Je suis sur le point de tout abandonner en Suisse, et il me fait des propositions de vacances ! Je suis déçue. Il s'en rend compte tout de suite et me dit — à juste titre, bien sûr — qu'il ne me connaît pas bien et qu'il ne connaît pas non plus ma famille. Il a besoin de temps pour réfléchir et m'invite, moi aussi, à y réfléchir. Et en plus, ajoute-t-il, il viendra peut-être en Suisse. Je me contente de dire : « Lketinga, ce que je fais, je le fais bien et pas seulement à moitié. » Soit il ressent la même chose que moi, soit j'essaie d'oublier tout ce qui s'est passé entre nous.

Le lendemain, nous allons à l'hôtel où séjournent Ursula et son mari pour remplir le formulaire avec eux, mais ils sont partis pour un safari de plusieurs jours. Une fois de plus, je maudis ma mauvaise connaissance de l'anglais. Nous nous mettons à la recherche de quelqu'un pour nous traduire le formulaire. Lketinga ne veut demander qu'à un Massaï, il n'a confiance qu'en eux.

Nous retournons à Ukunda et passons des heures dans le magasin de thé jusqu'à ce qu'arrive enfin un Massaï qui sache lire et écrire et qui parle anglais. Ses manières dédaigneuses me déplaisent mais il remplit le formulaire avec Lketinga tout en affirmant que, sans pot-de-vin, rien ne marche ici. Comme il me montre son passeport et qu'il semblerait qu'il soit déjà allé deux fois en Allemagne, je le crois. Il ajoute que le pot-de-vin sera cinq fois plus élevé à cause de ma peau blanche. Il propose d'accompagner Lketinga à Mombasa, le lendemain, et de tout régler. Bon gré mal gré, j'accepte car je n'ai plus la patience de me battre avec cet *officer* arrogant. Pour 50 francs suisses seulement, il veut bien tout arranger et même accompagner Lketinga à l'aéroport. Je lui donne un bakchich, puis les deux hommes se mettent en route pour Mombasa.

Enfin, je peux retourner un peu à la plage, profiter du soleil et de la bonne nourriture de l'hôtel, naturellement dix fois plus chère qu'au restaurant local. En fin d'après-midi, je rentre à la petite maison où Lketinga m'attend déjà, furieux. Tout excitée, je lui demande comment s'est passé son voyage à Mombasa, mais il veut d'abord savoir où j'ai été. Je lui réponds en riant : « A la plage et à l'hôtel, pour manger ! » Puis il veut savoir avec qui j'ai parlé. Sur un ton insouciant, je mentionne Edy et deux autres Massaïs avec qui j'ai échangé quelques mots sur la plage. Peu à peu, l'expression de son visage s'adoucit et il me dit qu'il aura son passeport dans trois ou quatre semaines.

Je suis ravie et j'essaie de lui parler autant que je peux de la Suisse et de ma famille. Il me fait comprendre qu'il est content de revoir Eric mais que, en ce qui concerne les autres personnes, il ne sait pas à quoi s'attendre. Je ne suis pas non plus très rassurée en pensant à la réaction des gens, à Biel, quand ils verront Lketinga. En tout cas, la circulation dans les rues, les restaurants bizarres et tout le luxe européen vont sûrement le perturber.

Les derniers jours de mes vacances au Kenya se passent un peu plus calmement. De temps en temps, nous flânons jusqu'à l'hôtel ou à la plage, ou nous passons la journée au village, à boire du thé et à préparer les repas. Le matin du dernier jour, je suis triste et j'essaie de ne pas perdre contenance. Lketinga est nerveux, lui aussi. Beaucoup m'apportent des cadeaux, la plupart du temps des bijoux massaïs. Mes bras sont couverts de bracelets jusqu'au coude.

Lketinga me lave encore une fois les cheveux, m'aide à préparer mes bagages et n'arrête pas de me demander : « *Corinne, really you will come back to me ?* » Il dit que beaucoup de femmes blanches promettent de revenir et puis ne reviennent pas ou, si elles reviennent, prennent un autre amant. Chaque fois, je lui réponds avec insistance : « Lketinga, je n'en veux pas d'autre, *only you* ! » et je lui promets de lui écrire souvent, de lui envoyer des photos et de le prévenir quand j'aurai tout arrangé. Il faut que je vende la boutique et que je trouve quelqu'un qui reprenne mon appartement avec tout le mobilier.

Nous convenons qu'il m'informera par l'intermédiaire de Priscilla de la date de son arrivée s'il obtient son passeport. Je le mets à l'aise : « Si ça ne marche pas, ou si tu ne veux plus aller en Suisse, tu peux très bien me le dire. » Il me faudra trois mois, environ, pour tout régler. Lketinga me demande combien ça fait, trois mois : « *How many full moons ?* » « Trois pleines lunes », dis-je en riant.

Nous passons chaque instant de ma dernière journée de vacances ensemble, et nous décidons d'aller au bar du Bush Baby jusqu'à quatre heures du matin afin de ne pas rater l'heure du départ et de profiter de chaque minute. Nous parlons et gesticulons toute la nuit, la même question revient tout le temps : est-ce que je reviendrai ? Je le lui promets pour la vingtième fois, et je me rends compte à quel point Lketinga est bouleversé, lui aussi.

Une demi-heure avant le départ du car, nous arrivons à l'hôtel, accompagnés de deux autres Massaïs. Les Blancs mal réveillés qui attendent déjà nous jettent des regards intrigués. Avec mon sac de voyage et les trois Massaïs armés de leurs *rungus* à mes côtés, je dois faire une impression étrange. Il faut maintenant que je monte dans le car. Lketinga et moi nous serrons une fois de plus dans les bras l'un de l'autre, et il dit : « *No problem, Corinne ! I wait here or I come to you !* » Ensuite — j'ai du mal à y croire —, il me donne un baiser sur la bouche. Emue, je monte dans le car et j'agite la main en direction de ceux qui restent en arrière, dans l'obscurité.

L'adieu et le départ

De retour en Suisse, je commence sans tarder à chercher quelqu'un pour reprendre ma boutique. Il y a beaucoup d'intéressés mais peu de personnes conviennent, et celles-là n'ont pas d'argent. Evidemment, je voudrais en tirer le plus possible parce que je ne sais pas quand je pourrai de nouveau gagner ma vie. Avec 10 francs suisses, je peux vivre au moins deux jours au Kenya. Je deviens assez avare, et je mets de côté tout l'argent que je peux pour mon avenir là-bas.

Un mois est vite passé, et je ne reçois pas de nouvelles de Lketinga. J'ai déjà écrit trois lettres. Un peu inquiète, j'écris également à Priscilla. Quinze jours plus tard, je reçois une lettre d'elle qui me trouble beaucoup. Elle m'écrit qu'elle a vu Lketinga pour la dernière fois quinze jours après mon départ, qu'il était probablement reparti vivre sur la côte nord, et que sa demande de passeport est bloquée pour l'instant. Pour finir, elle me conseille de rester plutôt en Suisse. Déboussolée, j'écris immédiatement une nouvelle lettre que j'envoie à la boîte postale sur la côte nord, où sont déjà parvenus mes précédents courriers.

Deux mois après mon retour en Suisse, une amie se décide à m'acheter la boutique ; la vente sera effective le 1ᵉʳ octobre. Je suis ravie que le plus grand des problèmes soit enfin résolu. Théoriquement, je peux donc partir en octobre. Mais je n'ai toujours pas de nouvelles de Lketinga. Je me dis que ce n'est plus la peine qu'il vienne en Suisse maintenant, étant donné que je serai bientôt de retour à Mombasa, et je continue de croire en notre grand amour. Je reçois encore deux autres lettres confuses de Priscilla mais ma confiance est inébranlable. Je prends un billet d'avion pour Mombasa, départ le 5 octobre.

Il me reste deux bonnes semaines pour me débarrasser de mon appartement et des voitures. L'appartement ne pose pas de problème : je vends tout, mobilier y compris, pour un prix dérisoire, à un jeune étudiant, ce qui me permet de rester dans mes quatre murs jusqu'au dernier jour.

Mes amis, mes collègues de travail, tous ceux qui me connaissent ne comprennent pas ce que je fais. Pour ma mère, c'est un choc particulièrement dur et, malgré tout, j'ai l'impression que c'est encore elle qui me comprend le mieux. Elle espère et prie pour moi, pour que je trouve ce que je cherche et que je sois heureuse.

Le tout dernier jour, je vends mon cabriolet et me fais emmener à la gare. Je suis tout excitée en achetant l'« aller-simple » pour Zurich-Kloten. Avec un petit bagage à main et un grand sac de voyage dans lequel se trouvent quelques tee-shirts, des sous-vêtements, des jupes simples en coton et quelques cadeaux pour Lketinga et Priscilla, je monte dans le train.

Quand le train se met en branle, je suis ivre de joie. Je me penche en arrière, le visage rayonnant comme une lanterne, et je ris toute seule. Un merveilleux sentiment de liberté s'est emparé de moi. Je pourrais pousser des cris, faire part de mon bonheur et de mon projet à tous les passagers du train. Je suis libre, libre, libre ! Je n'ai plus aucune obligation en Suisse, plus de boîte aux lettres remplie de factures, et j'échappe au temps pluvieux et morose qu'il fait en hiver dans ce pays. Je ne sais pas ce qui m'attend au Kenya ni si Lketinga a reçu mes lettres. Si c'est le cas, les lui a-t-on bien traduites ? Je ne sais rien, et je m'abandonne simplement à un sentiment d'apesanteur qui me rend heureuse.

J'aurai trois mois pour m'acclimater avant de devoir effectuer des démarches pour obtenir un nouveau visa. Mon Dieu, trois mois, c'est beaucoup pour tout régler et pour apprendre à mieux connaître Lketinga. J'ai pu améliorer mon anglais et, en plus, j'ai de bons livres illustrés dans mes bagages pour continuer à apprendre. Dans quinze heures, je serai dans ma nouvelle patrie. Ce sont les pensées qui me traversent l'esprit en montant dans l'avion ; je m'installe dans mon fauteuil et, à travers le hublot, je m'imprègne une dernière fois d'images de la Suisse. Je ne sais pas quand je reviendrai. Pour fêter cet adieu et ce nouveau départ, je m'offre du champagne et, bientôt, je ne sais plus si je dois rire ou pleurer.

Dans ma nouvelle patrie

Depuis l'aéroport de Mombasa, le bus de l'hôtel m'emmène jusqu'à l'Africa Sea Lodge bien que je n'aie pas réservé. Priscilla et Lketinga devraient normalement être informés de mon arrivée. Je me sens en pleine confusion. Et si personne ne venait ? Arrivée à l'hôtel, je n'ai plus le temps de réfléchir. Je regarde autour de moi et je vois que personne n'est venu pour m'accueillir. Je suis debout devant le hall, mon lourd bagage posé à côté de moi ; la tension intérieure se relâche peu à peu et fait place à une grande déception. A ce moment-là, j'entends mon nom et, en regardant vers le chemin du village, je vois Priscilla courir vers moi, son abondante poitrine se soulevant au rythme de ses pas. Des larmes de soulagement et de joie me montent aux yeux.

On se tombe dans les bras, et je lui demande bien sûr où se trouve Lketinga. Son visage s'assombrit et elle détourne les yeux en disant : « *Corinne, please, I don't know where he is !* » Elle ne l'a pas revu depuis plus de deux mois. On raconte beaucoup de choses, mais elle ne sait pas ce qui est vrai ou faux. Je veux tout savoir, mais Priscilla propose qu'on aille d'abord au village. Elle porte mon lourd bagage sur la tête, si bien que je n'ai à m'occuper que de mon sac à main.

Je pense : « Mon Dieu, que vont devenir mes rêves d'amour et de bonheur ? Où peut bien se trouver Lketinga ? » Je ne peux pas croire qu'il ait tout oublié. Au village, Priscilla me présente une amie musulmane et m'explique que, pour le moment, nous devons partager sa petite maison à trois car cette femme ne veut plus retourner chez son mari. La maison n'est pas très grande mais cela devrait aller.

Nous buvons du thé. Les questions auxquelles je n'ai pas de réponse me poursuivent. J'interroge de nouveau Priscilla sur mon Massaï. Après quelques hésitations, elle me raconte ce qu'elle a entendu. L'un des collègues de Lketinga raconte qu'il est rentré chez lui. N'ayant pas de nouvelles de moi pendant très longtemps, il serait tombé malade. Stupéfaite, je m'exclame : « Quoi ? Je lui ai envoyé au moins cinq lettres ! » Alors Priscilla s'étonne un peu, elle aussi : « Ah bon, et à quelle adresse ? » Je lui montre l'adresse postale. Ce n'est pas étonnant que Lketinga ne les ait pas reçues, me dit-elle. La boîte postale appartient à tous les Massaïs de la côte nord, et tout le monde y a accès. Comme Lketinga ne sait pas lire, on lui a probablement volé mes lettres.

Je peux à peine croire ce que Priscilla me raconte : « Je croyais que tous les Massaïs étaient des amis, presque des frères. Qui aurait pu faire une chose pareille ? » Pour la première fois, j'entends parler de la jalousie qui existe entre les guerriers installés sur la côte. Après mon départ, il y a trois mois, l'un des hommes qui vivent là depuis longtemps s'est moqué de Lketinga : « Une jeune et jolie femme comme elle, qui en plus a beaucoup d'argent, ne reviendra sûrement pas au Kenya pour rejoindre un Noir qui ne possède rien. » Alors Lketinga, qui ne vit pas sur la côte depuis longtemps, a probablement cru ce que les autres lui disaient, et il est rentré chez lui, d'autant plus qu'il ne recevait pas de lettres, poursuit Priscilla.

Curieuse, je lui demande où se trouve son « chez lui ». Elle ne le sait pas exactement ; quelque part dans le district des Samburus, à environ trois journées de voyage d'ici. Elle me dit de ne pas me faire de souci ; maintenant que je suis bien arrivée, elle essaiera de trouver quelqu'un qui y descende prochainement et qui puisse porter un message. « Tôt ou tard, nous finirons par apprendre ce qu'il s'est passé. *Pole, pole* », me dit-elle, ce qui signifie quelque chose comme « doucement, doucement ». « Tu es au Kenya maintenant, alors il te faudra beaucoup de temps et de patience. »

Les deux femmes s'occupent de moi comme d'une enfant. Nous discutons beaucoup. Esther, la musulmane, parle de ses problèmes avec son mari. Les deux femmes me conseillent de ne jamais épouser un Africain. Ils ne sont pas fidèles, disent-elles, et ils traitent mal les

51

femmes. Je ne dis rien mais je pense : « Mon Lketinga est différent. »

Le deuxième jour, nous décidons d'acheter un lit. Je n'ai pas fermé l'œil de la nuit car Priscilla et moi partageons un lit étroit tandis qu'Esther dort de l'autre côté, dans l'autre lit. Comme Priscilla est assez ronde, je n'ai pas beaucoup de place et je dois m'accrocher au bord du matelas pour ne pas glisser tout le temps vers elle.

Nous partons donc pour Ukunda et, par 40 °C à l'ombre, nous allons d'un marchand à l'autre. Le premier n'a pas de lit double mais pourrait en fabriquer un d'ici trois jours. Moi, j'en voudrais un tout de suite. Chez le marchand suivant, nous en trouvons un avec de très beaux montants pour 80 francs suisses. Je veux l'acheter, mais Priscilla dit, indignée : « *Too much !* » Je crois avoir mal entendu. Un très beau lit double fait main à un prix aussi dérisoire ! Priscilla s'en va. « *Come, Corinne, too much !* » Nous y passons la moitié de l'après-midi avant que je puisse enfin acheter un lit à 60 francs suisses. L'artisan le démonte et nous transportons le tout vers la route principale. Priscilla nous trouve en plus un matelas de mousse puis, après une heure d'attente dans une chaleur étouffante, au bord de la route poussiéreuse, nous reprenons un *matatu* jusqu'à l'hôtel où nous déchargeons le tout. Nous voilà de nouveau au bord de la route avec le lit démonté ; il est très lourd, bien sûr, car il est en bois massif.

Désemparées, nous regardons autour de nous, et nous apercevons trois Massaïs qui reviennent de la plage. Priscilla leur parle et les trois guerriers, qui rechignent plutôt au travail d'habitude, nous aident sur-le-champ à porter mon nouveau lit double jusqu'au village. Je dois me maîtriser pour ne pas éclater de rire car notre petit cortège est vraiment trop drôle à voir. Quand nous arrivons enfin à la maison, je veux tout de suite monter le lit mais il n'en est pas question, car les Massaïs tiennent à s'en occuper. Bientôt, six hommes s'affairent autour.

Tard le soir, épuisées, nous nous asseyons enfin sur le lit. Nous servons du thé aux hommes qui nous ont aidées et, une fois de plus, tous se parlent dans cette langue massaï dont je ne comprends pas un mot. Les guerriers m'examinent avec curiosité et, de temps en temps, j'entends le nom de Lketinga. Une heure après, environ, tout le monde s'en va, et nous nous préparons pour la nuit en faisant une petite toilette à l'extérieur de la hutte. Dans la nuit noire, nous pouvons être sûres que personne ne nous regarde. Pour nos petits besoins, nous restons près de la maison car, dans l'obscurité, on ne monte plus au « poulailler ». Recrue de fatigue, je me laisse tomber dans le nouveau lit, où je dors merveilleusement bien. Je ne sens pas la présence de Priscilla car il est assez large. Mais il ne reste plus beaucoup de place dans la hutte ; désormais, les visiteurs s'assiéront tous sur le bord du lit.

Les journées passent très vite. Priscilla et Esther continuent à me dorloter. L'une fait la cuisine, l'autre va chercher l'eau et lave mes vêtements. Lorsque je proteste, elles me répondent qu'il fait trop chaud pour que je travaille. Alors je passe le plus clair de mon temps sur la plage et j'attends des nouvelles de Lketinga. Souvent, le soir, des guerriers massaïs nous rendent visite, nous jouons aux cartes ou nous essayons de nous raconter des histoires. Certains me montrent de l'intérêt, mais je n'ai pas envie d'y donner suite ; pour moi, il n'y a qu'un seul homme au monde. Aucun n'est aussi beau ni aussi élégant que mon « demi-dieu » pour qui j'ai tout abandonné. Une fois que les guerriers se sont rendu compte qu'ils ne m'intéressent pas, j'entends d'autres rumeurs sur Lketinga. Apparemment, tous savent que je continue à l'attendre.

Un jour, après que j'ai décliné une fois de plus des avances, le prétendant éconduit me lance : « Pourquoi tu attends ce Massaï ? Tout le monde sait qu'il est parti à Watamu Malindi avec l'argent que tu lui as donné pour le passeport et qu'il a tout dépensé pour se soûler avec des filles africaines. » Puis il se lève et me suggère de repenser à sa proposition. Furieuse, je lui conseille de ne plus se montrer dans les parages. Cela n'empêche pas que je me sente très seule et que j'aie l'impression d'avoir été trahie. Et si cet homme avait dit vrai ? Beaucoup de pensées me traversent l'esprit mais, pour finir, je n'ai qu'une certitude : je ne veux pas croire aux rumeurs. Je pourrais aller voir l'Indien à Mombasa, mais je n'en ai pas le courage car, si les rumeurs s'avéraient justifiées, ce serait insupportable. Tous les jours, je rencontre des guerriers sur la plage qui me racontent des histoires invraisemblables. L'un d'eux prétend même que Lketinga est devenu *crazy* et qu'on l'a ramené chez lui. Là, il aurait épousé une jeune fille. Il ne viendrait plus à Mombasa. Si j'ai besoin d'être consolée, il sera toujours là pour moi, me dit-il. Mon Dieu, ne me laisseront-ils jamais tranquille ? Je commence à me sentir comme une biche perdue parmi des lions. Tout le monde veut me dévorer !

Le soir, je raconte à Priscilla les dernières rumeurs et les rencontres désagréables que j'ai faites. Elle trouve que c'est normal. Je suis là depuis trois semaines sans homme. D'habitude, les femmes blanches ne restent pas seules longtemps, me dit-elle. Puis elle me parle de deux femmes blanches qui vivent au Kenya depuis quelque temps déjà et qui courent après tous les Massaïs. D'un côté je suis choquée, de l'autre je suis étonnée d'apprendre qu'il y a d'autres femmes blanches ici, dont certaines parlent même l'allemand. Cette nouvelle éveille ma curiosité. Priscilla me montre l'une des petites maisons du village et me dit : « Celle-là appartient à Jutta, une Allemande. En ce moment, elle est quelque part dans le district samburu, où elle travaille dans un camp de vacances, mais elle doit repasser ici dans quinze jours ou trois semaines. » Je suis curieuse de rencontrer cette mystérieuse Jutta.

Pendant ce temps les tentatives d'approche verbales se répètent, si bien que je finis par me sentir mal à l'aise. Une femme seule semble être considérée comme du gibier ici. Priscilla ne peut ou ne veut pas se défendre de ces sollicitations. Quand je lui raconte que j'ai été importunée, elle rit parfois de façon enfantine, ce que je ne comprends pas.

Mon voyage avec Priscilla

Un jour, elle me propose de l'accompagner pendant quinze jours dans son village natal pour aller voir sa mère et ses cinq enfants. Surprise, je m'exclame : « Quoi, tu as cinq enfants ? Mais où est-ce qu'ils vivent ? — Chez ma mère ou parfois aussi chez mon frère », me répond-elle. Priscilla m'explique qu'elle habite sur la côte pour gagner de l'argent en vendant des bijoux, et qu'elle en rapporte deux fois par an chez elle. Son mari ne vit plus avec elle depuis longtemps. Une fois de plus, je suis déconcertée par le mode de vie africain.

Je me dis qu'à notre retour Jutta sera peut-être revenue, et je décide d'accompagner Priscilla. Ce voyage sera aussi une façon d'échapper à mes divers prétendants massaïs. Priscilla est très contente car elle n'a jamais emmené de femme blanche chez elle.

Nous décidons de partir dès le lendemain. Esther reste au village et s'occupe de la maison. A Mombasa, Priscilla achète différents uniformes scolaires pour ses enfants. Je n'ai pris qu'un petit sac à dos dans lequel se trouvent un peu de linge, un pull, trois tee-shirts et un jean de rechange. Une fois les billets achetés, il nous reste encore beaucoup de temps avant le départ du car, le soir. J'en profite pour aller dans un salon de coiffure et me faire faire des tresses africaines. L'opération, qui est très douloureuse, dure près de trois heures. Mais cette coiffure me semble plus pratique pour voyager.

Bien avant le départ, des dizaines de personnes se bousculent à proximité du car, dont on commence par charger le toit de toutes sortes de bagages. Quand nous partons, il fait nuit noire, et Priscilla me suggère de dormir. Il y a au moins neuf heures de route jusqu'à Nairobi, où nous devrons changer de car et refaire un trajet de quatre heures et demie avant d'arriver à Narok.

Je ne sais bientôt plus comment me tenir, et je suis très soulagée quand nous arrivons enfin. Suit alors une longue marche à pied. Le chemin, qui monte en pente douce, traverse des champs, des prés et même des forêts de sapins. On pourrait se croire en Suisse : de la verdure à perte de vue, et aucun être humain nulle part.

Enfin, j'aperçois de la fumée, au loin, et je distingue quelques habitations en bois, délabrées. « Nous sommes presque arrivées », dit Priscilla, et elle m'explique qu'elle doit d'abord acheter une caisse de bière pour son père. Je suis assez impressionnée quand elle hisse la caisse de bière sur sa tête, déjà lourdement chargée de bagages. Je suis curieuse de voir comment ces Massaïs vivent car Priscilla m'a raconté qu'ils sont plus riches que les Samburus, dont fait partie Lketinga.

Arrivées en haut, nous sommes accueillies bruyamment. Tous se précipitent vers nous, saluent Priscilla, puis s'arrêtent brusquement et me regardent en silence. Priscilla semble expliquer à tout le monde que nous sommes amies. Nous devons d'abord aller dans la maison de son frère, qui parle un peu anglais. Les habitations sont plus grandes ici que notre petite maison au village, et comprennent trois pièces. Mais tout est sale et couvert de suie parce qu'on fait la cuisine au feu de bois ; des poulets, des chiots et des chats se promènent partout. Où que l'on regarde, on voit des enfants de tous âges dont les plus grands portent les plus petits dans le dos. Priscilla commence à distribuer les cadeaux.

Les gens ne portent plus les habits traditionnels, ici ; ils sont vêtus à l'occidentale et mènent une vie de paysans bien réglée. Quand le troupeau de chèvres revient du pâturage, je dois en choisir une pour notre repas d'accueil : en tant qu'invitée, cet honneur me revient. J'ai du mal à condamner à mort l'un de ces animaux, mais Priscilla me dit que c'est la coutume, c'est un honneur qu'on me fait. On me demandera probablement la même chose tous les jours, lors de nos prochaines visites. Je désigne donc une chèvre blanche que l'on attrape tout de suite. Deux hommes étouffent la pauvre bête. Je me détourne pour ne pas avoir à regarder plus longtemps ce spectacle. La nuit tombe, et il fait déjà plus frais. Nous rentrons dans la maison et nous asseyons autour du feu allumé dans l'une des pièces, à même la terre battue.

Je ne sais pas où la chèvre est cuite ou grillée, je suis d'autant plus surprise qu'on m'apporte une des pattes de devant en entier ainsi qu'un énorme couteau de brousse. Priscilla a droit à l'autre patte de devant. Je dis : « Priscilla, je n'ai pas assez faim, je ne pourrai jamais manger tout ça ! » Elle me répond en riant que nous emporterons ce qui restera pour le manger demain matin. L'idée d'avoir à grignoter de nouveau cette patte au petit déjeuner ne me plaît qu'à moitié. Mais je prends sur moi et me force à avaler au moins un petit morceau de ce qu'on m'a servi, ce qui n'empêche pas les autres de se moquer de mon faible appétit.

Comme je suis morte de fatigue et que j'ai très mal au dos, je demande où nous pouvons dormir. On nous désigne un lit de camp étroit où nous sommes censées dormir toutes les deux. Il n'y a pas d'eau pour se laver et, dès que le feu s'éteint, la température baisse sensiblement dans la pièce. Je mets un pull et une veste d'été. Finalement, je suis assez contente que Priscilla doive se serrer contre moi car nous nous tenons chaud mutuellement. Au milieu de la nuit, je me réveille, des bêtes se promènent sur mon corps. J'ai envie de sauter du lit, mais il fait nuit et un froid de canard règne dans la pièce. Je n'ai pas d'autre choix que d'attendre le matin. Aux premières lueurs de l'aube, je réveille Priscilla et lui montre mes jambes. Elles sont parsemées de boutons rouges, probablement des piqûres de puces. Nous n'y pouvons pas grand-chose car je n'ai pas de vêtements de rechange. Je voudrais au moins me laver mais, en sortant devant la maison, je reste stupéfaite : toute la région est dans le brouillard, les prés verdoyants sont couverts de rosée. On pourrait se croire chez un paysan dans le Jura.

Aujourd'hui, nous poursuivons notre voyage afin de rendre visite à la mère et aux enfants de Priscilla. Nous marchons à travers des champs et des collines ; parfois, nous croisons des enfants ou des personnes d'un certain âge. Tandis que les enfants gardent une certaine distance, la plupart des adultes, surtout les femmes, me touchent. Certaines tiennent ma main longtemps et murmurent des paroles que, naturellement, je ne comprends pas. Priscilla m'explique que la plupart de ces femmes n'ont jamais vu ni a fortiori touché une femme blanche. Il arrive qu'elles ne me serrent pas seulement la main, mais qu'elles crachent dessus, ce qui est censé être un grand honneur.

Après trois heures de marche environ, nous atteignons la hutte où vit la mère de Priscilla. Tout de suite, des enfants viennent à notre rencontre et se collent à Priscilla. Sa mère, qui est encore plus ronde qu'elle, est assise par terre, en train de faire sa lessive. Les deux femmes ont bien sûr beaucoup de choses à se raconter, et j'essaie de deviner un peu ce qu'elles se disent.

La hutte est la plus modeste que j'aie vue jusque-là. Elle est ronde et réparée un peu partout avec des planches de bois, des coupons de tissu et du plastique. A l'intérieur, je peux à peine me mettre debout, et le feu qui brûle au centre remplit la pièce d'une fumée qui pique les yeux. Il n'y a pas de fenêtre. Je bois mon thé à l'extérieur parce que, autrement, mes yeux pleurent sans arrêt et me font mal. Un peu inquiète, je demande à Priscilla si nous allons dormir ici. Elle rit : « Non, Corinne, j'ai un autre frère qui habite à une demi-heure de marche, dans une plus grande maison. C'est là que nous coucherons. Ici, on manque de place parce que tous les enfants y dorment, et, à part du lait et du maïs, il n'y a rien à manger. » Je suis soulagée.

Peu avant la tombée de la nuit, nous nous mettons en route pour la maison du frère. Ici aussi, un accueil chaleureux nous attend. Les gens n'étaient pas informés de l'arrivée de Priscilla avec une invitée blanche. Ce frère m'est très sympathique. Enfin, je peux avoir une vraie conversation avec quelqu'un. La femme du frère parle elle aussi un peu anglais. Tous deux sont allés à l'école.

Je dois une nouvelle fois choisir une chèvre pour le dîner. Je me sens un peu désemparée parce que je n'ai pas envie de manger à nouveau cette viande dure. D'un autre côté, j'ai vraiment faim. Je me permets de demander s'il n'y a pas autre chose. J'ajoute que les Blancs n'ont pas l'habitude de consommer autant de viande. Tous éclatent de rire, et notre hôtesse me demande si je préférerais un poulet avec des pommes et terre et d'autres légumes. En entendant cette merveilleuse proposition de menu, je m'exclame, enthousiaste : « *Oh, yes !* » Elle disparaît et revient peu après avec un poulet déplumé, des pommes de terre et une sorte d'épinards.

Ces Massaïs sont de vrais paysans dont certains sont allés à l'école, et ils travaillent durement dans les champs. Nous autres femmes mangeons ensemble avec les enfants. Le repas est délicieux ; cela ressemble à une potée et, après les montagnes de viande qu'on m'a servies avec les meilleures intentions du monde, c'est un régal.

Nous restons presque une semaine et faisons pas mal de visites. On me prépare même de l'eau chaude pour que je puisse me laver. Mais mes vêtements sont sales et sentent très fort la fumée. Je commence à en avoir assez de cette vie, je rêve de retourner sur ma plage, à Mombasa, et de dormir dans mon nouveau lit. Quand j'en parle à Priscilla, elle me répond que nous sommes invitées à un mariage qui aura lieu dans deux jours. Alors nous restons.

Le mariage a lieu à quelques kilomètres de là. L'un des

Massaïs les plus riches doit prendre une troisième épouse. Je suis étonnée : apparemment, les Massaïs ont le droit d'épouser autant de femmes qu'ils peuvent en nourrir. Je repense aux rumeurs concernant Lketinga. Peut-être est-il vraiment déjà marié ? Cette pensée me rend malade. Mais je me rassure en me disant qu'il m'en aurait sûrement parlé. Sa disparition cache quelque chose. Dès que je serai rentrée à Mombasa, il faudra que j'éclaircisse ce mystère.

La cérémonie est impressionnante. Des centaines d'hommes et de femmes y participent. On me présente aussi le marié, qui me déclare qu'il serait prêt à m'épouser tout de suite, moi aussi, si je voulais. Je reste sans voix. Alors il se tourne vers Priscilla et lui demande sérieusement combien de vaches je vaudrais. Priscilla lui fait comprendre qu'il est inutile d'insister ; finalement, il s'en va.

Apparaît alors la mariée, accompagnée des deux premières épouses. C'est une jeune fille ravissante, qui porte des parures des pieds à la tête. Je suis choquée de voir qu'elle n'a visiblement pas plus de douze ou treize ans. Les deux autres épouses ont peut-être dix-huit ou vingt ans. Le marié n'est sûrement pas très vieux non plus, mais il doit bien avoir trente-cinq ans. Je demande à Priscilla : « Pourquoi marie-t-on des filles qui sont encore des enfants ? » Elle me répond que c'est comme ça ici et qu'elle n'était pas tellement plus âgée quand elle-même s'est mariée. En un sens, j'éprouve de la pitié pour cette jeune fille qui a l'air fière, mais pas heureuse.

Je repense à Lketinga. Est-ce qu'il sait seulement que j'ai vingt-sept ans ? Tout à coup, je me sens vieille, désemparée et pas très attirante dans mes vêtements sales. Les nombreuses avances qu'on me fait par l'intermédiaire de Priscilla n'arrivent pas à me remonter le moral. Aucun de ces hommes ne me plaît et, pour ce qui est d'un mariage éventuel, je ne peux le concevoir qu'avec Lketinga. Je veux retourner chez moi, à Mombasa. Peut-être est-il rentré depuis que nous sommes parties. Cela fait maintenant un mois que je suis au Kenya.

Rencontre avec Jutta

Nous passons une dernière nuit chez le frère de Priscilla et, le lendemain, nous rentrons à Mombasa. Mon cœur bat très fort quand nous approchons du village. De loin, nous entendons des voix étrangères, et Priscilla s'exclame : « *Jambo*, Jutta ! » Intérieurement, je saute de joie en entendant ces mots. Après bientôt quinze jours sans conversation, ou presque, je suis ravie à l'idée de pouvoir parler avec cette femme blanche.

Celle-ci m'accueille assez fraîchement et commence à parler en swahili avec Priscilla. De nouveau, je ne comprends rien ! Mais finalement, elle me regarde en riant et me demande : « Alors, tu as aimé la vie de brousse ? Si tu n'étais pas noire de crasse, je ne sais pas si je te croirais capable d'une chose pareille, à te voir comme ça. » En me parlant, elle m'examine d'un œil critique des pieds à la tête. Je lui réponds que je suis contente d'être rentrée parce que je suis couverte de piqûres et que mes cheveux me grattent également. Jutta rigole : « Tu as sûrement attrapée des puces et des poux, c'est tout ! Mais si tu entres dans ta hutte maintenant, tu ne pourras plus les éliminer. »

Elle me conseille un bain de mer, puis une douche dans un hôtel. Elle me dit qu'elle se paie toujours ce luxe quand elle est de passage à Mombasa. Un peu hésitante, je lui demande si cela ne risque pas de poser un problème, étant donné que je ne descends pas à l'hôtel. « Parmi tant de Blancs, tu passeras complètement inaperçue », me rassure-t-elle. Et elle me raconte qu'elle prend même parfois de la nourriture au buffet — pas toujours dans le même hôtel, naturellement. Je suis admirative devant toutes ces astuces de Jutta. Elle me promet de m'accompagner plus tard et disparaît dans la petite maison.

Ensuite, Priscilla essaie de défaire mes petites tresses. Cela fait horriblement mal. Mes cheveux sont emmêlés et collants de fumée et de crasse. De toute ma vie, je n'ai jamais été aussi sale, et mon moral s'en ressent. Après plus d'une heure d'un « démêlage » au cours duquel je perds des touffes de cheveux, l'opération est terminée.

Toutes les tresses sont défaites, et j'ai l'air de quelqu'un qui aurait été électrocuté. Munie de shampooing, de savon et de vêtements propres, je frappe chez Jutta, et nous nous mettons en route. Elle emporte des crayons et un bloc de dessin. Quand je lui demande ce qu'elle compte en faire, elle me répond : « Gagner de l'argent ! A Mombasa, je peux facilement me faire de l'argent, c'est pour ça que je suis venue passer quinze jours ou trois semaines. » Je demande plus de précisions, et elle m'explique : « Je dessine des caricatures de touristes en dix ou quinze minutes ; je gagne environ 10 francs par croquis. En dessinant quatre ou cinq personnes par jour, je ne vis pas trop mal ! » Depuis cinq ans, elle gagne sa vie de cette façon ; elle est sûre d'elle et connaît toutes les astuces. Je l'admire.

Arrivées à la plage, je me précipite dans l'eau rafraîchissante. Je ressors une heure plus tard, Jutta me montre l'argent qu'elle a gagné entre-temps. « Bien, et maintenant, on va se doucher, me dit-elle en souriant. Il faut simplement que tu sois naturelle et décontractée en passant devant le gardien de la plage car nous sommes des Blanches, il faut toujours que tu gardes ça à l'esprit ! » Et, en effet, ça marche. Je prends une douche interminable et me lave les cheveux cinq fois avant de me sentir propre. Puis j'enfile une robe d'été légère et nous allons prendre le thé, traditionnellement servi à quatre heures. Et tout cela ne nous coûte pas un centime !

Jutta me demande alors pourquoi je suis venue au village. Je lui raconte mon histoire, elle m'écoute attentivement. Ensuite, elle me donne quelques conseils : « Si tu veux vraiment rester ici et avoir ton Massaï, il faut agir maintenant. D'abord, tu dois louer ta propre petite maison, ça ne coûte rien et tu auras enfin la paix. Deuxièmement, il faut que tu sois économe avec ton argent et que tu en gagnes, par exemple en me trouvant des clients, qu'on partagerait. Troisièmement, ne fais confiance à aucun Noir sur la côte. Il n'y a que l'argent qui les intéresse. Pour voir si ton Lketinga vaut la peine que tu te morfondes pour lui, on va aller à l'agence de voyages demain et regarder s'il a laissé l'argent que tu avais déposé. Si c'est le cas, c'est qu'il n'est pas encore pourri par le tourisme ; je te dis tout cela très sérieusement. » Et elle ajoute que, si j'ai une photo de lui, on finira bien par le trouver !

Jutta me fait du bien. Elle sait parler le swahili, elle connaît le pays, elle a de l'énergie à revendre. Le lendemain, nous allons à Mombasa, mais pas en bus. Jutta m'explique qu'elle n'a pas envie de jeter par la fenêtre l'argent qu'elle a durement gagné et, en bonne auto-stoppeuse, elle lève le pouce. En effet, la première voiture privée qui passe s'arrête. Ce sont des Indiens, ils nous emmènent jusqu'au ferry. Ici, il n'y a guère que les Indiens ou les Blancs qui possèdent des voitures. Jutta me regarde en riant : « Tu vois, Corinne, tu as encore appris quelque chose ! »

Nous cherchons longtemps avant de trouver l'agence de voyages. J'espère de tout cœur que l'argent s'y trouvera toujours, cinq mois après mon passage. Moins en raison de la somme que pour être confortée dans la confiance que j'ai en Lketinga et en notre amour. En plus, Jutta ne veut m'aider à chercher Lketinga que s'il n'a pas pris l'argent. Apparemment, elle n'y croit pas.

Mon cœur bat la chamade quand j'ouvre la porte et franchis le seuil. L'homme derrière le bureau lève la tête, je le reconnais tout de suite. Avant même que je puisse dire quelque chose, il vient vers moi, les bras tendus, avec un grand sourire aux lèvres : « *Hello, how are you after such a long time ?* Où est le Massaï ? Je ne l'ai pas revu depuis. » Ses deux dernières phrases me donnent chaud au cœur et, après l'avoir salué, je lui explique que nous n'avons pas obtenu de passeport et que je viens récupérer l'argent.

Je n'ose toujours pas y croire quand l'Indien disparaît derrière un rideau ; je jette un bref coup d'œil à Jutta. Elle se contente de hausser les épaules. Mais, déjà, l'homme revient, les mains chargées de liasses. Je pourrais pleurer de bonheur. Je le savais. Je savais que Lketinga n'était pas intéressé par mon argent. Au moment de prendre tous ces billets de banque, je sens une force insoupçonnée grandir en moi. Ma confiance est revenue. Je peux maintenant faire fi de toutes les médisances.

Après avoir récompensé l'Indien de son honnêteté, nous sortons, et Jutta me dit enfin : « Corinne, il faut vraiment que tu trouves ce Massaï. Maintenant je crois à votre histoire, et je suppose qu'effectivement d'autres s'en sont mêlés. » Ravie, je lui saute au cou. « Viens, lui dis-je. Je t'invite, on va manger au restaurant, comme des touristes ! »

Pendant le repas, nous parlons de la meilleure façon de procéder. Jutta propose de partir pour le district des Samburus la semaine suivante. La route est longue jusqu'à Maralal, le chef-lieu, où elle veut essayer de retrouver un Massaï de sa connaissance. Elle lui montrera les photos de Lketinga et, avec un peu de chance, nous arriverons à le localiser. « Là-bas, tout le monde connaît tout le monde, pour ainsi dire. » De minute en minute mon espoir grandit. Jutta m'assure que nous pourrons habiter chez des amis qu'elle aide à construire une maison. Je suis d'accord avec tout ce qu'elle me propose, pourvu qu'il se passe enfin quelque chose et que je ne doive plus rester là à attendre passivement.

La semaine avec Jutta se déroule dans la bonne humeur. Je l'aide à trouver des clients pour ses portraits, et elle dessine. Ça marche bien, et nous rencontrons des gens sympathiques. Nous passons la plupart des soirées au bar du Bush Baby car Jutta est visiblement en manque de musique et de divertissement. Mais elle doit faire attention à ne pas dépenser tout de suite l'argent qu'elle vient de gagner ; autrement, dans un mois, nous serons encore ici.

Nous préparons enfin nos bagages. J'emporte à peu près la moitié de mes vêtements dans le sac de voyage, et je laisse le reste chez Priscilla. Priscilla n'est pas contente de me voir partir ; elle dit qu'il est pratiquement impossible de trouver un guerrier massaï. « Ils sont tout le temps en voyage. Tant qu'ils ne sont pas mariés, ils n'ont pas de chez eux. A la rigueur sa mère saurait peut-être où il est. » Mais rien ne peut me détourner de mon projet. Je sais que ce que je fais est juste.

D'abord, nous prenons le car jusqu'à Nairobi. Cette fois-ci, les huit heures de car ne me posent aucun problème. Je suis curieuse de voir le pays d'origine de mon Massaï, et chaque heure nous en approche.

A Nairobi, Jutta a pas mal de choses à régler, si bien que nous traînons pendant trois jours au Igbol Lodging, un hôtel pour auto-stoppeurs. Les gens viennent ici du monde entier, et ils sont très différents des touristes de

Mombasa. D'une manière générale, Nairobi est très différente. Tout va beaucoup plus vite, les rues sont pleines de gens estropiés et de mendiants. Comme notre *lodging* se trouve en plein quartier « chaud », je peux observer la prostitution florissante. Le soir, une multitude de bars attirent des clients avec de la musique swahili. Presque toutes les femmes se vendent, dans ces établissements, que ce soit pour quelques bières ou pour de l'argent. Les principaux clients de ce quartier sont des autochtones. C'est bruyant mais, malgré tout, assez fascinant. Jutta et moi attirons beaucoup l'attention en tant que Blanches et, toutes les cinq minutes, quelqu'un nous demande si nous cherchons un « boy-friend ». Heureusement, Jutta peut donner des réponses claires et nettes en swahili. A Nairobi, elle ne sort la nuit qu'avec un *rungu*, la matraque des Massaïs, parce que la ville est trop dangereuse.

Le troisième jour, je supplie Jutta de poursuivre enfin notre voyage. Elle est d'accord et, à midi, nous prenons le car pour Nyahururu, encore plus délabré que celui de Mombasa, qui n'était pas vraiment un engin de luxe. Jutta rigole : « Attends de voir le car qu'on prendra après ; là, tu vas être étonnée ! Celui-ci n'est pas mal. » Nous restons assises, pendant une heure, le temps qu'il soit rempli de bagages et archi-complet. Autrement, il ne démarre pas. Pendant les six heures de voyage qui nous attendent, la route monte légèrement. De temps en temps, le car s'arrête, quelques personnes descendent, d'autres montent. Evidemment, tous voyagent avec des tonnes de sacs et de mobilier qu'il faut charger et décharger.

Enfin, nous arrivons au terme de cette étape : Nyahururu. Nous allons jusqu'au prochain *lodging*, où nous louons une chambre. Nous mangeons quelque chose avant de nous coucher sans tarder car je ne peux plus rester assise. Nous devons nous lever à six heures du matin ; le seul car pour Maralal part à sept heures. Quand nous arrivons, il est déjà presque plein. A l'intérieur, j'aperçois quelques guerriers massaïs et, tout de suite, je me sens moins étrangère. On nous examine avec beaucoup de curiosité car, chaque fois que nous montons dans un car, nous sommes les seules personnes blanches à bord.

Ce car est une véritable catastrophe. Partout, les ressorts percent à travers les sièges et libèrent une mousse sale. Certaines fenêtres n'ont pas de vitre. Il règne un désordre indescriptible, et il faut enjamber des cages à poulets. En revanche, c'est le premier car où l'ambiance est sympathique. On parle et on rit beaucoup. Jutta ressort pour aller chercher quelque chose à boire dans l'une des nombreuses échoppes près de l'arrêt des cars. En rentrant, elle me tend une bouteille de Coca. « Tiens, dit-elle. Ne la bois pas tout de suite, tu vas avoir soif plus tard. Cette dernière partie de la route est très poussiéreuse, elle n'est pas goudronnée. D'ici à Maralal, il n'y a que de la brousse et des paysages désertiques. » Le car démarre et, au bout de dix minutes, environ, nous quittons la route asphaltée et roulons sur un chemin de terre rouge et cahoteux.

En un rien de temps, le véhicule est enveloppé d'un nuage de poussière. Ceux qui le peuvent ferment leur vitre, les autres se couvrent de tissus ou de bonnets. Je tousse et je ferme les yeux, de façon à ne regarder que par les fentes. Maintenant, je sais pourquoi il ne restait des places qu'à l'arrière.

Bien que le car roule lentement, je dois constamment me tenir pour ne pas glisser vers l'avant. Comme il y a d'énormes trous dans la route, il tangue terriblement. « Hé, Jutta, ça va durer combien de temps ? » Elle répond en riant : « Si on n'a pas de panne, quatre à cinq heures, bien qu'il n'y ait que cent vingt kilomètres. » Je suis effarée et, si j'arrive à trouver malgré tout un côté romantique à ce voyage, c'est uniquement en pensant à Lketinga.

De temps en temps, nous apercevons à quelque distance des *manyattas*, puis de nouveau rien que du désert, de la terre rouge et des arbres isolés. Parfois surgissent des enfants, accompagnés de quelques chèvres et de vaches. Les enfants, qui sont à la recherche de nourriture, nous font des signes de la main.

Après une heure et demie environ, le car s'arrête pour la première fois. Des deux côtés de la route se trouvent quelques échoppes de bois. J'aperçois aussi deux petites boutiques qui proposent des bananes, des tomates et d'autres produits de base. Des enfants et des femmes se précipitent près des vitres du car pour essayer de vendre quelque chose pendant ce court arrêt. Quelques-uns des passagers achètent de la nourriture, puis le car reprend la route cahoteuse. Personne n'est descendu, mais trois guerriers sont montés. Ils portent des parures et chacun d'eux tient deux longues lances. En examinant les trois hommes, je suis sûre que je vais bientôt trouver Lketinga. « Au prochain arrêt, nous serons à Maralal », me dit Jutta d'une voix fatiguée. Les cahots interminables sur cette horrible route m'ont épuisée, moi aussi. Jusque-là, nous avons eu de la chance car nous n'avons pas eu de pneu crevé ni de panne de moteur, ce qui arrive fréquemment, d'après Jutta. En plus, la chaussée est sèche ; par temps de pluie, la terre rouge se transforme en boue, raconte-t-elle.

Après avoir roulé pendant encore une heure et demie, nous arrivons enfin à Maralal. Le car s'approche en klaxonnant et fait d'abord le tour du village, qui est traversé d'une voie unique, avant de se garer à l'entrée. Tout de suite, il est assiégé de douzaines de curieux. Nous descendons sur la route poussiéreuse, couvertes de poussière, nous aussi, de la tête aux pieds. Autour du car se bousculent des gens de tout âge, en un véritable tumulte. Nous attendons nos sacs de voyage, coincés sous divers cartons, matelas et paniers. A la vue de ce petit village et de ses habitants, je sens le goût de l'aventure prendre possession de moi.

A environ cinquante mètres de l'arrêt du car se trouve un petit marché. Partout, des tissus colorés flottent au vent, des monceaux de vêtements et de chaussures sont entassés sur des bâches de plastique derrière lesquelles sont assises des femmes qui essaient de vendre quelque chose.

Enfin, nous récupérons nos sacs. Jutta propose d'aller boire un thé et manger un morceau avant de nous mettre en route pour sa petite maison, à environ une heure de marche. Des centaines d'yeux nous suivent jusqu'au *lodging*. La propriétaire, une femme kikuyu, vient saluer Jutta. Celle-ci est connue ici, elle participe depuis trois mois à la construction d'une maison à proximité et, en tant que blanche, elle ne passe pas inaperçue dans cet environnement.

La gargote ressemble à celle d'Ukunda. Nous sommes assises à table et on nous sert un repas : de la viande, naturellement, avec de la sauce et des galettes de pain appelés *chapattis*, ainsi que du thé. Un peu plus au fond est assis un groupe de guerriers massaïs. Je demande à Jutta : « Tu en connais un, de ces hommes-là ? Ils n'arrêtent pas de regarder de notre côté ! — Ici, on est regardé tout le temps, me répond-elle placidement. Nous commencerons à chercher ton Massaï demain ; aujourd'hui, il nous reste un bon bout de chemin à faire à pied ! »

Après le repas, qui ne coûte presque rien, nous partons. Par une chaleur écrasante, nous empruntons une route poussiéreuse qui monte continuellement. Au bout d'un kilomètre, mon sac me semble terriblement lourd. Jutta me rassure : « Attends, on va prendre un raccourci jusqu'à un *lodge* pour touristes ! Avec un peu de chance, il y aura quelqu'un avec une voiture. »

Nous montons un sentier étroit lorsque, tout à coup, j'entends un bruissement dans la broussaille. Jutta me lance : « Corinne, arrête-toi ! Si c'est des buffles, ne fais aucun mouvement ! » Effrayée, j'essaie mentalement de coller une image au mot « buffle ». Nous restons immobiles quelques instants, jusqu'à ce que j'aperçoive à environ quinze mètres de moi quelque chose de clair avec des rayures sombres. Jutta se met à rire, apparemment soulagée. « Ah, ce ne sont que des zèbres ! » Comme nous leur avons fait peur, ils partent au galop. J'interroge Jutta : « Tu as dit des buffles ; il y en a si près du village ? — Attends de voir ! répond-elle. Quand nous aurons atteint le *lodge*, près de la mare, nous verrons avec un peu de chance des buffles, des zèbres, des singes et des gnous. » Surprise, je veux savoir : « Et ce n'est pas dangereux pour les gens qui prennent ce chemin ? — Si. Normalement, il n'y a que des guerriers samburus qui empruntent ce chemin. Les femmes sont en général accompagnées. Les autres prennent la grande route, c'est moins risqué. Mais ce chemin est deux fois plus court ! »

Je ne me sens rassurée qu'en arrivant au *lodge*. C'est un bel établissement, moins pompeux que celui où j'ai logé avec Marco, dans le Massaï Mara. Celui-ci est modeste et épouse le paysage. Comparé aux *lodgings* des autochtones, à Maralal, on dirait un mirage. Nous entrons. L'endroit semble abandonné. Nous nous asseyons sur la véranda et, en effet, nous apercevons de nombreux zèbres à une centaine de mètres, au bord d'une mare. Un peu plus à droite, on peut voir un grand groupe de femelles babouins avec leurs petits. Je distingue aussi quelques mâles, dont la taille est impressionnante. Tous se bousculent au bord de l'eau.

Arrive sans se presser un garçon qui nous demande ce que nous désirons. Jutta bavarde avec lui en swahili et commande deux Coca. Pendant que nous attendons, elle raconte joyeusement : « Le patron du *lodge* rentrera dans une heure à peu près. Il possède une Land Rover, il va sûrement nous emmener là-haut, on n'a qu'à l'attendre ici confortablement. » Puis chacune de nous s'abandonne à ses pensées. Je scrute les collines qui nous entourent ; je donnerais cher pour savoir derrière laquelle se trouve Lketinga. Sent-il que je ne suis pas loin ?

Nous patientons près de deux heures avant que le directeur n'arrive. C'est un homme agréable, plutôt simple et s'exprimant sans apprêt. Sa peau est très foncée. Il nous prie de monter dans sa voiture et, après avoir roulé un quart d'heure sur des chemins cahoteux, nous arrivons à destination. Nous le remercions. Jutta me montre fièrement l'endroit où elle travaille. La maison forme un long rectangle de béton réparti en différentes pièces dont deux ne sont pas loin d'être terminées. Nous nous installons dans l'une d'elles. La chambre n'a qu'un lit et une chaise. Il n'y a pas de fenêtres ; on doit garder la porte ouverte dans la journée si l'on ne veut pas rester dans le noir. Je me demande comment Jutta peut se sentir bien dans une pièce si sombre. Comme la nuit tombe, nous allumons une bougie pour avoir un minimum de lumière. Nous nous installons confortablement dans le lit toutes les deux. Recrue de fatigue, je ne tarde pas à m'endormir.

Au petit matin, nous sommes réveillées par des gens qui commencent à travailler. Nous nous lavons au lavabo à l'eau froide ; il faut se forcer, car les matins sont frais. Mais je veux être belle quand je me retrouverai enfin devant mon Massaï.

Tout excitée et pleine d'énergie, je voudrais retourner à Maralal et explorer la ville. Avec tous les guerriers massaïs que j'ai vus à notre arrivée, il doit bien y en avoir un que connaît Jutta. Mon euphorie a un effet contagieux sur mon amie et, après le thé traditionnel, nous nous mettons en route. De temps à autre, nous dépassons des femmes ou des jeunes filles qui vont dans la même direction que nous pour vendre au village du lait qu'elles portent dans des calebasses.

« Maintenant, il va nous falloir beaucoup de patience et de chance, dit Jutta. Nous commencerons par faire plusieurs tours du village ; de cette façon, nous serons vues, et je reconnaîtrai peut-être quelqu'un. » Le tour du village est vite effectué. L'unique route décrit une sorte de rectangle. Des deux côtés s'alignent des boutiques. A quelques exceptions près, elles sont à moitié vides et proposent toutes la même chose. Parfois, entre deux boutiques, il y a un *lodging* avec une pièce sur la rue, où l'on peut manger ou boire quelque chose. A l'arrière se trouvent les chambres, alignées comme des cages à lapins. Suivent les toilettes, toujours à la turque. Avec un peu de chance, il y a une douche avec un maigre filet d'eau. Le bâtiment le plus voyant est celui de la Commercial Bank, entièrement en béton, qui vient d'être repeint. A proximité de l'arrêt du car se trouve une pompe à essence mais, jusque-là, je n'ai aperçu que trois voitures : deux Land Rover et un pick-up.

Nous faisons tranquillement un premier tour du village, j'examine toutes les boutiques les unes après les autres. Certains propriétaires essaient d'engager avec nous une conversation en anglais. Nous traînons perpétuellement une grappe d'enfants qui jacassent et rient. Le seul mot que je comprenne est « *mzungu, mzungu* » : des Blanches, des Blanches.

Vers seize heures, nous prenons le chemin du retour. Mon euphorie est retombée, même si ma raison me dit qu'il était improbable que je trouve Lketinga dès le premier jour. Jutta me rassure : « Demain, il y aura des gens différents au village. Il en arrive des nouveaux tous les jours, ceux qui habitent là sont la minorité, et ils ne nous intéressent pas. Demain, il y aura quelques personnes de plus qui sauront que deux femmes blanches se trouvent ici, car ceux qui nous ont vues aujourd'hui porteront cette nouvelle dans la brousse. » Elle me dit qu'il ne faut pas espérer de résultat avant trois ou quatre jours.

Le temps passe et, bientôt, ce qui était nouveau pour moi à Maralal a perdu de son intérêt. Je connais par cœur chaque mètre carré de ce trou perdu. Jutta a parlé à quelques guerriers en leur montrant des photos de Lketinga, sans obtenir autre chose qu'un sourire méfiant. Une semaine s'écoule et nous n'avons toujours pas le moindre indice : nous commençons à nous sentir un peu idiotes à force de faire tous les jours la même chose. Jutta me dit qu'elle m'accompagnera encore une dernière fois et qu'après il faudra que je tente ma chance toute seule avec les photos. Cette nuit-là, je prie pour que nos efforts soient couronnés de succès car je ne veux pas croire que tout ce voyage ait été inutile.

Le lendemain, comme nous faisons notre troisième tour du village, un homme vient vers nous et s'adresse à Jutta. Aux grands trous dans ses lobes d'oreille, je peux voir qu'il s'agit d'un ancien guerrier samburu. Jutta et lui se lancent dans une discussion animée ; je suis contente de constater que Jutta connaît cet homme. Il s'appelle Tom, et Jutta lui montre les photos de Lketinga. Il les regarde puis dit lentement : « *Yes, I know him.* »

Je suis électrisée. Comme tous deux ne parlent qu'en swahili, je ne comprends rien et je n'arrête pas de demander : « Qu'est-ce qu'il dit, Jutta, qu'est-ce qu'il sait de Lketinga ? » Nous allons dans un restaurant et Jutta me traduit les paroles de Tom. Il ne connaît pas très bien Lketinga, mais il sait qu'il vit avec sa mère et qu'il promène les vaches tous les jours. Impatiente, je veux savoir où il habite. Assez loin, répond-il, à environ sept heures de marche à pied pour un homme exercé. Il faut traverser une forêt dense et dangereuse, à cause des éléphants et des buffles. Et il ajoute qu'il n'est pas sûr que Lketinga vive toujours avec sa mère au même endroit, à Barsaloi, car parfois, s'il n'y a plus assez d'eau, les gens lèvent le camp et partent ailleurs.

Ces dernières nouvelles remettent entre Lketinga et moi une distance presque infranchissable. Désemparée, je m'adresse à Jutta : « Demande-lui s'il y a un moyen d'informer Lketinga que je suis ici, je suis prête à payer. » Tom réfléchit, puis propose de partir dans la nuit du surlendemain avec une lettre de moi. Auparavant, il doit informer sa femme, qu'il a épousée récemment et qui est encore étrangère dans la région. Nous nous mettons d'accord sur une somme dont il reçoit la moitié. Je lui donnerai l'autre moitié plus tard, s'il revient avec un message. Je dicte à Jutta une lettre qu'elle écrit en swahili. Le Samburu nous demande de revenir à Maralal dans quatre jours car, s'il trouve Lketinga et que celui-ci veut revenir avec lui, ils seront ici dans le courant de la journée.

Ces quatre jours sont très longs et, tous les soirs, j'adresse des prières au ciel. Le dernier, je suis à bout de nerfs. D'un côté, j'ai beaucoup d'espoir, de l'autre, je suis consciente que, si cette dernière tentative échoue, je dois retourner à Mombasa et oublier mon grand amour. Le quatrième, j'emporte mon sac car je ne veux plus revenir chez Jutta mais passer la nuit à Maralal. Que ce soit avec ou sans Lketinga, de toute façon je quitterai ce village le lendemain.

Nous commençons à faire le tour du village, Jutta et moi. Au bout de trois heures environ, nous nous séparons et marchons chacune dans des directions opposées afin d'être vues. Je prie sans cesse pour qu'il vienne. Au énième tour, je ne croise pas Jutta, comme d'habitude. Je regarde autour de moi, mais je ne vois aucun visage blanc. Je continue à marcher lentement quand, tout à coup, un petit garçon arrive vers moi en courant et me dit, essoufflé : « *Mzungu, mzungu, come, come !* » Il agite les bras et tire sur ma jupe. D'abord, je pense qu'il est arrivé quelque chose à Jutta. Le garçon me tire en direction du premier *lodging*, où j'ai déposé mon sac de voyage. Il n'arrête pas de me parler en swahili. Arrivé devant le *lodging*, il me montre l'arrière du bâtiment.

Heureuse à Maralal

Le cœur battant, j'avance dans cette direction et jette un coup d'œil derrière la maison. Le voilà ! Mon Massaï est là, à côté de Tom, et me regarde en riant. Je suis sans voix. Il continue à rire, puis il me tend les bras et me dit : « *Hey, Corinne, no kiss for me ?* » Ce n'est qu'à ce moment-là que je me réveille de ma torpeur et me précipite vers lui. Nous nous embrassons et, un instant, la terre s'arrête de tourner. Il m'éloigne un peu de lui, m'adresse un sourire rayonnant et me dit : « *No problem, Corinne.* » A ces mots familiers, je pourrais pleurer de joie.

Jutta toussote derrière moi ; elle partage notre bonheur. « Alors, vous vous êtes retrouvés ! Je l'ai reconnu tout à l'heure et je l'ai emmené ici pour que tout Maralal ne participe pas à ces retrouvailles. » Je remercie chaleureusement Tom et propose que nous buvions d'abord du thé, et que les deux hommes mangent ensuite autant de viande qu'ils veulent ; je les invite. Pendant que l'on prépare la viande, nous allons dans la chambre que j'ai louée et nous asseyons sur le lit. Jutta a parlé avec Lketinga et a essayé de lui expliquer qu'il peut manger avec nous sans problème parce que nous ne sommes pas des femmes samburus. Lketinga se concerte avec Tom, puis consent.

Le voilà donc enfin à côté de moi. Je ne le quitte pas du regard, et ses beaux yeux sont posés sur moi. Je lui demande pourquoi il n'est pas venu à Mombasa. Il n'a reçu aucune de mes lettres. Il me raconte qu'il est allé se renseigner à deux reprises pour son passeport, mais le fonctionnaire n'a fait que le tracasser et se moquer de lui. Puis les autres guerriers ont changé de comportement à son égard, ils ont refusé qu'il continue à participer aux spectacles de danse. Comme il ne pouvait plus gagner d'argent, il n'avait plus aucune raison de rester sur la côte. Alors, au bout d'un mois, il est rentré chez lui. Il ne croyait pas que je reviendrais. Une fois, il a voulu m'appeler depuis l'Africa Sea Lodge, mais personne n'a voulu l'aider et le directeur lui a dit que le téléphone ne servait que pour les touristes.

D'un côté, je suis touchée en apprenant tout ce qu'il a tenté, de l'autre, je suis furieuse contre ses « amis » qui n'ont fait que lui nuire au lieu de l'aider. Lorsque je lui raconte que je compte rester au Kenya et ne plus retourner en Suisse, il me dit : « *It's OK. You stay now with me !* » Plus tard, Jutta et le messager nous quittent. Nous nous parlons tant bien que mal, nous sommes heureux. Lketinga regrette de ne pas pouvoir m'emmener chez lui car la sécheresse et la famine y sévissent. Il n'y a rien à manger, à part un peu de lait, me dit-il, et il n'y a pas de maisons non plus. Je lui explique que je suis prête à tout, du moment que nous pouvons rester ensemble. Il propose d'aller d'abord à Mombasa. Je pourrai rencontrer sa mère et découvrir son pays plus tard. Mais il tient à me présenter son petit frère James, qui va à l'école à Maralal. Il est le seul de la famille à fréquenter l'école. Lketinga veut le prévenir qu'il part à Mombasa avec moi. Ainsi, quand James rentrera chez lui pour les vacances scolaires, il pourra en informer leur mère.

L'école se trouve à environ un kilomètre du village. Le règlement y est sévère. Dans la cour, les filles sont séparées des garçons. Tous sont habillés de la même façon, les filles portent des robes bleues toutes simples, les garçons un pantalon bleu et une chemise claire. J'attends un peu à l'écart pendant que Lketinga se dirige vers les garçons. Bientôt, tous les regards se fixent sur lui, puis sur moi. Il leur parle et l'un d'eux va en chercher un autre, qui salue Lketinga avec respect. Après une brève conversation, tous deux viennent vers moi. James me tend la main et me salue gentiment. Je lui donne environ seize ans. Il parle très bien anglais et regrette de ne pas pouvoir venir au village car la pause est brève ; le soir, ils n'ont pas le droit de sortir, sauf le samedi, où ils ont deux heures de libres. Le *headmaster* est très sévère, me dit-il. Mais déjà la sonnerie retentit et, en un rien de temps, ils ont tous disparu, James compris.

Nous rentrons lentement au village, et j'aurais bien envie de me retirer avec Lketinga dans notre chambre au *lodging*. Mais Lketinga objecte : « Nous sommes à Maralal ici, pas à Mombasa. » Apparemment, un homme et une femme ne vont pas ensemble dans une chambre avant la tombée de la nuit, et encore, le plus discrètement possible. Ce n'est pas que j'aie tellement envie de sexe, puisque je sais à quoi cela se résume, mais un peu de proximité me ferait du bien, après tous ces mois de séparation.

Nous nous promenons dans Maralal et, en marchant, je garde quelque distance puisque la coutume l'exige. De temps en temps, Lketinga parle avec des guerriers ou avec des jeunes filles. Les filles, qui sont toutes très jeunes et magnifiquement parées, ne me jettent qu'un bref coup d'œil puis, gênées, se mettent à pouffer de rire. Les guerriers me regardent plus longuement. Les hommes discutent et je suppose que, la plupart du temps, ils parlent de moi. Je trouve la situation un peu désagréable parce que je ne comprends pas bien ce qui se passe. J'attends avec impatience qu'il fasse enfin nuit.

Au marché, Lketinga achète un sachet en plastique rempli d'une poudre rouge, en désignant ses cheveux et sa peinture de guerre. Plus loin, on vend des petites branches vertes avec des feuilles. D'une longueur de vingt centimètres environ, elles sont vendues par bottes. Cinq ou six hommes examinent la marchandise ; ils sont en train de se disputer. Lketinga s'approche de ce stand. Le vendeur prend deux bottes et les lui enveloppe dans du papier journal. Après avoir déboursé une somme assez importante, Lketinga fait vite disparaître le paquet sous son *kanga*. Sur le chemin du *lodging*, il achète au moins dix chewing-gums. Je ne l'interroge sur cette herbe que lorsque nous sommes rentrés dans la chambre. Il me regarde avec un sourire rayonnant : « *Miraa, it's very good. You eat this, no sleeping !* » Il déballe tout, met un chewing-gum dans la bouche et effeuille les branches. Puis il enlève l'écorce des branches avec les dents et la mâche avec le chewing-gum. Fascinée, je regarde ses belles mains fines répéter ces gestes avec élégance. A mon tour, je goûte à cette écorce, mais je la recrache aussitôt ; c'est beaucoup trop amer pour moi. Je m'allonge sur le lit, je tiens la main de Lketinga, heureuse. Je pourrais embrasser le monde entier. J'y suis arrivée : je l'ai retrouvé, mon grand amour. Demain matin, nous irons à Mombasa, et une vie merveilleuse commencera.

J'ai dû m'endormir. Quand je me réveille, Lketinga est assis dans la même position et mâche toujours. Par terre, c'est un véritable champ de bataille. Des feuilles, des branches nues et de petites boules vertes mâchouillées puis recrachées jonchent le sol. Il me regarde fixement, puis il me passe la main sur les cheveux : « *No problem, Corinne, you tired, you sleep. Tomorrow safari.* » Je lui demande : « *And you ? You not tired ?* » Il me répond qu'il ne peut jamais dormir avant un aussi grand voyage, et que c'est pour cette raison qu'il mange du *miraa*.

A sa façon d'en parler, je suppose que le *miraa* aide, comme l'alcool, à se donner du courage, mais un guerrier n'a pas le droit de boire de l'alcool. Je comprends qu'il ait besoin de courage, il ne sait pas ce qui l'attend et il a fait de mauvaises expériences à Mombasa. Ici, il est chez lui. Mombasa se trouve certes au Kenya, mais ce n'est pas le territoire de sa tribu. Avant de me rendormir, la pensée me traverse l'esprit que je vais l'aider à s'adapter.

Le lendemain matin, nous devons partir tôt pour avoir des places dans le seul car qui parte pour Nyahururu. Comme Lketinga n'a pas dormi, ce n'est pas un problème. A ma grande surprise, il est parfaitement en forme et prêt pour ce long voyage sans aucun bagage, avec juste ses parures, son pagne, et sa matraque en main.

Nous entamons la première étape. Lketinga a emballé l'herbe et continue à mâcher ce qui lui reste dans la bouche. Il est taciturne. D'ailleurs, l'ambiance dans le car est loin d'être aussi animée que le jour où Jutta et moi sommes arrivées.

De nouveau, le car cahote sur la route défoncée. Lketinga a mis un deuxième *kanga* sur la tête, si bien qu'on ne voit plus que ses yeux perçants. Ses beaux cheveux sont ainsi protégés de la poussière. Je me tiens un mouchoir devant le nez et la bouche pour pouvoir respirer tant bien que mal. A peu près à mi-chemin, Lketinga me touche le bras, puis me montre une grande colline grise. En regardant bien, je me rends compte qu'il s'agit de centaines d'éléphants. Le spectacle est impressionnant. Leur cortège s'étale à perte de vue et, parmi les adultes, on aperçoit des éléphanteaux. Dans le car, tout le monde parle en même temps. J'apprends qu'il est très rare de voir autant d'éléphants.

Enfin, nous atteignons la première étape : vers midi, nous arrivons à Nyahururu. Nous allons boire du *chai* et manger une galette de pain. Une demi-heure plus tard part déjà le prochain car pour Nairobi, où nous arrivons en fin d'après-midi. Je propose à Lketinga de passer la nuit ici et de prendre le car pour Mombasa le lendemain matin. Mais il ne veut pas rester à Nairobi ; les *lodgings* y sont beaucoup trop chers, m'affirme-t-il. Comme c'est moi qui paie tout, je suis touchée qu'il pense à ces choses, mais je lui assure que ce n'est pas un problème. Il dit que Nairobi est une ville dangereuse et qu'il y a beaucoup de policiers. Bien que nous soyons restés assis dans des cars depuis sept heures du matin, il veut faire le voyage d'une traite. Comme je vois à quel point il n'est pas à l'aise à Nairobi, je consens à continuer le voyage.

Nous mangeons et buvons rapidement quelque chose. Je suis contente que Lketinga mange à présent avec moi, même s'il se cache le visage derrière son *kanga* pour qu'on ne le reconnaisse pas. La gare routière n'est pas loin, et nous parcourons à pied les quelques centaines de mètres qui nous en séparent. Ici, à Nairobi, même les autochtones scrutent Lketinga bizarrement ; ils lui jettent des regards tantôt amusés, tantôt respectueux. Cette ville moderne où tout va vite ne lui convient pas, et je suis contente qu'il n'ait finalement pas obtenu de passeport.

Les places dans les cars de nuit sont très convoitées. Nous réussissons néanmoins à en obtenir deux. Maintenant, il ne reste plus qu'à attendre le départ. Lketinga a ressorti le *miraa* et se remet à mâcher. De mon côté, j'essaie de me détendre car j'ai mal partout. Seul mon cœur va bien.

Après quatre heures de route pendant lesquelles j'ai plus ou moins somnolé, le car s'arrête à Voi. La plupart des passagers — moi y compris — descendent pour aller aux toilettes. Mais en voyant le trou rempli d'excréments, je préfère attendre quatre heures de plus. Munie de deux bouteilles de Coca, je remonte dans le car. Une demi-heure plus tard, il redémarre. Je n'arrive pas à me rendormir. Nous fonçons à travers la nuit sur une route tirée au cordeau. De temps en temps, nous croisons un car qui va dans la direction opposée. On ne voit que très peu de voitures.

A deux reprises, nous passons un barrage de police. Le car doit s'arrêter à cause des planches cloutées mises en travers de la chaussée. Puis un policier armé d'une mitrailleuse passe de chaque côté du car et braque sa lampe de poche sur tous les visages. Cinq minutes plus tard, le voyage nocturne continue. J'ai mal partout et ne sais plus comment me mettre quand j'aperçois un panneau qui indique « Mombasa 245 km ». Dieu merci, ce n'est plus très loin. Lketinga n'a toujours pas fermé l'œil. Apparemment, ce *miraa* tient vraiment éveillé. Mais son regard a une fixité peu naturelle, il ne semble pas ressentir le besoin de parler. Je commence à être nerveuse. Déjà, je sens l'air salé, et la température devient plus douce. Ce n'est plus le climat froid et humide de Nairobi.

De retour à Mombasa

Peu après cinq heures, nous arrivons enfin à Mombasa. Quelques personnes descendent à la gare routière. Je m'apprête à faire de même mais Lketinga me retient et m'explique qu'il n'y a pas de car pour la côte avant six heures et que nous devons attendre dans le véhicule parce qu'il est trop dangereux de descendre auparavant. Nous sommes enfin arrivés à destination, et nous ne pouvons pas sortir ! J'ai l'impression que ma vessie va éclater, ce que j'essaie de faire comprendre à Lketinga. « Come ! » dit-il en se levant. Nous nous rendons entre deux cars vides. Comme il n'y a personne, à part quelques chiens et chats errants, j'urine à l'abri des cars. Lketinga rit en regardant couler mon « petit ruisseau ».

L'air est merveilleux sur la côte, et je lui demande si nous ne pouvons pas nous diriger lentement vers l'arrêt des *matatus*. Il va chercher mon sac puis, quand le jour se lève, nous nous mettons en route. Nous pouvons même prendre notre thé habituel du matin chez un gardien de boutique qui est en train de se préparer un *chai* sur un petit poêle à charbon. En échange, Lketinga lui donne un peu de *miraa*. De temps en temps passent des hommes en haillons, les uns en silence, les autres en balbutiant. Ici et là, des gens dorment par terre sur des cartons ou des journaux. C'est vraiment l'heure des fantômes, avant que ne commence l'agitation de la journée. Mais, en présence de mon guerrier, je me sens en sécurité.

Peu avant six heures, les premiers *matatus* commencent à klaxonner et, à peine dix minutes plus tard, tout le quartier est réveillé. Nous reprenons un car, en direction du ferry cette fois. Sur le ferry, un sentiment de grand bonheur me submerge à nouveau. Il n'y a plus qu'un dernier petit trajet en car jusqu'à la côte sud. Lketinga a l'air nerveux, je lui demande : « Chéri, *you are OK ? — Yes* », répond-il, puis un flot de paroles sort de sa bouche. Je ne comprends pas tout mais il a l'intention de trouver rapidement le Massaï qui a volé mes lettres et celui qui m'a raconté que Lketinga était marié. Son regard est tellement sombre que cela m'inquiète un peu. J'essaie de le calmer en affirmant que tout cela n'a plus aucune importance, maintenant que je l'ai trouvé. Sans me répondre, il regarde par la fenêtre, l'air préoccupé.

Nous allons directement au village. Priscilla est surprise de nous voir arriver tous les deux. Elle nous salue joyeusement et nous prépare tout de suite du *chai*. Esther est partie. Mes affaires sont pendues à un fil derrière la porte. Priscilla et Lketinga discutent d'abord gentiment mais, bientôt, la discussion devient plus vive. J'essaie de comprendre ce qui se passe. Priscilla me dit que Lketinga lui fait des reproches. Il pense qu'elle savait que je lui avais écrit. Finalement, Lketinga se calme, s'allonge sur notre grand lit puis s'endort.

Priscilla et moi restons dehors. Nous cherchons une solution à notre problème de logement car on ne peut pas dormir à trois dans une hutte avec une femme massaï. Heureusement, un autre Massaï, qui part sur la côte nord, nous propose sa hutte. Nous la nettoyons et portons mes affaires et le grand lit dans notre nouveau logement. Une fois que j'ai tout arrangé de façon aussi accueillante que possible, je suis contente. Le loyer coûte environ 10 francs suisse.

Nous passons quinze jours très agréables. Dans la journée, je montre à Lketinga comment lire et écrire. Il est enthousiaste et apprend avec beaucoup de plaisir. Les livres illustrés anglais que j'ai apportés nous sont bien utiles, et Lketinga est fier de chaque lettre qu'il arrive à reconnaître. Le soir, nous allons parfois aux spectacles massaïs pour vendre des bijoux que nous avons fabriqués nous-mêmes. Lketinga et moi fabriquons de jolis bracelets, Priscilla brode des ceintures.

Au club Robinson se tient un jour une vente de bijoux, de boucliers et de lances qui dure toute la journée. Beaucoup de Massaïs, hommes et femmes, viennent exprès de la côte nord. Lketinga a acheté divers produits à Mombasa pour que nous ayons plus de choses à proposer. Les affaires marchent merveilleusement bien. Les Blancs font le siège de notre stand et m'assaillent de questions. Quand nous avons presque tout vendu, j'aide les autres à vendre leurs marchandises. Cela ne plaît pas beaucoup à Lketinga car c'est tout de même la faute de ces Massaïs si nous avons été séparés aussi longtemps. Mais je ne veux pas qu'il y ait du mécontentement, d'autant plus qu'ils nous laissent généreusement participer à la vente.

A plusieurs reprises, des touristes nous invitent à boire un verre au bar. J'y vais une ou deux fois, cela me suffit — j'ai plus de plaisir à la vente. Lketinga reste au bar avec deux Allemands. De temps en temps, je leur jette un coup d'œil, mais je ne les vois que de dos. Après un certain temps, je les rejoins et m'aperçois avec inquiétude que Lketinga boit de la bière. En tant que guerrier, il n'a pas le droit de boire de l'alcool. Les Massaïs qui vivent sur la côte transgressent de temps en temps cet interdit, mais Lketinga vient d'arriver du district samburu et il n'a sûrement pas l'habitude. Inquiète, je lui demande : « Chéri, *why you drink beer ?* » Mais il se contente de rire : « Ces amis m'ont invité. » Je dis aux Allemands d'arrêter tout de suite de lui payer des bières car il n'est pas habitué à boire de l'alcool. Ils s'excusent et tentent de me calmer en me disant qu'il n'en a bu que trois. Pourvu que tout aille bien !

La vente commence à toucher à sa fin, et nous ramassons les produits qui restent. Devant l'hôtel, les Massaïs se partagent l'argent. J'ai faim, je suis épuisée à force de rester debout dans la chaleur, et je voudrais enfin rentrer. Légèrement ivre, mais toujours joyeux, Lketinga décide d'aller manger à Ukunda avec quelques autres Massaïs. La vente a été un énorme succès, tous ont gagné de l'argent. Je renonce à essayer de l'en empêcher. Déçue, je rentre au village toute seule.

Je m'aperçois vite que c'était une erreur. Je me souviens tout à coup que mon visa expire dans cinq jours. Lketinga et moi avions décidé d'aller ensemble à Nairobi pour le faire prolonger. Je suis malade à l'idée d'avoir à refaire ce long voyage, surtout en pensant à l'administration kenyane ! J'essaie de me calmer en me disant que tout ira bien. J'ouvre notre petite maison et me prépare un peu de riz avec des tomates, c'est tout ce qu'il y a. Le village est calme.

Depuis mon retour avec Lketinga, les visiteurs se font rares chez nous. Cela me manque un peu car les soirées passées à jouer aux cartes étaient toujours gaies. Priscilla n'est pas chez elle non plus ; alors je m'allonge sur le lit et j'écris une lettre à ma mère. Je lui raconte la vie paisible que nous menons, je lui dis que je suis heureuse.

Il est déjà vingt-deux heures et Lketinga n'est toujours pas rentré. Je commence à être inquiète, mais les grillons me calment les nerfs. Peu avant minuit, la porte s'ouvre avec fracas et Lketinga apparaît dans l'embrasure de la porte. Il me regarde fixement, puis son regard balaie la pièce. Ses traits sont anguleux et sa gaieté a disparu. Il mâche du *miraa* et, quand je le salue, il me demande : « Qui était là ? » Je lui réponds : « Personne. » En même temps, mon pouls s'emballe. Il me redemande qui vient de quitter la maison. Enervée, je lui assure que personne n'est venu pendant son absence. Toujours debout sur le pas de la porte, il prétend savoir que j'ai un amant. C'est un peu fort ! Je me redresse dans le lit et le regarde, furieuse : « Qui t'a mis dans la tête une idée aussi absurde ? » Il est sûr de ce qu'il affirme : à Ukunda, on lui a dit que j'avais accueilli un homme nouveau toutes les nuits quand je vivais seule ici. Ces hommes seraient restés tard le soir avec Priscilla et moi. Et il ajoute que toutes les femmes sont pareilles !

Choquée par la dureté de ses paroles, je ne comprends plus rien. Je l'ai enfin trouvé, nous venons de passer deux semaines merveilleuses ensemble, et maintenant... L'abus de bière et de *miraa* a dû le déséquilibrer. Pour ne pas fondre en larmes, je fais un effort et lui demande s'il ne veut pas un *chai*. Enfin, il entre dans la pièce et s'assoit sur le lit. Avec des mains tremblantes, je fais du feu et j'essaie de rester le plus calme possible. Il demande où est Priscilla. Je ne le sais pas, tout est éteint chez elle. Lketinga rit méchamment et dit : « Elle est peut-être au Bush Baby pour draguer un Blanc ! » Si je ne me sentais aussi mal, cela m'amuserait car, étant donné la corpulence de Priscilla, j'ai du mal à imaginer la scène. Mais je préfère me taire.

Nous buvons du *chai*, et je demande doucement à Lketinga s'il va bien. Il prétend que oui, à part les palpitations et le bourdonnement du sang dans les oreilles.

J'essaie d'interpréter ses mots, mais j'ai du mal. Il n'arrête pas de tourner autour de la maison et d'errer dans le village. Tout à coup, il resurgit devant la porte, en mâchant son herbe. Il semble excité. Comment pourrais-je l'aider ? Il est certain que tout ce *miraa* lui fait du mal, mais je ne peux quand même pas le lui enlever !

Deux heures après, il a tout mangé ; j'espère qu'il viendra se coucher et qu'au matin, tout sera redevenu normal. En effet, il se couche, mais il ne trouve pas le sommeil. Je n'ose pas le toucher ; contente que le lit soit si large, je me colle contre le mur. Peu de temps après, Lketinga se redresse et prétend qu'il ne peut pas dormir dans le même lit que moi. Sa tête bourdonne terriblement, il a l'impression qu'elle va éclater. Il veut sortir. Je suis désespérée : « Chéri, *where will you go ?* » Il me répond qu'il va dormir avec les autres Massaïs, et le voilà parti. Je me sens abattue et furieuse. Qu'est-ce qu'ils lui ont fait, à Ukunda ? La nuit me paraît interminable. Lketinga ne revient pas. Je ne sais pas où il dort.

Malade dans la tête

Aux premiers rayons du soleil, je me lève, très fatiguée, et je me lave le visage tout gonflé. Puis je vais à la maison de Priscilla. La porte n'est pas fermée à clé, donc elle est là. Je frappe et j'appelle doucement : « C'est moi, Corinne, *please open the door, I have a big problem !* » Elle sort, à moitié endormie, et me regarde d'un air effaré. « *Where is Lketinga ?* » J'essaie de retenir mes larmes et je lui raconte tout. En s'habillant, elle m'écoute attentivement, puis elle me dit d'attendre pendant qu'elle va chez les Massaïs. Dix minutes plus tard, elle est de retour et m'explique qu'il faut attendre. Lketinga n'est pas là-bas non plus, il n'a pas dormi avec les autres. Il est parti dans la brousse, me dit-elle, mais il va sûrement rentrer, sinon d'autres iront le chercher. « Qu'est-ce qu'il fait dans la brousse ? » Je suis désespérée. Probablement, la bière et le *miraa* lui ont causé des troubles dans la tête, m'explique Priscilla, et elle me demande d'être patiente.

Il ne revient toujours pas. Je retourne dans notre petite maison et j'attends. Vers dix heures, deux guerriers ramènent enfin Lketinga, qui semble épuisé. Il a passé un bras autour des épaules des guerriers qui le portent dans la maison et l'allongent sur le lit. Ça discute dans tous les sens, ne rien comprendre me rend folle. Apathique, Lketinga fixe le plafond. Je lui parle mais, à l'évidence, il ne me reconnaît pas. Son regard me traverse comme si j'étais invisible, son corps transpire de partout. Je ne suis pas loin de paniquer, je n'arrive pas à m'expliquer tout cela. Les autres sont désemparés aussi. Ils me racontent qu'ils l'ont trouvé dans la brousse sous un arbre, qu'il a dû courir comme un forcené, et que c'est pour cela qu'il est aussi fatigué. Je demande à Priscilla si je dois aller chercher un médecin mais elle me répond qu'il n'y en a qu'un à Dina Beach, et qu'il ne se déplace pas jusqu'ici. Il faudrait aller chez lui. Dans l'état où se trouve Lketinga, c'est exclu.

Lketinga s'endort et rêve de lions qui veulent l'attaquer. Il se débat violemment et les deux guerriers doivent le tenir. Cela me rend malade de le voir dans cet état. Où est passé mon Massaï joyeux et fier ? Je ne peux plus me retenir de pleurer. Priscilla me gronde : « Ce n'est pas bien ! On ne pleure que si quelqu'un est mort. »

Ce n'est que dans le courant de l'après-midi que Lketinga revient à lui. Il me regarde avec étonnement. Je lui souris, heureuse, et lui demande doucement : « *Hello*, chéri, *you remember me ? — Why not, Corinne ?* » me répond-il d'une voix faible, puis il regarde Priscilla et demande ce qui se passe. Ils parlent. Lketinga fait non de la tête, l'air incrédule. Je reste avec lui pendant que les autres vont travailler. Il me dit qu'il a faim mais qu'il a mal au ventre. Quand je lui demande s'il veut que j'aille acheter un peu de viande, il me répond : « *Oh yes, it's OK.* » Je cours au stand du boucher, puis je reviens. Lketinga dort. Après une heure environ, quand le repas est prêt, j'essaie de le réveiller. Il ouvre les yeux et me regarde de nouveau avec désarroi. Sèchement, il me demande ce que je lui veux et qui je suis, d'abord. Ma réponse est : « *I'm Corinne, your girlfriend.* » Il me redemande sans arrêt qui je suis. Je suis au bord du désespoir, d'autant plus que Priscilla n'est pas encore rentrée de sa vente de *kangas* sur la plage. Je le supplie de manger quelque chose mais il éclate d'un rire sardonique et me dit qu'il ne mangera rien de ce *food* car je veux sûrement l'empoisonner.

Je n'arrive plus à retenir mes larmes. Il me regarde et me demande qui est mort. Pour garder mon calme, je prie à haute voix. Enfin, Priscilla revient et je vais vite la chercher. Elle essaie de lui parler mais sans beaucoup de succès. Après quelque temps, elle dit : « *He's crazy !* » Beaucoup de Morans — c'est ainsi qu'on appelle les guerriers qui viennent vivre sur la côte — attrapent le « syndrome de Mombasa », poursuit-elle. Mais elle trouve que, chez Lketinga, cela a l'air particulièrement grave — peut-être quelqu'un l'a-t-il rendu *crazy* ? Je bafouille : « Mais... comment ça... quelqu'un ? » et je mentionne que je ne crois pas à ces choses-là. Ici, en Afrique, il y a beaucoup de choses que je dois apprendre, m'explique Priscilla. Je la supplie : « Nous devons l'aider ! — OK », répond-elle, et elle m'assure qu'elle enverra quelqu'un sur la côte nord, où se trouve le grand centre des guerriers massaïs, pour qu'on nous vienne en aide. Tous les guerriers sont soumis à l'autorité du chef. C'est à lui de décider ce qu'il faut faire, conclut-elle.

Vers neuf heures du soir arrivent deux guerriers de la côte nord. Bien qu'ils ne me soient pas très sympathiques, je suis contente qu'il se passe enfin quelque chose. Ils parlent à Lketinga et lui massent le front avec des fleurs séchées qui dégagent une odeur forte. Pendant qu'ils discutent, Lketinga répond normalement. Je n'arrive pas à y croire. Voilà un instant, il était encore confus et, maintenant, il parle calmement. Pour faire quelque chose, je prépare du *chai* pour tout le monde. Je ne comprends rien à ce qui se dit, je me sens impuissante et inutile.

Entre les trois hommes règne une telle complicité qu'ils s'aperçoivent à peine de ma présence. Mais ils veulent bien boire du thé et j'en profite pour leur demander des explications. L'un des hommes parle un peu anglais et m'explique que Lketinga ne va pas bien, qu'il est malade dans la tête et que cela passera bientôt, peut-être. Il a besoin de calme et de beaucoup d'espace, poursuit-il : ils dormiront cette nuit avec lui dans la brousse, à l'écart du village. Le lendemain matin, ils veulent emmener Lketinga sur la côte nord pour tout régler. « Mais pourquoi ne peut-il pas dormir ici avec moi ? » Je suis désemparée et ne crois plus personne, même si Lketinga a l'air d'aller mieux. Ils me répondent que ma présence n'a pas une bonne influence sur son sang. Lketinga renchérit en disant qu'il n'a jamais eu cette maladie auparavant, que cela doit donc avoir un rapport avec moi. Je suis choquée mais je ne peux que les laisser partir.

Le lendemain matin, ils reviennent boire du thé. Lketinga va bien, il est presque redevenu comme avant. Les deux hommes insistent néanmoins pour qu'il les accompagne sur la côte nord. Il est d'accord et dit en riant : « *Now I'm OK !* » Lorsque je lui rappelle que je dois aller à Nairobi cette nuit pour demander un nouveau visa, il me dit : « *No problem*, nous allons sur la côte nord puis à Nairobi ensemble. »

Sur la côte nord, il y a d'abord des palabres à différents endroits avant qu'on nous emmène dans la hutte du « chef de tribu ». Il est moins âgé que je ne pensais et nous accueille chaleureusement, bien qu'il ne puisse pas nous voir car il est aveugle. Il parle patiemment avec Lketinga. Je suis assise à côté et j'observe la scène sans rien comprendre mais je n'ose interrompre leur conversation pour l'instant. Le temps file. J'ai l'intention de prendre le bus de nuit, je dois acheter le billet trois ou quatre heures avant le départ pour avoir de la place.

Au bout d'une heure, le chef me demande de faire le voyage sans Lketinga parce que, dans son état et étant donné son tempérament sensible, Nairobi risque de lui faire du mal. En m'assurant qu'ils s'occuperont de lui pendant ce temps, il me suggère de revenir le plus vite possible. Je suis d'accord, si la crise de Lketinga devait se reproduire à Nairobi, je serais impuissante. Je promets donc à Lketinga de reprendre le car dès le lendemain soir, si tout se passe bien, et donc de rentrer le surlendemain matin. Quand je monte dans le car, Lketinga est très triste. Il me tient la main et me demande si je vais vraiment revenir. Je le rassure et lui dis de ne pas se faire de souci : je reviendrai et, à mon retour, nous verrons ce que nous ferons. S'il ne va pas mieux, nous pourrons aussi aller voir un médecin. Il me promet d'attendre et de tout faire pour ne pas avoir de rechute. J'ai le cœur gros quand le *matatu* démarre. Pourvu que tout se passe bien !

A Mombasa, j'arrive à obtenir un billet et dois patienter cinq heures avant le départ du car. Après huit heures de voyage, j'arrive à Nairobi au petit matin. De nouveau, je dois attendre dans le car qu'il soit près de sept heures avant de pouvoir descendre. Je commence par boire du thé, puis je prends un taxi jusqu'au bâtiment Nyayo, ne connaissant pas le chemin. Quand j'y parviens, c'est la cohue à l'intérieur. Des Blancs et des Noirs se bousculent devant divers guichets, chacun a une demande pressante. Je me débats avec différents formulaires que je dois remplir, bien sûr en anglais ! Puis je les rends et j'attends. Trois heures passent avant qu'on appelle enfin mon nom. J'espère ardemment qu'on me donnera mon tampon. La guichetière m'examine du regard et me demande pourquoi je veux faire prolonger mon visa de trois mois. D'une voix aussi décontractée que possible, je réponds : « Parce que je suis loin d'avoir tout vu de ce merveilleux pays et que je possède assez d'argent pour rester encore trois mois de plus. » Elle ouvre mon passeport, le feuillette dans tous les sens et applique un énorme tampon sur une des pages. J'ai mon visa ; c'est encore un pas en avant ! Heureuse, je paie la somme qu'on me demande et quitte l'horrible bâtiment. A ce moment-là, je ne sais pas encore qu'il me faudra revenir dans cet immeuble tant de fois que je finirai par le haïr.

Un billet pour le car du soir en poche, je vais déjeuner. En début d'après-midi, je me promène dans Nairobi pour ne pas m'endormir. Je n'ai pas dormi depuis plus de trente heures. Je flâne dans deux rues afin d'éviter de me perdre. Vers dix-neuf heures, il fait nuit et, peu à peu, comme les boutiques ferment, la vie nocturne commence dans les bars. Je ne veux plus rester dans la rue car, de minute en minute, les personnages que je croise deviennent plus inquiétants. Comme il est hors de question d'aller dans un bar, j'entre dans un McDonald qui se trouve à proximité pour tuer les deux heures qui me restent.

Enfin, je suis assise dans le car pour Mombasa. Le conducteur mâche du *miraa*. Il fonce comme un malade et nous parvenons à destination en un temps record, à quatre heures du matin. De nouveau, je dois attendre le premier *matatu* pour la côte nord. Je suis impatiente de voir comment va Lketinga.

Peu avant sept heures, je suis déjà de retour dans le village massaï. Comme tout le monde dort et que l'échoppe où l'on sert du *chai* est encore fermée, j'attends devant la porte, ne sachant dans quelle hutte se trouve Lketinga. Vers sept heures et demie, le propriétaire de l'échoppe arrive et ouvre sa boutique. Je m'assois à l'intérieur et j'attends mon premier *chai*. Il me l'apporte et retourne tout de suite en cuisine. Bientôt arrivent quelques guerriers qui s'installent aux autres tables. Tout le monde semble abattu, personne ne parle. Je me dis que c'est probablement parce que nous sommes encore tôt le matin.

Peu avant huit heures, je n'y tiens plus, et je demande au propriétaire s'il sait où se trouve Lketinga. Il fait non de la tête et disparaît. Mais au bout d'une demi-heure, il s'assoit à ma table et me dit de retourner sur la côte sud et de ne pas attendre davantage. Etonnée, je le regarde et lui demande : « Pourquoi ? — Il n'est plus ici. Il est rentré chez lui cette nuit. » Je questionne naïvement : « Chez lui sur la côte sud ? — *No, home to Samburu-Maralal.* »

Effarée, je m'exclame : « *No, that's not true !* Il est ici, dites-moi où ! » De la table voisine, deux hommes viennent vers moi et tentent de me calmer. J'écarte violemment leurs mains, je hurle aussi fort que je peux et j'injurie cette canaille en allemand : « Salauds, vous êtes des ordures, vous avez tout prévu ! » Des larmes de colère coulent sur mon visage mais, cette fois-ci, cela m'est égal.

Je suis tellement furieuse que j'aurais envie de casser la gueule à n'importe lequel d'entre eux. Ils l'ont mis dans le car alors qu'ils savaient que je rentrais à la même heure, que je prenais le même car dans le sens opposé. Nous avons dû nous croiser sur la route. Je n'arrive pas à y croire. Tant de méchanceté ! Comme s'il n'avait pas été possible d'attendre huit heures de plus ! Je me précipite hors de l'échoppe car de plus en plus de curieux accourent. Je n'arrive presque plus à me maîtriser. Pour moi, il est clair qu'ils sont tous de mèche. Triste et furieuse, je rentre sur la côte sud.

You come to my home

Je ne sais pas ce que je dois faire, maintenant. J'ai mon visa mais Lketinga est parti. Priscilla est dans sa hutte avec deux guerriers. Je lui raconte tout, et elle traduit mes paroles aux deux hommes. Priscilla me conseille d'oublier Lketinga, bien qu'il soit très gentil. Soit il est réellement malade, me dit-elle, soit les autres lui ont jeté un mauvais sort qui l'oblige à rentrer chez sa mère car, à Mombasa, il est perdu. Il doit aller chez un marabout. Elle ajoute que je ne peux pas l'aider et que, par ailleurs, il est dangereux pour une Blanche d'affronter tout le monde.

Désespérée, je ne sais plus que penser et, surtout, qui croire. Mais je devine qu'on a fait partir Lketinga contre sa volonté avant mon retour. Le soir même, des guerriers viennent chez moi pour me faire la cour. Lorsque le deuxième devient explicite et me dit que j'ai besoin de lui comme boy-friend parce que Lketinga est *crazy* et ne reviendra plus, je les fais tous sortir, outrée de tant d'insolence. Quand je raconte la scène à Priscilla, elle ne fait que rire et me dit que c'est normal ; je ne devrais pas avoir une vision aussi stricte des choses. Apparemment, elle non plus n'a pas encore compris que je ne veux pas n'importe qui, que j'ai abandonné toute ma vie en Suisse pour Lketinga.

Le lendemain, j'écris une lettre à James, le frère de Lketinga, à Maralal. Peut-être en sait-il un peu plus. Il va falloir attendre quinze jours avant d'avoir une réponse. Quinze jours pendant lesquels je ne sais pas ce qui se passe — je vais devenir folle ! Le quatrième, je n'y tiens plus. Secrètement, je décide de partir et de refaire le long voyage jusqu'à Maralal. Une fois là-bas, j'aviserai. Mais je n'abandonnerai pas, ils vont voir ce qu'ils vont voir, les autres ! Je ne parle à quiconque de mon projet, même pas à Priscilla car je n'ai plus confiance en personne. Le matin, après qu'elle est partie à la plage pour vendre ses *kangas*, je fais mes bagages et je file à Mombasa.

De nouveau, je parcours plus de 1 400 kilomètres et, au bout de deux jours, j'arrive à Maralal. Je choisis le même *lodging* que la dernière fois, à 4 francs suisses la nuit. La propriétaire est surprise de me revoir déjà. Dans la chambre nue, je me couche sur le lit de camp, et je réfléchis. Et maintenant ? Je décide d'aller voir le frère de Lketinga le lendemain.

A l'école, je dois d'abord convaincre le *headmaster* d'aller chercher James. Quand il arrive, je lui raconte tout et il se déclare prêt à m'accompagner chez sa mère s'il obtient la permission. Après de longues négociations, le *headmaster* y consent, à condition que je trouve une voiture qui nous emmène, James et moi, à Barsaloi. Contente d'avoir obtenu cela avec mes quelques mots d'anglais, je me promène dans Maralal, cherchant à savoir qui possède une voiture. Les rares propriétaires automobiles sont presque tous des Somalis. Mais quand je dis où je veux aller, on me rit au nez ou l'on demande des prix astronomiques.

Le deuxième jour de mes recherches, je tombe sur Tom, l'homme qui m'avait aidée à trouver Lketinga la dernière fois. Lui aussi voudrait savoir où il est. Il comprend ma situation et veut bien essayer de m'obtenir une voiture car la couleur de ma peau multiplie les prix par cinq. En effet, peu après midi, nous sommes assis dans une Land Rover qu'il a réussi à négocier, chauffeur compris, à 200 francs suisses. Je décommande James car Tom veut bien m'accompagner.

Après avoir traversé Maralal, la Land Rover emprunte une route déserte en argile rouge. Assez vite, nous arrivons dans une forêt dense avec de très hauts arbres envahis de lianes. Le regard ne pénètre pas plus de deux mètres dans la brousse. Bientôt, la route se réduit à deux traces de pneu. Tout le reste est envahi par la végétation. A l'arrière de la Land Rover, je ne vois pas grand-chose. Seule la position penchée de la voiture m'indique que le chemin doit être très pentu. Quand nous quittons la forêt, au bout d'une heure, nous nous trouvons devant d'énormes rochers. Il semble impossible que la route continue par ici. Mais mes deux accompagnateurs descendent et bougent quelques pierres. Puis le véhicule se remet en route et passe sur les éboulis. Je me rends compte à présent que le prix n'est pas exagéré. Je n'y vois rien mais je sens d'autant mieux les difficultés de la route et je serais prête à payer plus, maintenant. Ce sera un miracle si nous réussissons à passer sans abîmer la voiture. Mais nous y parvenons, tant le chauffeur conduit bien.

De temps en temps, nous dépassons des *manyattas* et des enfants avec des troupeaux de chèvres ou de vaches. Je me sens tout excitée. Quand arriverons-nous, enfin ? Mon chéri se trouve-t-il quelque part par ici ou tous ces efforts auront-ils été vains ? Y a-t-il encore une chance ? Je prie à voix basse. Tom, mon sauveur de la dernière fois, est très calme, en revanche. Enfin, nous traversons un large lit de fleuve et, après deux ou trois virages, j'aperçois quelques huttes très simples, et, plus haut, sur une colline, un joli bâtiment vert de belles dimensions qui se détache du paysage comme une oasis. Je demande à mon accompagnateur où nous sommes. « Ici, c'est Barsaloi-Town et, là-bas, c'est la Mission qu'on vient de construire. Mais nous irons d'abord vers les *manyattas* pour voir si Lketinga est là, chez sa mère », m'explique-t-il. Nous passons près de la Mission et je suis étonnée de voir autant de verdure car tout est sec, ici, comme dans un semi-désert ou une steppe.

Au bout de trois cents mètres, nous bifurquons et la voiture passe en cahotant dans la steppe. Deux minutes plus tard, elle s'arrête. Tom descend et me demande de le suivre lentement. Il prie le chauffeur de nous attendre. Sous un arbre bas mais aux branches très étendues sont assis quelques adultes et des enfants. Mon accompagnateur va les voir ; moi, j'attends à une distance convenable. Tous regardent dans ma direction. Après avoir parlé assez longuement avec une vieille femme, Tom revient et me dit : « *Corinne, come, his mama tells me Lketinga is here.* » Nous traversons une haute broussaille épineuse et parvenons à trois *manyattas* érigées à environ cinq mètres l'une de l'autre. Devant celle du milieu, deux grandes lances sont enfoncées dans le sol. Tom la désigne de la main et me dit : « *Here he is inside.* » Comme je n'ose pas bouger, il se baisse et entre dans la hutte. J'entends la voix de Tom et, peu après, celle de Lketinga. Maintenant, je n'y tiens plus et, en poussant Tom, j'entre aussi dans la hutte. De toute ma vie, je n'oublierai pas le regard heureusement surpris et joyeux, incrédule même, que me jette Lketinga à ce moment-là. Il est allongé sur une peau de vache dans le minuscule espace derrière l'emplacement du feu, dans la pénombre enfumée ; tout à coup, il éclate de rire. Tom me fait un peu de place et j'avance en rampant pour me jeter dans les bras de Lketinga. Nous nous serrons longuement. « *I know always, if you love me, you come to my home.* »

Ces retrouvailles sont plus belles que tout ce que j'ai vécu jusque-là. Pendant qu'il me serre dans ses bras, je sais que je vais rester ici, même si nous ne possédons rien d'autre que nous-mêmes. Lketinga exprime exactement mes sentiments quand il dit : « *Now you are my wife, you stay with me like a Samburu wife.* » Je suis aux anges.

Mon accompagnateur me jette un regard sceptique et me demande s'il doit vraiment rentrer seul à Maralal avec la Land Rover. Il me prévient que ce sera dur pour moi. Il n'y a presque rien à manger et je vais devoir dormir par terre. En plus, je ne pourrai pas aller à Maralal à pied. Tout cela m'est égal, et je lui dis : « Où vit Lketinga, je peux vivre moi aussi. »

Pendant un court instant, il fait noir dans la hutte. En entrant dans l'habitacle, la mère de Lketinga bouche la minuscule ouverture. Elle s'assoit en face de l'emplacement du feu et me regarde longuement d'un œil sombre, en silence. Consciente que ces minutes sont décisives, je ne dis rien. Lketinga et moi nous tenons la main, nos visages rayonnent. Si nous produisions de la lumière, la hutte serait illuminée.

Lketinga dit maintenant quelques mots à sa mère ; de temps en temps, je comprends un mot, *mzungu* ou « Mombasa ». Sa mère n'arrête pas de me regarder. Elle a la peau très noire. Son crâne rasé a une belle forme. Elle porte des anneaux colorés au cou et aux oreilles. Elle est plutôt ronde et sur son torse nu pendent deux longs seins énormes. Une jupe sale couvre ses jambes.

Soudain, elle me tend la main et dit : « *Jambo.* » Suit un flot de paroles. Je tourne les yeux vers Lketinga, qui rit : « Mère a donné sa bénédiction, nous pouvons rester avec elle dans la hutte. » Ensuite Tom prend congé, et je vais chercher mon sac dans la Land Rover. Quand je reviens, il y a un petit rassemblement de gens autour de la *manyatta*.

Vers le soir, j'entends tinter des clochettes. Nous sortons et j'aperçois un grand troupeau de chèvres. La plupart passent, d'autres sont amenées dans notre enclos de

90

broussaille. Une trentaine d'animaux se retrouvent dans l'enclos qu'on ferme avec de la broussaille épineuse. Puis la maman prend une calebasse et va traire les chèvres. Comme je le constaterai plus tard, le lait récupéré suffit tout juste pour le *chai*. Le troupeau est gardé par un jeune garçon d'environ huit ans. Il s'assoit près de la *manyatta* et m'observe avec crainte tout en buvant goulûment deux bols d'eau. Il est le fils du frère aîné de Lketinga.

Une heure plus tard, il fait nuit. Nous sommes assis à quatre dans la petite *manyatta* ; la maman se tient près de l'entrée avec, à ses côtés, une petite fille effarouchée, Saguna, qui doit avoir trois ans. Saguna est la petite sœur du garçon de tout à l'heure. Peureuse, elle se serre contre sa grand-mère, qui remplace sa mère maintenant. Lketinga m'explique que la première fille du fils aîné appartient à sa grand-mère dès qu'elle a atteint un certain âge.

Nous restons assis sur la peau de vache, Lketinga et moi. La maman remue la cendre entre les trois pierres qui délimitent le feu et fait sortir de la braise cachée. Puis elle souffle lentement mais continuellement sur la braise. Pendant quelques minutes, cela engendre une fumée piquante qui me fait monter les larmes aux yeux. Tous rient. Comme j'ai en plus un accès de toux, je me fraie un chemin vers l'extérieur. De l'air, de l'air — je ne peux penser à rien d'autre.

Dehors, devant la hutte, il fait nuit noire. Les millions d'étoiles paraissent très proches, comme si l'on pouvait les cueillir dans le ciel. J'aime ce sentiment de paix. On voit dans toutes les *manyattas* le vacillement du feu. Dans le nôtre aussi, le feu répand sa lumière chaleureuse. La maman prépare du *chai* ; ce sera notre dîner. Après le thé, j'ai besoin d'uriner. Lketinga rit : « *Here no toilet, only bush. Come with me, Corinne !* » Il me précède de sa démarche souple, écarte un buisson et un passage s'ouvre. La clôture d'épines est la seule protection du village contre les animaux sauvages. Nous nous éloignons de trois cents mètres environ de l'enclos, et il désigne avec son *rungu* un buisson qui fait office de toilettes. La nuit, je peux uriner aussi à côté de la *manyatta* car le sable absorbe tout. Mais le reste, je ne dois jamais le faire à proximité de la *manyatta*, m'explique Lketinga. Autrement, ils devraient donner une chèvre en sacrifice au voisin et nous devrions déménager, ce qui signifierait une grande honte.

De retour au village, nous refermons bien l'enclos avec de la broussaille, puis nous nous retirons sur notre peau de vache. On ne peux pas se laver, car l'eau suffit tout juste pour le *chai*. Quand je demande à Lketinga comment on se nettoie, il me répond : « *Tomorrow at the river, no problem !* » Il fait assez chaud à l'intérieur de la hutte mais, dehors, il fait frais. La petite fille dort déjà à côté de sa grand-mère, toute nue, tandis que nous essayons d'avoir une conversation à trois. Les gens se couchent ici entre huit et neuf heures. Nous nous installons aussi pour dormir car le feu commence à s'éteindre et nous ne nous voyons presque plus. Lketinga et moi nous serrons l'un contre l'autre. Nous avons tous les deux envie de plus mais, naturellement, étant donné la présence de la mère et le silence infini qui nous entoure, il ne se passe rien.

La première nuit, comme je ne suis pas habituée au sol dur, je dors mal. Je me retourne souvent et j'écoute les différents bruits. De temps en temps, la clochette d'une chèvre se met à tinter et, pour moi, dans cette nuit silencieuse, cela sonne presque comme la cloche d'une église. Au loin hurle un animal que je n'identifie pas. Plus tard, j'entends du bruit dans les buissons. Oui, je l'entends distinctement, quelqu'un cherche l'entrée de l'enclos. Mon cœur bat très fort pendant que je tends l'oreille. Quelqu'un s'approche. Je jette un regard par la petite entrée et je vois deux colonnes noires, deux jambes, plus exactement, et deux lances. Tout de suite après, une voix d'homme se fait entendre : « *Supa Moran !* » Je touche Lketinga et chuchote : « Chéri, *somebody is here.* » Il émet d'étranges grognements et me regarde presque méchamment pendant une fraction de seconde. De nouveau, la voix dit : « *Moran supa !* » Suit un bref échange de mots, puis les jambes bougent et disparaissent. Je demande : « *What's the problem ?* » L'homme, un autre guerrier, voulait dormir ici, m'explique Lketinga, ce qui n'est pas un problème en temps normal mais, comme je suis là, ce n'est pas possible. Il va essayer de trouver une place dans une autre *manyatta*. « Rendors-toi », me dit Lketinga.

Vers six heures du matin, le soleil se lève et, avec lui, les animaux et les humains. Les chèvres bêlent bruyamment car elles veulent sortir. J'entends des voix partout et la place de la maman est déjà vide. Une heure plus tard, nous nous levons, nous aussi, et nous buvons du *chai*. Cela devient presque une torture car, avec le soleil du matin, les mouches se sont réveillées. Dès que je pose la tasse à côté de moi par terre, elles en envahissent le bord par douzaines. Elles tournent sans arrêt autour de ma tête. Saguna semble à peine les remarquer, bien qu'elles se posent sur ses yeux et sur les commissures de ses lèvres. Je demande à Lketinga d'où viennent toutes ces mouches. Il me montre les crottes de chèvres qui se sont accumulées pendant la nuit. La chaleur de la journée les dessèche, donc le nombre de mouches diminue. C'est pourquoi je n'ai pas tellement remarqué les mouches la veille au soir, me dit-il. En riant, il ajoute que ce n'est encore rien, qu'il y en aura beaucoup plus encore quand les vaches vont rentrer car leur lait attire les mouches par milliers. Les moustiques, qui apparaissent après la pluie, sont encore plus désagréables, dit-il. Après le *chai*, je voudrais aller à la rivière pour pouvoir enfin me laver. Munis de savon, d'une serviette et de linge propre, nous nous mettons en route. Lketinga porte juste un bidon jaune pour rapporter l'eau du *chai* à sa maman. Nous descendons un étroit sentier sur un kilomètre environ, jusqu'au large lit du fleuve que j'ai traversé la veille en Land Rover. A gauche et à droite se dressent de grands arbres bien verts, mais je ne vois pas d'eau. Nous longeons le fleuve asséché jusqu'à ce que des rochers apparaissent, après un virage. Ici, nous découvrons un petit ruisseau.

Nous ne sommes pas seuls. Près du ruisseau, des jeunes filles ont creusé un trou dans le sable et, patiemment, elles puisent l'eau avec un bol et la versent dans un bidon. A la vue de mon guerrier, elles baissent les yeux timidement et continuent à puiser en pouffant de rire. Vingt mètres plus loin, un groupe de guerriers nus se tient près du ruisseau. Ils se lavent mutuellement. Leurs pagnes sont mis à sécher sur le rocher chaud. En m'apercevant, ils se taisent mais, apparemment, ils ne sont pas gênés par leur nudité. Lketinga s'arrête et parle avec eux. Certains m'observent et, bientôt, je ne sais plus de quel côté regarder. Je n'ai jamais vu tant d'hommes nus qui n'ont même pas conscience de leur nudité. Leurs corps minces et gracieux qui brillent dans le soleil du matin sont très beaux à voir.

Comme je ne sais pas trop comment me comporter dans cette situation inhabituelle, je fais encore quelques pas, puis je m'assois au bord du ruisseau pour me laver les pieds. Lketinga vient vers moi et me dit : « *Corinne, come, here is not good for lady !* » Nous longeons le lit du fleuve et passons un virage, jusqu'à ce qu'on ne puisse plus nous voir. Lketinga se déshabille et commence à se laver. Lorsque je m'apprête à me dévêtir à mon tour, il me jette un regard effaré : « *No, Corinne, this is no good !* — Pourquoi ? Comment veux-tu que je me lave si je ne peux pas enlever mon tee-shirt et ma jupe ? » Il m'explique que je ne dois pas dénuder mes jambes, que ce n'est pas convenable. Nous discutons et, en fin de compte, je m'agenouille quand même nue au bord de l'eau et je me lave soigneusement. Lketinga me savonne le dos et me shampouine, tout en regardant sans arrêt autour de lui pour vérifier que personne ne nous observe.

Le rituel du lavage dure environ deux heures, puis nous rentrons. Il y a foule, maintenant, au bord de la rivière. Plusieurs femmes se lavent la tête et les pieds, d'autres creusent des trous pour que les chèvres puissent boire, d'autres encore puisent patiemment de l'eau et remplissent des bidons. Lketinga pose lui aussi un petit bidon par terre et, aussitôt, une jeune fille le lui remplit.

Puis nous nous promenons dans le village car je voudrais voir les boutiques : trois petites maisons rectangulaires en argile, censées être des magasins. Lketinga parle avec les propriétaires, qui sont des Somalis. Tous les trois font non de la tête. Il n'y a rien à acheter, en dehors d'un peu de thé et de boîtes de graisse Kimbo. Dans la plus grande boutique, nous trouvons un kilo de riz mais, quand on veut nous l'emballer, je m'aperçois qu'il est plein de petites bêtes noires. Je dis : « *Oh, no ! I don't want this !* » Il regrette et reprend sa marchandise. Nous n'avons donc rien à manger.

Des femmes assises sous un arbre proposent du lait de vache dans des calebasses. Nous achetons au moins un peu de lait. En échange de quelques pièces, nous emportons deux calebasses pleines, c'est-à-dire environ un litre. La maman est très contente d'avoir autant de lait. Nous préparons du *chai*, et Saguna boit une tasse entière de lait. Elle est heureuse.

Lketinga et sa maman discutent de la situation difficile. Je me demande vraiment de quoi se nourrissent les gens. De temps en temps, la Mission distribue un kilo de farine de maïs aux femmes âgées ; on ne prévoit pas d'autre aide dans l'immédiat. Lketinga décide de tuer une chèvre ce soir, dès que le troupeau rentrera. Je ne me suis pas encore remise de toutes ces impressions nouvelles, et je n'ai pas faim pour l'instant.

Nous passons le reste de l'après-midi seuls dans la *manyatta*, la mère de Lketinga discutant sous le grand arbre avec d'autres femmes. Nous pouvons enfin faire l'amour. Par mesure de précaution, je garde mes vêtements car nous sommes en pleine journée et, à n'importe quel moment, quelqu'un peut arriver dans la hutte. Nous faisons l'amour plusieurs fois cet après-midi-là. Je ne suis pas habituée à ce que l'acte d'amour ne dure que très peu de temps et que, après une courte pause, on recommence. Cela ne me gêne pas, rien ne me manque. Je suis heureuse d'être près de Lketinga.

Le soir, le frère aîné de Lketinga — le père de Saguna — rentre avec les chèvres. Entre la mère et lui commence alors une discussion assez vive au cours de laquelle le frère me jette de temps en temps des regards sauvages. Plus tard, je demande à Lketinga ce qui s'est dit. Il essaie longuement de m'expliquer que son frère s'inquiète pour ma santé. Il pense que le chef du district ne va pas tarder à venir nous voir et à nous demander pourquoi une femme blanche vit dans cette hutte. Apparemment, ce n'est pas réglementaire.

Le frère de Lketinga pense que, d'ici deux à trois jours, toute la région va être au courant de ma présence et que les curieux vont venir de partout. S'il m'arrive quelque chose, il y aura même la police, ce qui n'est jamais arrivé dans l'histoire des Leparmorijo (c'est leur nom de famille). Je rassure Lketinga en lui disant que mon passeport est parfaitement en règle, au cas où le chef du district passerait. Par ailleurs, je n'ai jamais été malade. J'ajoute que nous allons bientôt manger une chèvre et que je vais m'efforcer d'en manger suffisamment.

Dès que la nuit est tombée, nous partons à trois, Lketinga,

son frère et moi. Lketinga traîne une chèvre derrière lui. Nous faisons à peu près un kilomètre dans la brousse parce qu'il ne mange pas dans la hutte de sa maman quand elle est là. Il a accepté de m'emmener parce que je suis une Blanche. Je demande ce que la maman, Saguna et sa mère vont manger. Lketinga m'explique en riant que certains morceaux que les hommes ne touchent pas seront mis de côté pour les femmes. Nous les rapporterons à la maman, de même que tout ce que nous n'aurons pas mangé. Quand il y a de la viande, la maman reste éveillée tard la nuit, me dit Lketinga, et on réveille même Saguna. Je suis rassurée, bien que je ne sois jamais sûre de tout bien comprendre car la communication — un mélange d'anglais, de quelques mots massaïs et de gestes — continue à être difficile.

Enfin nous arrivons à un endroit approprié. On ramasse du bois, les hommes coupent les branches vertes d'un buisson et les posent sur le sol sablonneux de façon à former une sorte de lit. Puis Lketinga saisit la chèvre qui bêle sans discontinuer, et il l'installe sur le côté sur le lit de verdure. Son frère tient la tête et étouffe la pauvre bête en lui bouchant le nez et la bouche. Elle s'agite brièvement et violemment puis elle cesse de bouger. Ses yeux regardent fixement le ciel étoilé. La scène se passe sous mes yeux ; il fait tellement noir que je ne peux même pas m'éloigner de quelques mètres. Un peu choquée, je demande pourquoi on ne lui a pas coupé la gorge au lieu de l'étouffer aussi cruellement. La réponse est brève. Chez les Samburus, pas une goutte de sang ne doit couler avant que l'animal ne soit mort, cela a toujours été ainsi.

J'assiste pour la première fois de ma vie au découpage d'un animal. On pratique une ouverture dans la gorge et, tandis que le frère tire la peau, un creux se forme et se remplit aussitôt de sang. Ecœurée, je regarde Lketinga se pencher sur cette mare de sang et en boire plusieurs gorgées. Son frère fait la même chose. Je suis horrifiée, mais je ne dis rien. En riant, Lketinga me montre l'ouverture : « *Corinne, you like blood, make very strong !* » Je fais non de la tête.

Puis tout va très vite. La chèvre est écorchée habilement. La tête et les pieds coupés sont jetés sur le lit de feuilles. Mais un nouveau choc m'attend. On ouvre doucement le ventre de la chèvre et une masse verte et nauséabonde se déverse sur le sol. C'est l'estomac. Je n'ai plus du tout d'appétit. Le frère de Lketinga continue le découpage pendant que mon Massaï souffle patiemment sur le feu. Au bout d'une heure, on peut enfin poser les morceaux de viande sur les branches amassées en forme de pyramide. Les côtes encore attachées sont posées en premier car elles mettent plus longtemps à cuire que les pattes arrière. La tête et les pieds sont posés directement dans le feu.

La scène est horrible mais je sais que je dois m'y habituer. Peu de temps après, on enlève les côtes puis, peu à peu, on grille le reste de la chèvre. Lketinga coupe avec son couteau de brousse la moitié des côtes et me les tend. Je les saisis courageusement et commence à grignoter. Avec un peu de sel, ce serait sans doute plus goûteux. J'ai du mal à détacher la viande dure des os, tandis que Lketinga et son frère mangent vite et habilement. Nous jetons les os rongés derrière nous dans la brousse et, peu après, nous entendons des bruits. J'ignore quelles sont les bêtes qui viennent chercher les restes. Mais, quand Lketinga est avec moi, je n'ai pas peur.

Les deux hommes découpent maintenant des tranches dans la première patte arrière et la remettent sur le feu pour qu'elle continue à griller. Le frère de Lketinga me demande si cela me plaît. Je réponds : « *Oh, yes, it's very good !* » puis je continue à ronger. Il faut quand même que j'aie quelque chose dans l'estomac si je ne veux pas devenir squelettique. Quand j'arrive enfin à bout de mon morceau, j'ai mal aux dents. Lketinga saisit toute une jambe avant dans le feu et me la tend. Incrédule, je lui demande : « *For me ?* » Mais mon estomac est plein, je ne peux plus rien avaler. Ils ont peine à me croire et me disent que je ne suis pas encore une vraie femme samburu. « *You take home and eat tomorrow* », me dit gentiment Lketinga. Je reste assise près du feu et les regarde dévorer la chèvre par kilos entiers.

Quand ils sont enfin rassasiés, ils emballent dans la peau les morceaux de viande qui restent ainsi que tous les abats, la tête et les pieds, et nous rentrons au village. Je rapporte mon « petit déjeuner » à la maison. Dans l'enclos règne déjà un silence nocturne. Dès que nous entrons dans la hutte, la maman se lève. Les hommes lui donnent la viande qui reste. Je ne vois presque rien, à part un peu de braise rougeoyante.

Le frère de Lketinga nous quitte pour porter de la viande dans la *manyatta* de sa femme. La maman ravive le feu en soufflant doucement dessus. Naturellement, cela fait beaucoup de fumée et je recommence à tousser. Puis le feu flamboie, il fait clair dans la hutte et l'atmosphère devient chaleureuse. La maman se jette sur un morceau de viande grillée et réveille Saguna. Je suis étonnée de voir cette petite fille qu'on vient d'arracher à un sommeil profond s'emparer avidement du morceau de viande qu'on lui tend et en découper des petits bouts avec un couteau, tout près de sa bouche.

Pendant que toutes deux mangent, nous faisons bouillir l'eau du *chai*. Lketinga et moi buvons du thé. La patte arrière de la chèvre pend au-dessus de ma tête dans les branchages qui forment le toit de la hutte. Dès que l'unique casserole dans laquelle nous avons préparé le thé est vide, la maman y jette des petits morceaux de viande pour les faire revenir. Puis elle les transvase dans des calebasses vides. J'essaie de comprendre ce qu'elle fait, Lketinga m'explique que cela permet de conserver la viande plusieurs jours. Sa mère va faire cuire tous les restes, sinon beaucoup de femmes vont débarquer chez nous demain, il faudra partager avec elles et, à nouveau, nous n'aurons plus rien. La tête de la chèvre, complètement noircie par la cendre, est censée être particulièrement délicieuse. La maman la garde pour le lendemain.

Le feu va s'éteindre, et Lketinga et moi essayons de dormir. Il pose toujours sa tête sur un petit trépied en bois d'environ dix centimètres de haut pour que ses longs cheveux rouges ne s'emmêlent pas et ne déteignent pas partout. A Mombasa, où il n'avait pas ce support, il s'était entouré les cheveux d'un fichu. Je ne comprends pas comment on peut dormir en posant la tête sur quelque chose d'aussi dur. Mais il dort déjà. Moi, en revanche, j'ai encore du mal à m'endormir, cette deuxième nuit. Le sol est très dur, et la maman continue son repas plutôt bruyamment. De temps en temps, je suis gênée par des moustiques qui tournent autour de ma tête.

Le lendemain matin, je suis réveillée par les bêlements

des chèvres et un son étrange. Je regarde à travers l'ouverture de la hutte et j'aperçois la jupe de la maman. Entre ses jambes s'écoule un abondant ruisseau. Apparemment, les femmes urinent debout, tandis que les hommes s'accroupissent sans aucune gêne, comme j'ai vu Lketinga le faire. Quand le bruit s'est arrêté, je sors de la hutte et je fais pipi à mon tour, en m'accroupissant derrière notre *manyatta*. Puis je me promène du côté des chèvres et je regarde la maman traire. Après le *chai* habituel, nous retournons à la rivière et rapportons cinq litres d'eau.

Trois femmes sortent immédiatement de la *manyatta* en nous apercevant, Lketinga et moi. La maman est agacée parce qu'il y a déjà eu d'autres visites, avant, et qu'elle n'a plus ni thé ni sucre, ni la moindre goutte d'eau. L'hospitalité exige qu'on offre à chaque visiteur du thé ou au moins un bol d'eau. Tout le monde vient interroger la maman sur cette femme blanche qui habite chez elle. La vieille femme s'indigne : « Ils ne se sont jamais intéressés à moi, dit-elle, alors qu'on me fiche la paix maintenant ! » Je propose à Lketinga d'aller acheter un peu de thé dans l'une des boutiques. A notre retour, plusieurs vieilles personnes sont accroupies à l'ombre devant la *manyatta*. Leur patience semble être infinie. Pendant des heures, tous restent là à discuter, sachant très bien que la *mzungu* va manger tôt ou tard, et que l'hospitalité ne permet pas d'exclure les vieux du repas.

Lketinga veut partir pour me montrer la région. En tant que guerrier, il ne se sent pas bien parmi tant de femmes mariées et de vieux. Nous marchons à travers la brousse. Lketinga me dit les noms de certains animaux et plantes. La région est sèche, le sol est composé soit de terre rouge, dure comme de la pierre, soit de sable. La terre est craquelée et, parfois, nous devons traverser de véritables cratères. Comme il fait très chaud, j'ai vite soif. Mais Lketinga me dit que, plus je boirai, plus j'aurai soif. Il coupe deux branchettes d'un buisson, s'en met une dans la bouche et me tend l'autre. C'est bon pour se nettoyer les dents et, en même temps, cela coupe la soif, me dit-il.

De temps en temps, ma large jupe en coton s'accroche aux buissons épineux. Après avoir marché encore pendant une heure, je veux quand même boire quelque chose. Nous allons donc à la rivière, qu'on repère de loin parce que les arbres y sont plus hauts et plus verts. Dans le lit sec du fleuve, je cherche vainement de l'eau. Nous longeons le lit du fleuve quelque temps, jusqu'à ce que nous apercevions plusieurs singes qui s'enfuient à travers les rochers. Près de ces rochers, Lketinga creuse un trou dans le sable. Assez vite, le sable devient plus foncé et humide. Bientôt, une petite flaque d'eau se forme qui, peu à peu, devient transparente. Nous étanchons notre soif, puis nous entamons le chemin du retour.

Mon dîner se compose des restes de la patte de chèvre. Nous discutons tant bien que mal dans la pénombre. La maman pose beaucoup de questions sur mon pays et sur ma famille. Parfois, nos problèmes de communication nous font rire. Saguna dort comme d'habitude, serrée contre sa grand-mère. Petit à petit, elle s'est habituée à ma présence, mais elle ne se laisse pas encore toucher. A neuf heures passées, nous nous installons pour dormir. Je garde mon tee-shirt et je me sers de ma jupe comme d'un oreiller. Comme couverture, j'utilise un *kanga* fin, mais ce n'est pas suffisant pour me protéger de la fraîcheur matinale.

Le quatrième jour, je pars avec Lketinga promener les chèvres pour la journée. Je suis très fière et heureuse que Lketinga m'emmène. Il n'est pas facile de garder toutes les chèvres ensemble. Quand nous croisons un autre troupeau, je suis étonnée de voir que même les enfants reconnaissent chaque bête de leur troupeau. Parfois, il y a cinquante animaux ou plus. Tranquillement, on parcourt des kilomètres et des kilomètres, et les chèvres mangent les rares feuilles que portent les buissons. Vers midi, on les emmène boire à la rivière, puis on repart. Nous buvons la même eau. C'est la seule chose que nous absorbons. En fin d'après-midi, nous rentrons au village. Epuisée et brûlée par le soleil intense, je me dis : plus jamais ça ! J'admire les gens qui font ce travail jour après jour, toute leur vie. Devant la *manyatta*, la maman, le frère aîné de Lketinga et sa femme me réservent un joyeux accueil. En observant leur discussion, je me rends compte que j'ai gagné un peu d'estime, à leurs yeux. Ils sont fiers que j'aie réussi cette épreuve. Pour la première fois, je dors profondément jusque tard dans la matinée.

Vêtue d'une jupe de coton propre, je sors de la

manyatta. Surprise, la maman veut savoir combien de jupes je possède. Je lève quatre doigts, et elle me demande de lui en donner une car elle ne possède qu'une jupe, qu'elle porte déjà depuis des années. A voir sa jupe trouée et malpropre, je la crois. Mais les miennes sont beaucoup trop longues et trop étroites pour elle. Je lui promets de lui en rapporter une de mon prochain safari. Comparé à ce que les gens possèdent en Suisse, je n'ai plus beaucoup de vêtements mais, ici, avec quatre jupes et une dizaine de tee-shirts, on a l'impression d'être scandaleusement fortunée.

Aujourd'hui, je voudrais laver mon linge dans le petit ruisseau. Nous allons donc dans une boutique pour acheter de la lessive Omo. Cette unique marque de lessive qu'on peut acheter au Kenya s'utilise également pour le corps et les cheveux. Il n'est pas facile de laver des vêtements avec aussi peu d'eau et autant de sable. Lketinga me donne un coup de main, ce qui lui vaut les regards amusés des jeunes filles et des femmes. Qu'il soit prêt à se ridiculiser pour moi me le rend encore plus cher. Les hommes ici ne s'occupent d'aucune tâche ménagère, et encore moins de travaux de femmes, comme aller chercher de l'eau, du bois ou laver des vêtements. Ils ne lavent en général que leur propre *kanga*.

L'après-midi, je décide de passer au pompeux bâtiment de la Mission pour me présenter. Un père missionnaire à l'expression sévère et stupéfaite m'ouvre la porte. « *Yes ?* » Je sors mon meilleur anglais pour lui expliquer que je voudrais rester ici, à Barsaloi, et que je vis avec un Samburu. Il me regarde d'un air un peu absent et me dit avec un accent italien : « *Yes, and now ?* » Je lui demande s'il serait possible d'aller de temps en temps à Maralal avec lui pour acheter de la nourriture. Il me répond sur un ton froid qu'il ne sait jamais à l'avance quand il va à Maralal. Il ajoute qu'il le fait pour transporter des gens malades et non pour offrir des possibilités d'approvisionnement. Puis il me tend la main et me congédie fraîchement avec les mots : « *I'm pater Giuliano, arrivederci.* »

Abasourdie par cette fin de non-recevoir, je reste devant la porte fermée et j'essaie de digérer ma première rencontre avec un missionnaire. Je sens monter en moi la colère, et j'ai honte d'être blanche. Lentement, je retourne à notre *manyatta*, chez les miens qui, bien que pauvres, sont prêts à partager le peu qu'ils possèdent alors que je suis pour eux une parfaite étrangère.

Je raconte mon expérience à Lketinga. Il rit et me dit que les deux missionnaires qui vivent ici en ce moment ne sont pas bons, mais que l'autre, père Roberto, est plus avenant. Leurs prédécesseurs ont fait davantage pour les gens ; quand il y a eu des famines, comme maintenant, ils ont régulièrement distribué de la farine de maïs. Les missionnaires actuels attendent trop longtemps, dit Lketinga. Le rejet du père me rend triste. Apparemment, il n'y a rien à attendre de ce côté-là, il ne m'emmènera pas à Maralal dans sa voiture. Et je ne veux pas le lui demander à genoux.

Les jours passent ; les journées s'organisent toujours à peu près selon le même modèle. Les seuls divertissements sont les visiteurs qui viennent dans la *manyatta*. Tantôt ce sont des vieux, tantôt des guerriers de l'âge de Lketinga. La plupart du temps, je dois écouter des heures de conversation pour comprendre seulement un mot ou deux.

La Land Rover

Au bout de quinze jours, je me rends compte que je ne peux pas vivre plus longtemps avec une alimentation aussi déséquilibrée, bien que je prenne tous les jours un des comprimés de vitamines apportés d'Europe. J'ai déjà perdu quelques kilos ; je m'en aperçois surtout à mes jupes, qui sont de plus en plus larges. Il me manque aussi du papier hygiénique, et ma réserve de Kleenex est en train de s'épuiser. Avec la meilleure volonté du monde, je n'arrive pas à me faire à la méthode des Samburus — ils s'essuient avec des cailloux —, bien qu'elle soit plus écologique que mon papier blanc dissimulé derrière les buissons.

Ma décision est vite prise. Il me faut une voiture. Une Land Rover, bien sûr, tout le reste est inutilisable ici. J'en discute avec Lketinga, qui en parle à sa maman. L'idée lui paraît absurde. Quand on a une voiture, on est quelqu'un d'une autre planète, quelqu'un avec beaucoup, beaucoup d'argent. Elle n'est jamais montée dans une voiture de sa vie. Et les gens, que vont dire les gens ? Non, l'idée ne ravit pas vraiment la maman mais elle comprend mon problème, qui est aussi notre problème à tous, la nourriture.

L'idée d'avoir bientôt une Land Rover et d'être indépendante me donne des ailes. Mais, comme mon argent est à Mombasa, cela signifie que je dois refaire encore une fois ce long voyage. Il faut que je demande à ma mère de faire un virement de mon compte en Suisse sur la banque Barclays à Mombasa. J'examine le problème sous tous les angles ; j'espère que Lketinga m'accompagnera parce que je ne sais pas du tout où trouver une voiture. Je n'ai pas remarqué de marchands de voitures comme chez nous, en Suisse. Je ne sais pas non plus où l'on obtient des papiers de voiture et les plaques d'immatriculation. Tout ce que je sais, c'est que je vais revenir avec une automobile.

Il faut que je prenne sur moi pour retourner à la Mission. Cette fois-ci, c'est le père Roberto qui m'ouvre. Je l'informe de mon projet et le prie de m'emmener, la prochaine fois qu'il ira à Maralal. Poliment, il me dit de revenir dans deux jours, date à laquelle il y descendra peut-être.

Peu avant le jour prévu pour le départ, Lketinga me prévient qu'il ne viendra pas. Il ne veut plus jamais retourner à Mombasa. Je suis déçue mais, en même temps, je le comprends, après tout ce qui s'est passé. Nous discutons la moitié de la nuit, et je sens qu'il a peur que je ne revienne pas. La maman le pense aussi. Je promets plusieurs fois de suite d'être de retour au plus tard dans une semaine. Le matin, l'ambiance est morose, et j'ai du mal à être gaie.

Une heure plus tard, je suis assise à côté de Roberto dans la voiture, et nous empruntons un chemin en direction de Maralal qui m'est inconnu, et qui passe par Baragoi, en territoire turkana. Cette route-ci est moins montagneuse et nous n'avons presque jamais besoin de nous servir de la propulsion à quatre roues. En revanche, il y a des petits cailloux pointus qui risquent de crever les pneus, et le trajet est deux fois plus long. Au bout de quatre heures de route, nous arrivons à Maralal, peu après quatorze heures. Je remercie poliment Roberto et vais au *lodging* pour y déposer mon sac. Le prochain car ne partant que le lendemain matin à six heures, je vais y passer la nuit. Pour tuer le temps, je me promène dans Maralal ; tout à coup, j'entends mon nom. Surprise, je me retourne, et j'aperçois Tom, l'homme qui m'a aidée à retrouver Lketinga. Cela fait du bien de voir un visage connu au milieu de toutes ces personnes qui me dévisagent avec curiosité.

Je lui raconte mon projet. Il me fait comprendre qu'il ne sera pas évident à réaliser, parce qu'il n'y a pas beaucoup de voitures d'occasion à vendre au Kenya. Mais il va essayer de se renseigner. Deux mois plus tôt, quelqu'un a essayé de vendre une Land Rover à Maralal, me dit-il. Peut-être n'est-elle pas encore vendue ? Nous prenons rendez-vous pour dix-neuf heures dans mon *lodging*.

Ce serait vraiment ce qui pourrait m'advenir de mieux ! En effet, Tom arrive avec une demi-heure d'avance et me dit qu'il faut absolument que nous regardions cette Land Rover tout de suite. Pleine d'espoir, je l'accompagne. La Land Rover est déjà vieille, mais c'est exactement ce que je cherche. Je négocie avec le propriétaire, un homme obèse de la tribu kikuyu. Après une longue discussion, nous nous mettons d'accord sur une somme qui équivaut à 2 500 francs suisses. Je n'arrive pas à y croire mais j'essaie de rester cool quand nous concluons l'affaire par une poignée de main. Je lui explique que l'argent se trouve à Mombasa et que je serai de retour dans quatre jours pour le payer. Je lui demande de ne surtout pas vendre sa voiture à quelqu'un d'autre entre-temps. Je ne veux pas lui verser des arrhes car il n'a pas l'air extrêmement fiable. Il me promet en souriant d'attendre encore quatre jours. Tom et moi quittons le Kikuyu et allons dîner. Heureuse d'avoir quelques soucis en moins, je lui promets de l'inviter un jour à un safari, avec sa femme.

Le voyage à Mombasa se passe sans problème. Priscilla est très contente de me voir arriver au village. Nous parlons beaucoup. En apprenant que je veux abandonner ma petite maison et aller vivre chez les Samburus, elle est triste et un peu inquiète. Je lui donne tout ce que je ne peux pas emporter, même mon nouveau lit dont je suis si contente.

Dès le lendemain matin, je vais à Mombasa. Je retire la somme dont j'ai besoin à la banque, ce qui n'est pas facile. Une opération bancaire de cet ordre demande beaucoup de patience. Au bout de deux heures, je suis en possession d'un grand nombre de billets que j'essaie de cacher sur moi. L'employé de banque me conseille de faire très attention : cette somme représente une immense fortune ici et, pour autant d'argent, un meurtre est vite arrivé. Je ne suis pas rassurée en sortant de la banque, d'autant que toutes les personnes qui attendaient m'ont observée. Je porte en bandoulière le lourd sac de voyage, rempli du reste de mes vêtements que j'avais laissés à Mombasa. Dans la main droite, je tiens une matraque, comme me l'avait montré « Rambo-Jutta ». En cas d'urgence, je m'en servirais sans hésiter.

Je change plusieurs fois de trottoir pour vérifier que personne ne me suit. Ce n'est qu'après une heure, environ, que j'ose me rendre à la gare routière, où je prends mon billet pour le car de nuit qui va à Nairobi. Puis je retourne dans le centre et je vais à l'hôtel Castel, dont la direction est suisse. C'est l'hôtel le plus cher de Mombasa. Pour la première fois depuis longtemps, je peux manger à l'européenne, bien que les prix soient faramineux. Tant pis — j'ignore quand j'aurai à nouveau l'occasion de manger de la salade ou des frites.

Le car part à l'heure, et je me réjouis d'être bientôt rentrée et de pouvoir prouver à Lketinga qu'il peut avoir confiance en moi. Au bout d'une heure et demie de route, le car dérape, puis s'immobilise. Tout le monde se met à parler en même temps. Le chauffeur constate qu'un des pneus arrière a crevé. Tous les passagers descendent. Certains s'assoient au bord de la route et sortent des morceaux de tissu ou des couvertures en laine. Il fait nuit et il n'y a pas la moindre agglomération en vue. Je m'adresse à un homme à lunettes, je suppose qu'en tant que propriétaire d'une paire de lunettes dorées il doit parler anglais. En effet, il me comprend et me dit que cela risque de durer pas mal de temps puisque la roue de secours n'est pas en état non plus et qu'il faut attendre qu'un véhicule arrive en sens inverse et emmène quelqu'un à Mombasa qui puisse nous envoyer une roue de rechange.

Il n'est pas possible qu'un car plein à craquer parte la nuit pour un trajet aussi long sans une roue de secours en bon état ! L'incident n'a pas l'air de gêner la plupart des passagers. Ils se sont tout simplement assis ou allongés au bord de la route. Il fait froid et je grelotte. Au bout de trois quarts d'heure arrive enfin une voiture dans l'autre sens. Notre chauffeur se met au milieu de la route et agite les bras dans tous les sens. La voiture s'arrête, l'un des passagers monte. Maintenant, il faudra attendre de nouveau au moins trois heures, puisque nous sommes déjà à une heure et demie de Mombasa.

En pensant au long trajet que j'ai encore devant moi, je panique. Je prends mon sac et me poste d'un air décidé au milieu de la route pour arrêter la prochaine voiture qui passera. Bientôt j'aperçois au loin deux phares puissants. J'agite les bras comme une forcenée. Un homme me passe une lampe de poche en me disant que, sans cela, je suis morte. A la puissance des phares, je vois qu'il s'agit d'un car. Tout à coup, des pneus crissent tout près de moi, c'est un car des safaris Maraika qui s'arrête. J'explique que je dois aller à Nairobi le plus vite possible et je demande si je peux monter. Apparemment, il s'agit d'une entreprise indienne car la plupart des passagers sont indiens. Après m'être acquittée une nouvelle fois du prix du billet, je peux monter.

Dieu merci, je ne me trouve plus avec tout mon argent au bord de cette route obscure. Je commence à somnoler et, probablement, j'ai déjà dormi un peu lorsque le volume sonore monte. A moitié endormie, je regarde par la fenêtre et constate que le car est arrêté au bord de la route. Beaucoup de passagers sont déjà descendus et restent debout. Je descends à mon tour et j'examine les pneus. Tout va bien de ce côté-là. J'aperçois le capot ouvert : il paraît que la courroie est cassée. Je demande à quelqu'un : « Qu'est-ce qui se passe, maintenant ? » Il me répond que c'est difficile, que nous sommes encore à deux heures de Nairobi et que les garages n'ouvrent pas avant sept heures du matin. Ce n'est que dans un garage qu'on pourra trouver une nouvelle courroie. Je me détourne pour qu'il ne voie pas les larmes qui me montent aux yeux.

C'est la deuxième fois en une nuit que je suis coincée sur cette fichue route, avec deux cars différents ! Aujourd'hui, c'est déjà le troisième jour après l'accord de vente, et il faut que je sois à Nairobi à sept heures du matin pour attraper le car de Nyahururu, si je veux monter dans l'unique bus pour Maralal le quatrième jour. Autrement, je dois m'attendre que le Kikuyu vende à quelqu'un d'autre la voiture que j'ai réservée. Je suis désespérée par tant de malchance, justement au moment où chaque heure compte. Une seule pensée me hante : il faut que je sois à Nairobi avant le lendemain matin !

Deux voitures passent, mais je me méfie trop des particuliers pour les arrêter. Plus de deux heures et demie plus tard, j'aperçois de nouveau les grands phares d'un car. Deux briquets allumés à la main, je me mets au milieu de la route et j'espère que le chauffeur va s'arrêter. Il s'arrête : c'est le car que j'avais pris en premier ! Le chauffeur m'ouvre en riant et je monte, honteuse. A Nairobi, j'ai juste le temps de boire un *chai* et de dévorer un morceau de gâteau. Puis je prends le prochain car pour Nyahururu. J'ai mal au dos, à la nuque et aux jambes. Mais je me console en me disant que je suis encore vivante, malgré tout cet argent que j'ai sur moi, et que je suis dans les temps.

A Maralal, le cœur battant, j'entre dans la boutique du Kikuyu. Derrière le comptoir se trouve une femme qui ne parle pas anglais. Je déduis de ce qu'elle me dit en swahili que son mari n'est pas là et qu'elle me demande de revenir le lendemain. Je suis déçue : le stress et l'incertitude persistent.

Le lendemain, vers midi, j'aperçois enfin le gros visage du Kikuyu. La Land Rover est garée devant la boutique, remplie à ras bord. L'homme me salue brièvement et commence à décharger la voiture sans s'occuper de moi. Quand il a enfin déchargé le dernier sac, je veux qu'on règle notre affaire. Embarrassé, il se frotte les mains et finit par m'expliquer qu'il est obligé de me demander 1 000 francs suisses de plus que prévu parce que quelqu'un d'autre est intéressé.

Maîtrisant difficilement ma colère, je lui dis que j'ai apporté la somme dont nous étions convenus, pas plus. Il hausse les épaules et me dit qu'il pourra attendre que j'aie trouvé davantage d'argent. Je me dis que c'est impossible car l'argent mettra des jours pour arriver de Suisse et que je ne veux plus retourner à Mombasa. Lorsqu'il me plante là pour aller servir d'autres personnes, je me précipite hors de la boutique en direction du *lodging*. Quel salaud ! Je pourrais le tuer.

Devant mon *lodging* j'aperçois le directeur de l'établissement. Je dois traverser le bar pour atteindre l'arrière-cour, où se trouvent les chambres. Le directeur me reconnaît tout de suite et m'invite à boire une bière. Il me présente à l'homme qui est avec lui, qui travaille à l'Office de Maralal. Nous parlons d'abord de choses et d'autres, et je lui demande s'il sait si Jutta est dans la région, en ce moment. Malheureusement non, me répond-il. Elle est partie à Nairobi pour quelque temps afin de gagner un peu d'argent avec ses dessins.

Finalement, je lui raconte ma mésaventure avec la Land Rover. Le directeur me dit en riant que celle-ci ne vaut pas plus de 2 000 francs suisses, sinon elle aurait déjà été vendue depuis longtemps. Etant donné le peu de voitures qu'il y a dans le coin, on les connaît toutes, ajoute-t-il. Néanmoins, je suis prête à payer 2 500 francs suisses si seulement le propriétaire voulait bien me la vendre. Le directeur me propose son aide, et nous allons ensemble voir le Kikuyu. Nous négocions longuement et, enfin, la voiture est à moi. Grâce au directeur, j'apprends que le Kikuyu doit me passer son livre de bord et que nous devons aller à l'Office pour mettre la voiture à mon nom car, ici, un véhicule s'achète avec le numéro d'immatriculation et l'assurance. Le directeur insiste pour que nous signions la vente maintenant, avec lui comme témoin, puis que nous nous rendions tout de suite à l'Office. Peu avant la fermeture, j'ai entre les mains le livre de bord à mon nom. Je suis de nouveau plus pauvre de 100 francs suisses, mais heureuse. Le Kikuyu me tend la clé en me souhaitant bonne chance avec la voiture.

Comme je n'ai jamais conduit d'engin pareil, je me laisse tout expliquer par le Kikuyu, puis je le ramène à sa boutique. La rue est pleine de trous et je constate après les cinq premiers mètres que le volant a beaucoup de jeu. Les vitesses sont difficiles à passer, les freins ne fonctionnent qu'avec un temps de retard. Du coup, je me paie le premier gros trou dans la chaussée, et mon passager s'accroche au tableau de bord. « *You have a driver licence ?* » me demande-t-il d'un air dubitatif. Je me contente de dire « *Yes* », puis j'essaie de changer de vitesse, ce que je réussis à faire après quelque temps. Bientôt, il me perturbe de nouveau dans ma conduite concentrée en me faisant remarquer que je roule du mauvais côté. Zut, la circulation est à gauche, ici ! Le Kikuyu descend devant sa boutique, soulagé. Je continue en direction de l'école pour me familiariser un peu avec la voiture sans que l'on puisse me voir. Après avoir fait quelques tours, je maîtrise à peu près l'engin.

Comme le réservoir n'est plus qu'au quart plein, je me dirige vers la station-service. Le Somali qui tient la station regrette qu'en ce moment il n'y ait pas d'essence disponible. Optimiste, je lui demande : « Quand y en aura-t-il ? » Ce soir ou demain, me répond-il. On lui en a promis depuis longtemps, mais on ne peut jamais trop savoir quand elle sera livrée. Je me trouve devant le problème suivant : j'ai une voiture, mais pas d'essence.

C'est à devenir fou ! Je retourne voir le Kikuyu et lui demande de me vendre de l'essence. Il n'en a pas mais il m'indique où l'on peut en trouver au marché noir. J'arrive à obtenir vingt litres à 1 franc suisse le litre. Mais cela ne suffit pas pour aller à Barsaloi et revenir. Je vais voir le directeur du *lodging*, il me vend vingt litres supplémentaires. Maintenant, je suis contente et je décide de rentrer à Barsaloi le lendemain, après avoir fait des courses.

Dangers dans la brousse

Le lendemain matin, je vais à la banque locale et demande à ouvrir un compte, ce qui nécessite diverses déclarations car je ne peux leur indiquer ni lieu d'habitation ni boîte postale. Quand j'explique, en plus, que j'habite dans les *manyatta*s à Barsaloi, ils me regardent avec des yeux ébahis et me demandent par quel moyen je m'y rends. Je leur raconte que je viens d'acheter une voiture et, finalement, ils m'ouvrent un compte. J'écris à ma mère pour lui conseiller de m'envoyer de l'argent directement à Maralal.

La voiture chargée de nourriture, je me mets en chemin. Evidemment, j'emprunte la route la plus directe, à travers la brousse car, autrement, l'essence ne suffirait pas pour un aller-retour. Je me réjouis en pensant à la tête que fera Lketinga quand il me verra arriver au village.

La Land Rover monte les raidillons du chemin rouge. Peu avant d'entrer dans la forêt, je dois déjà me servir de la propulsion à quatre roues pour ne pas m'embourber. Je suis fière de maîtriser si bien l'engin. Les arbres me paraissent gigantesques et l'on voit à l'état de la route, à moitié envahie par la végétation, qu'elle n'a pas été utilisée depuis un certain temps. Puis le chemin redescend, et j'avance gaiement. Tout à coup, j'aperçois un énorme troupeau au milieu du chemin. Interloquée, je freine brusquement : Lketinga ne m'avait-il pas dit qu'on n'emmenait pas les vaches paître par ici ? C'est seulement à cinquante mètres que je me rends compte que ce que j'avais pris pour des vaches est un troupeau de buffles.

Qu'avait dit Lketinga ? L'animal le plus dangereux n'est pas le lion, mais le buffle. Et voilà qu'une trentaine de ces bêtes me font face, aussi bien des jeunes que des adultes. Ce sont de vrais colosses avec des cornes terrifiantes et de larges naseaux. Tandis que les uns continuent paisiblement de paître, d'autres regardent vers ma voiture. De la vapeur monte au milieu du troupeau. Ou est-ce de la poussière ? Fascinée, je fixe les animaux. Dois-je klaxonner ou pas ? Est-ce qu'ils connaissent les voitures ? Après une assez longue attente, comme ils ne font pas mine de vouloir dégager la route, je me décide finalement à klaxonner. Ils lèvent la tête aussitôt. Par précaution, je mets la marche arrière tout en continuant à klaxonner à intervalles rapprochés. Les buffles s'arrêtent de brouter. Certains des colosses commencent à se cabrer et à ruer, tête baissée. Je regarde le spectacle. Espérons qu'ils vont se retirer dans l'épaisse forêt et non pas remonter le chemin dans ma direction ! Mais avant même que mes yeux aient pu tout enregistrer, il n'y a plus un seul animal sur le chemin. Le sortilège est terminé. Il ne reste qu'un nuage de poussière.

Pour plus de sûreté, j'attends encore quelques minutes avant de descendre le chemin à toute allure, le pied bloqué sur l'accélérateur. La Land Rover craque comme si elle allait se casser en mille morceaux. Je n'ai qu'une idée : partir d'ici au plus vite. Quand j'arrive à l'endroit où se tenaient les animaux, je jette un bref coup d'œil dans la forêt, mais je vois à peine à un mètre. En revanche, on sent encore les crottes fraîches. Etant donné la violence des chocs, il faut que je tienne le volant de toutes mes forces pour qu'il ne m'échappe pas. Après avoir roulé à fond pendant cinq minutes, je commence à ralentir car la route est de plus en plus pentue. Je m'arrête et je mets la propulsion à quatre roues pour monter la pente escarpée sans que la voiture se couche sur le côté. Il y a sans arrêt des crevasses ou d'énormes trous sur la piste. Je prie pour que la voiture reste sur ses quatre roues. Surtout ne jamais embrayer pour tenir la vitesse ! Je pense à toutes sortes de scénarios pendant que j'avance mètre par mètre. La sueur me goutte dans les yeux, je dois m'agripper des deux mains au volant. Après deux ou trois cents mètres, l'obstacle est surmonté. La forêt devient moins dense, et il fait plus clair autour de moi. Peu après, je me trouve devant le terrain d'éboulis. Dans ma mémoire, il se présentait différemment. Il faut dire que, la première fois que j'ai pris cette route, j'étais assise à l'arrière et ne pensais qu'à Lketinga.

Je m'arrête et je descends pour vérifier si la route continue réellement par ici. A certains endroits, les pierres arrivent à mi-hauteur des roues de la Land Rover. L'effroi me saisit, je me sens seule et dépassée, bien que je sache conduire. Pour diminuer les inégalités de terrain, j'entasse des pierres. Le temps file : dans deux heures, il fera nuit. Suis-je encore loin de Barsaloi ? Je suis tellement nerveuse que je n'arrive plus à me souvenir de rien. Je mets la propulsion à quatre roues en sachant que je ne dois ni freiner ni embrayer, mais que je dois descendre ainsi, bien que la route descende à pic. La Land Rover réussit à passer les premières pierres. Les chocs m'arrachent presque le volant des mains. Je m'appuie dessus de tout mon poids en espérant que tout ira bien. La voiture cahote et gémit.

Comme elle est très longue, l'arrière n'a pas encore passé le dernier rocher alors que l'avant est déjà engagé sur le rocher suivant. Au milieu du terrain, la catastrophe arrive : le moteur hoquette brièvement et cale. La voiture se retrouve en suspension au-dessus d'un rocher, le moteur mort. Comment vais-je pouvoir le remettre en marche ? J'embraie brièvement et la voiture avance de cinquante centimètres en faisant un bruit fracassant. Je lève le pied aussitôt car je n'y arriverai pas de cette façon. Je descends et je vois que l'une des roues arrière est suspendue dans le vide. Derrière l'autre, je pose une grosse pierre que j'ai de la peine à soulever. Je suis au bord de l'hystérie.

Au moment de remonter dans la voiture, j'aperçois deux guerriers postés non loin sur un rocher, qui m'observent avec intérêt. Apparemment, l'idée qu'ils pourraient m'aider ne leur vient pas, mais je me sens quand même mieux car je ne suis plus toute seule perdue dans la brousse. J'essaie de redémarrer. Le moteur émet quelques bruits, puis c'est de nouveau le silence. Je réessaie de nombreuses fois. Il faut absolument que je parte d'ici. Les deux hommes sur leur rocher ne disent rien. D'ailleurs, pourquoi essaieraient-ils de m'aider ? De toute façon, ils ne connaissent probablement rien aux moteurs.

Au moment où je n'y crois plus, la voiture démarre brusquement, comme s'il n'y avait jamais eu le moindre problème. Très, très doucement, je lâche l'embrayage en espérant qu'elle avancera sur les pierres que j'ai amassées. Après un bref passage à vide et beaucoup de patience avec l'embrayage, la voiture y parvient en cahotant d'une pierre à l'autre. Au bout de vingt mètres environ, le plus dur est fait et je peux décontracter un peu mes bras. Epuisée, je fonds en larmes.

Le terrain est assez régulier, à présent. Un peu à l'écart du chemin, je distingue quelques *manyattas* et des enfants excités qui agitent les bras. Je ralentis pour ne pas écraser une des nombreuses chèvres. Environ une demi-heure plus tard, j'atteins la grande rivière de Barsaloi. La traverser en voiture n'est pas sans danger, bien qu'elle soit à sec en ce moment, mais il existe des sables mouvants. Je remets encore une fois la propulsion à quatre roues et je fonce à vive allure à travers le lit du fleuve qui doit faire environ cent mètres de large. Puis je prends la dernière côte avant Barsaloi. Lentement, je traverse le petit village ; je suis bien fière. Partout les gens s'arrêtent, même les Somalis sortent de leurs boutiques. De tous les côtés, j'entends : « *Mzungu, mzungu !* »

Tout à coup, Lketinga surgit au milieu de la route, avec deux autres guerriers. Avant même que j'aie pu immobiliser complètement la voiture, il y est déjà monté, et il me regarde avec ravissement. « *Corinne, you come back and with this car !* » Il me jette des regards incrédules et se réjouit comme un enfant. J'aurais bien envie de le serrer dans mes bras. Il invite les deux guerriers à monter et nous allons jusqu'à notre *manyatta*. La maman s'enfuit en nous voyant arriver, ainsi que Saguna, qui part en courant. En très peu de temps, la voiture garée est entourée de curieux de tous âges. La maman ne veut pas que je laisse la voiture à côté de l'arbre car elle craint qu'elle soit endommagée. Lketinga ouvre l'enclos d'épines, et je gare la voiture à côté de la *manyatta* qui, comparée à la voiture, a l'air encore plus petite. Le contraste produit un effet assez grotesque.

Nous déchargeons toute la nourriture et la rangeons dans la hutte. Je me réjouis de boire le thé que la maman prépare. Elle est contente que j'aie apporté du sucre. J'apprends qu'il y a de nouveau de la farine de maïs dans les boutiques, mais pas de sucre. Pendant ce temps-là, Lketinga admire la voiture avec les deux autres guerriers. La maman n'arrête pas de me parler. Je ne comprends presque rien, mais elle semble heureuse : quand je me mets à rire, à défaut de pouvoir dire quelque chose, elle rit aussi.

Ce soir-là, nous nous endormons très tard car je dois tout raconter en détail. Lorsque j'en viens à mon aventure avec les buffles, tous les visages deviennent graves, et la maman murmure plusieurs fois « *Enkaï-Enkaï* », ce qui signifie Dieu. Le frère aîné de Lketinga rentre avec les chèvres ; il est très impressionné, lui aussi. On discute beaucoup. On décide qu'il faut surveiller la voiture pour que personne ne vole quelque chose ou ne l'endommage méchamment. Lketinga veut dormir la première nuit dans la Land Rover. J'avais imaginé nos retrouvailles un peu différemment mais je ne dis rien car ses yeux brillent de fierté.

Le lendemain, il veut déjà faire un tour et aller voir son demi-frère qui garde ses vaches à Sitedi. J'essaie d'expliquer à Lketinga que nous ne pouvons pas nous offrir de grandes excursions parce que je n'ai pas d'essence en réserve. Le réservoir n'est plus qu'à moitié plein. C'est tout juste suffisant pour retourner à Maralal. Il ne se rend à mes arguments qu'à contrecœur. Je suis désolée, moi aussi, de ne pouvoir le promener fièrement dans la région, mais je dois rester ferme.

Trois jours plus tard, l'assistant du *chief* vient nous voir. Il parle avec Lketinga et la maman. Je ne comprends que « *mzungu* » et « *car* ». On parle de moi. Dans son uniforme vert qui n'est pas à sa taille, il a l'air assez comique. Seul le grand fusil lui donne un peu d'autorité. En plus, il ne parle pas anglais. Plus tard, il veut voir mon passeport. Je le lui montre et demande ce qui se passe. Lketinga traduit : je dois me faire enregistrer à l'Office, à Maralal, les Européens n'ayant pas le droit de vivre dans les *manyattas*.

Projets d'avenir

Cet après-midi-là, Lketinga et moi décidons, en accord avec la maman, que nous allons nous marier. Le petit *chief* dit que nous devons régler cela à l'Office de Maralal, le traditionnel mariage de la brousse n'étant pas suffisant. Quand la discussion est terminée, le *chief* veut qu'on le ramène chez lui en voiture. Pour Lketinga, cela va de soi, nous avons affaire à un « personnage officiel ». Je me rends compte à quel point il joue de son pouvoir. En démarrant, mon regard tombe par hasard sur le voyant du réservoir et je constate avec étonnement que l'essence a diminué bien que je n'aie pas utilisé la voiture. Je ne me l'explique pas.

Nous démarrons ; le *chief* s'est assis à côté de moi, tandis que Lketinga a pris place à l'arrière. Je trouve son attitude assez insolente car la voiture nous appartient, mais je ne dis rien, cela n'a pas l'air de déranger Lketinga. Arrivé à destination, le *chief*, content de lui, dit qu'il doit aller à Maralal dans deux jours et que, comme nous devons de toute façon aller à l'Office, nous pouvons l'emmener. En effet, mon visa expire dans un mois.

De retour à la *manyatta*, je constate que l'essence qui me reste ne suffira pas pour aller à Maralal, d'autant que je voudrais emprunter un trajet plus long mais plus facile. Je vais à la Mission. Le père Giuliano m'ouvre et me dit, sur un ton légèrement plus poli que la fois précédente : « *Yes ?* » Je lui explique mes problèmes d'essence. Il me demande par quel chemin je suis venue, et je lui réponds : « Par la forêt. » Pour la première fois, j'ai le sentiment qu'il me regarde plus attentivement et avec un peu de respect. « *This road is very dangerous, don't go there again.* » Puis il me dit de lui amener la voiture pour qu'il en examine le réservoir. En effet, le réservoir s'est affaissé de cinq centimètres d'un côté, si bien que l'essence s'évapore. Maintenant je comprends pourquoi le fond de la voiture avait touché les rochers.

Le lendemain, le père ressoude le réservoir. Je lui suis très reconnaissante. En passant, il me demande chez quel Moran je vis, et il me souhaite beaucoup d'énergie et des nerfs solides. Il m'apprend que trouver de l'essence à Maralal relève toujours du coup de chance et que je ferais mieux de me procurer un ou deux bidons de deux cents litres et de les déposer à la Mission, car il ne pourra pas toujours me vendre de l'essence. Je me réjouis de sa proposition ; il me permet aussi de garer la Land Rover à la Mission, gardée la nuit. Méfiant à l'égard des missionnaires, Lketinga se laisse difficilement persuader qu'il vaut mieux laisser la voiture là-bas.

Les jours suivants sont paisibles, à part que des gens nous demandent quotidiennement quand nous irons à Maralal et si nous pouvons les emmener. Enfin un Samburu qui possède une voiture : tout le monde la considère comme la sienne. Je répète sans arrêt que, vu l'état des routes, je refuse de rouler avec vingt personnes à bord.

Puis c'est le jour du départ ; le petit *chief* est bien entendu du voyage, et se permet de décider qui a le droit de monter. Il veut emmener les hommes, tandis que les femmes resteront. J'en aperçois une avec un petit enfant dont les yeux sont infectés et purulents, et je lui demande pourquoi elle veut aller à Maralal. En baissant timidement les yeux, elle me répond qu'elle veut aller à l'hôpital parce qu'il n'y a plus de médicaments pour les yeux au village. Je la fais monter.

Le *chief* s'apprêtant à prendre place sur le siège avant, je prends mon courage à deux mains et lui dis en le regardant droit dans les yeux : « *No, this place is for Lketinga.* » Il obéit, mais je sais que j'ai perdu sa sympathie. Le voyage se passe bien, on parle et on chante beaucoup. Pour la plupart, c'est le premier voyage en voiture.

A trois reprises, nous traversons un fleuve et je me sers de la propulsion à quatre roues ; le reste du temps, je n'en ai pas besoin. Malgré tout, je dois me concentrer sur la route, pleine de trous et de sillons. Le trajet me semble sans fin et l'essence diminue rapidement.

Nous arrivons à Maralal dans le courant de l'après-midi. Les passagers descendent et nous nous rendons tout de suite à la station-service. A ma grande déception, il n'y a toujours pas d'essence. Apparemment, depuis que j'ai acheté la voiture, tout Maralal est resté sans essence. Le Somali m'assure qu'on doit livrer aujourd'hui ou demain, mais je n'en crois plus un mot. Lketinga et moi allons au *lodging*, où nous passons la première nuit.

Il a plu à Maralal depuis la dernière fois. Le paysage est très vert, on a presque l'impression de se trouver dans un autre pays. Du coup, les nuits sont beaucoup plus fraîches. Pour la première fois, je me rends compte que les moustiques peuvent devenir insupportables. Pendant le dîner, que nous prenons dans notre chambre pour rester à l'abri des regards, je suis littéralement dévorée par ces bestioles. Mes chevilles et mes mains se sont enflées en quelques minutes. Alors que je ne cesse d'en tuer d'un côté, d'autres surgissent de sous la toiture. Ils semblent attirés par la peau blanche car mon Massaï est deux fois moins piqué que moi. Quand nous sommes couchés, j'entends leur bruit incessant au-dessus de ma tête. Lketinga ne sent rien, il s'est enfoui la tête sous la couverture.

Au bout d'un moment, j'allume la lumière et je réveille Lketinga. Désespérée, je lui dis : « *I can't sleep with these mosquitoes.* » Il se lève et s'en va. Dix minutes plus tard, il revient, pose par terre une spirale verte antimoustique dont il allume une extrémité. Peu de temps après, les bestioles ont disparu ; en revanche, une odeur épouvantable se répand dans la pièce. Je finis par m'endormir. Je me réveille à cinq heures du matin quand les moustiques recommencent à attaquer : la spirale est consumée.

Quatre jours après, nous attendons toujours de l'essence. Pour tromper l'ennui, Lketinga a recommencé à mâcher du *miraa*. Il boit parfois deux ou trois bières en cachette. Cela me déplaît, mais que puis-je dire ? Cette attente me pousse à bout, moi aussi. Nous nous sommes rendus à l'Office pour annoncer notre intention de nous marier. On nous a envoyés d'un bureau à l'autre avant que l'on puisse nous renseigner sur les mariages civils. Cela ne se fait pas beaucoup ici car la plupart des Samburus peuvent avoir plusieurs femmes s'ils se marient de façon traditionnelle. Il n'y a pas d'argent pour créer un bureau d'état civil et, d'ailleurs, personne n'y tient parce que le mariage civil interdit la polygamie. Nous sommes abasourdis par ces explications ; Lketinga pour d'autres raisons que moi, mais je ne m'en apercevrai qu'après.

Pour l'instant, nous n'avons pas le temps de réfléchir : l'*officer* nous demande nos papiers, il s'avère que Lketinga n'a plus de carte d'identité. Elle lui a été volée à Mombasa. L'*officer* prend une mine embarrassée et dit que, dans ce cas, il doit en faire la demande à Nairobi, ce qui risque de prendre deux mois. Ce n'est que lorsqu'il aura toutes les données qu'il pourra publier les bans puis nous marier six semaines après, à condition qu'il n'y ait pas d'objection. Or je dois quitter le Kenya au plus tard dans trois semaines, car mon visa expire et qu'il a déjà été prolongé une fois.

Pendant que Lketinga se remet à mâcher son herbe, je lui demande ce qu'il pense de la polygamie. Il me confirme que cela l'embarrasserait s'il ne pouvait pas prendre d'autres femmes après notre mariage. Cette affirmation est pour moi un choc, mais j'essaie de rester calme parce que, pour lui, cela est naturel et qu'il n'y a rien de mal à cela, alors que c'est impensable pour un Européen. J'essaie de nous imaginer avec une ou deux autres femmes. Rien qu'à cette idée, je suis malade de jalousie.

Je reste un instant perdue dans mes pensées ; soudain, Lketinga me dit qu'il ne m'épousera à l'Office qu'à condition que j'accepte qu'il se marie plus tard traditionnellement avec une femme samburu. C'en est trop pour moi, je ne peux plus retenir mes larmes. Effaré, il me regarde, puis me demande : « *Corinne, what's the problem ?* » J'essaie de lui expliquer que nous autres Blancs ne connaissons pas la polygamie, et que je n'arrive pas à me l'imaginer. Il me prend dans ses bras en riant et me donne un petit baiser sur la bouche. « *No problem, Corinne. Now you will get my first wife, pole, pole.* » Il veut beaucoup d'enfants, au moins huit. Je ne peux m'empêcher de sourire, et je lui explique que je n'en veux pas plus de deux. Justement, répond mon guerrier : il vaut mieux, dans ce cas-là, qu'une autre femme ait elle aussi des enfants. Et il ajoute que, de toute façon, il ne sait pas si je peux lui donner des enfants ; et, sans enfants, un homme ne vaut rien. J'accepte cet argument, il est vrai que je ne sais pas si je peux en avoir. Avant d'aller au Kenya, cela n'avait pas d'importance pour moi. Nous discutons un certain temps et, finalement, j'accepte l'accord suivant : si je n'ai pas d'enfants dans les deux ans à venir, Lketinga aura le droit de prendre une deuxième épouse ; autrement, il devra attendre cinq ans. Lui est d'accord avec cette idée et j'essaie de me rassurer en me disant que cinq ans, c'est long.

Nous quittons notre chambre et nous allons nous promener dans Maralal en espérant qu'entre-temps l'essence sera arrivée. Mais il n'y en a toujours pas. En revanche, nous rencontrons Tom, mon éternel bienfaiteur, et sa jeune femme. C'est pratiquement encore une enfant, elle garde timidement les yeux baissés. Elle n'a pas l'air très heureuse. Nous racontons que nous attendons de l'essence depuis déjà quatre jours. Notre ami demande pourquoi nous n'allons pas sur le lac de Baringo, à deux heures de route. On trouve toujours de l'essence, là-bas, nous dit-il.

Sa suggestion me ravit car j'en ai assez de traîner à Maralal. Je propose de les emmener, sa femme et lui, puisque je lui dois encore un safari. Il échange quelques mots avec elle, mais l'adolescente a peur de la voiture. Cela fait rire Lketinga, qui finalement réussit à lui faire changer d'avis. Nous convenons de partir dès le lendemain matin.

Nous passons au garage local dont le propriétaire est

somali. Je lui achète deux gros bidons vides qui tiennent à l'arrière de la Land Rover. Après les avoir attachés avec des cordes, je me sens déjà mieux équipée pour de futurs voyages, et nous sommes heureux de partir bientôt. Seule la jeune fille semble être devenue encore plus petite et plus taciturne. Apeurée, elle s'accroche aux bidons.

La voiture avance en cahotant sur la route poussiéreuse. Nous ne croisons aucun véhicule. De temps en temps, nous apercevons des troupeaux de zèbres ou de girafes mais il n'y a aucun signe de présence humaine nulle part. Tout à coup, la Land Rover s'affaisse à l'avant : nous avons crevé. Depuis dix ans que je conduis, cela ne m'est jamais arrivé. « *No problem* », dit Tom. Nous sortons la roue de secours, la clé à molette et un très vieux cric qui se trouvent dans la voiture. Avec la clé à molette, il tente de desserrer les écrous. Mais l'outil, usé, n'a pas prise. Nous essayons donc de fixer la clé avec du sable et des petits morceaux de bois et de tissu. Nous arrivons à desserrer trois écrous de cette façon-là, mais le quatrième est coincé. Nous devons abandonner. La femme de Tom éclate en sanglots et part en courant dans la steppe.

Il faut la laisser, elle va revenir, nous assure Tom, mais Lketinga va la chercher car nous sommes dans un autre district, celui des Baringos. Nous sommes couverts de sueur et de saleté, nous avons soif. Nous avons suffisamment d'essence mais rien à boire : nous pensions n'avoir qu'un court trajet à faire. Nous allons donc nous asseoir à l'ombre en espérant qu'une voiture passera bientôt. Cette route a quand même l'air plus fréquentée que celle de Barsaloi.

Quand, plusieurs heures après, il ne s'est toujours rien produit, Lketinga, qui était parti faire un tour à pied, est revenu sans avoir trouvé ni le lac de Baringo ni des huttes ; nous décidons de passer la nuit dans la Land Rover. Elle est interminable. Nous dormons à peine tant la faim, la soif et le froid sont pénibles. Au matin, les hommes essaient à nouveau de changer la roue, sans succès. Nous nous donnons jusqu'à midi pour attendre de l'aide. J'ai la gorge sèche et les lèvres gercées. La jeune fille pleure et Tom commence à perdre patience.

Soudain, Lketinga tend l'oreille ; il croit entendre un véhicule. Ce n'est que plusieurs minutes plus tard que je commence moi aussi à percevoir un bruit de moteur. A notre grand soulagement, nous apercevons bientôt un car-safari. Le chauffeur africain s'arrête et baisse la vitre. Les touristes italiens nous examinent avec curiosité. Tom explique notre problème mais le chauffeur regrette de ne pouvoir prendre des étrangers. Il nous tend sa clé à molette. Malheureusement, elle est trop petite. Je propose de l'argent. Mais il remonte sa vitre et démarre. Pendant tout ce temps, les Italiens se contentent de me jeter des regards gênés. Apparemment, ils me trouvent trop sale, et les autres, trop sauvages. Furieuse, je lance les pires insultes au car qui s'éloigne. J'ai honte pour les Blancs, pas un n'est intervenu en notre faveur.

Tom est persuadé que nous sommes sur la bonne route et il s'apprête à partir à pied lorsque nous entendons de nouveau un bruit de moteur. Cette fois-ci, je suis bien décidée à ne pas laisser repartir la voiture sans l'un de nous à son bord. C'est un car-safari, également occupé par des Italiens.

Pendant que Tom et Lketinga négocient avec le chauffeur réticent et se heurtent à un nouveau refus, j'ouvre brusquement la porte arrière du bus et lance d'une voix désespérée : « *Do you speak english ? — No, solo italiano* », me répond une voix. Seul un homme plus jeune dit : « *Yes, just a litte bit, what's your problem ?* » J'explique que nous sommes ici depuis hier matin, sans eau et sans nourriture, et que nous avons besoin d'aide. Le chauffeur rétorque : « *It's not allowed* » et va pour refermer la porte mais, heureusement, le jeune Italien intervient et dit que ce sont eux qui paient le car et que c'est donc à eux de décider qui a le droit de monter. Le chauffeur est obligé d'accepter que Tom prenne place à côté de lui. Soulagée, je remercie les touristes.

Il nous faut attendre encore trois heures avant que nous apercevions au loin un nuage de poussière. Tom dans une Land Rover, avec le propriétaire de celle-ci. Il apporte du Coca et du pain. Je veux me jeter sur la boisson mais Tom me conseille de ne boire que par petites gorgées : autrement, je vais avoir mal au cœur. Je me sens renaître, et je me jure de ne plus jamais partir avec cette voiture sans eau potable.

Tom ne peut détacher l'écrou coincé qu'en le cassant

avec un marteau et un burin. Une fois l'écrou retiré, le changement de roue se fait rapidement et le voyage se poursuit avec un écrou en moins. Après plus d'une heure et demie de trajet, nous arrivons enfin au lac Baringo. La station-service se trouve juste à côté d'un luxueux restaurant avec jardin pour touristes. Après ce que nous avons enduré, je les invite tous au restaurant. La jeune fille est impressionnée par tout ce monde qu'elle ne connaît pas, et ne se sent pas à l'aise. Nous nous asseyons à une belle table avec vue sur le lac, où évoluent des milliers de flamants roses. En voyant les visages étonnés de mes amis, je suis assez fière de ne pas leur offrir que des expériences pénibles, mais aussi des choses exceptionnelles.

Deux garçons viennent à notre table — non pour prendre notre commande, mais pour nous déclarer qu'on ne nous servira pas, cet endroit étant réservé aux touristes. Effarée, je réponds : « Je suis touriste et j'invite mes amis. » Le garçon noir me dit que je peux rester, mais que les Massaïs doivent quitter les lieux. Nous nous levons et nous partons. Je perçois presque physiquement à quel point ces gens si fiers se sentent humiliés.

Du moins, nous obtenons de l'essence. Voyant que je m'apprête à remplir deux grands bidons, le propriétaire de la station-service demande d'abord à voir mon argent. Lketinga enfonce le tuyau dans l'ouverture du bidon ; après toutes ces contrariétés, je m'éloigne de quelques pas pour fumer une cigarette. Soudain il pousse un cri et je m'aperçois, épouvantée, que l'essence se répand partout comme de l'eau qui sort d'un tuyau d'arrosage. J'accours près de la voiture et ramasse le tuyau que Lketinga a jeté pour le fermer. Le loquet était bloqué, et l'essence avait continué à couler alors que le bidon était déjà plein. Quelques litres se sont répandus par terre et dans la voiture. Comme je vois que Lketinga se sent très mal, j'essaie de ne pas m'énerver tandis que Tom se tient à l'écart, avec sa femme, et voudrait disparaître sous terre de honte. Le propriétaire nous interdit de remplir le deuxième bidon, il faut qu'on paie puis qu'on file. J'aurais bien envie de me trouver chez nous, dans notre *manyatta*, et sans voiture. Jusque-là, elle ne m'a valu que des ennuis.

Au village, nous buvons du thé en silence, puis nous repartons. La voiture sent horriblement l'essence et, bientôt, la jeune fille commence à avoir envie de vomir. Ensuite elle refuse de rester dans la voiture, préférant rentrer à pied. Tom s'énerve et la menace de la renvoyer à Maralal chez ses parents et de prendre une autre femme. Cela doit être une grande honte car elle remonte dans la voiture. Lketinga n'a rien dit depuis l'incident. Je suis désolée pour lui, et j'essaie de le consoler. Il fait nuit quand nous arrivons enfin à Maralal.

Les deux autres prennent congé sans tarder, et nous nous installons dans notre *lodging*. Bien qu'il fasse frais, je me lave sous le maigre filet d'eau qui coule de la douche ; je me sens toute collante, couverte de saleté et de poussière. Lketinga va se laver, lui aussi. Puis nous mangeons une bonne portion de viande dans la chambre. Cette fois-ci, je trouve moi aussi que la viande a excellent goût. Nous buvons de la bière pour accompagner le repas. Le dîner terminé, je me sens bien, et nous passons une belle nuit d'amour au cours de laquelle je jouis pour la première fois. Comme cela ne se passe pas dans le silence le plus total, Lketinga me pose la main sur la bouche et me demande : « *Corinne, what's the problem ?* » Quand j'arrive à respirer plus calmement, j'essaie de lui expliquer que j'ai eu un orgasme. Cela le fait rire, et il me regarde d'un air incrédule, sans comprendre. Finalement, il en conclut que des choses pareilles n'existent que chez les Blancs. Epuisée mais heureuse, je finis par m'endormir.

Tôt le lendemain matin, nous allons faire des courses : nous achetons du riz, des pommes de terre, des légumes, des fruits, de l'ananas. Nous pouvons même remplir le deuxième bidon d'essence car — ironie du sort — il y a de nouveau de l'essence à Maralal. Nous entamons le retour, lourdement chargés. Nous emmenons deux hommes samburus avec nous.

Lketinga veut prendre le chemin le plus court, à travers la forêt. J'ai des doutes mais ils s'évanouissent rapidement en sa présence. Le voyage se passe bien, jusqu'à ce que nous arrivions au tronçon de route en pente. Comme les bidons pleins accentuent encore les cahots, je fais signe aux deux passagers de caler toutes les provisions en amont et de s'asseoir eux aussi de ce côté car j'ai peur que la voiture ne bascule. Personne ne parle quand j'attaque les deux cents mètres critiques. Nous y parvenons, et la conversation des trois hommes reprend de plus belle. Aux éboulis, tout le monde doit descendre, et Lketinga me guide sur les gros cailloux. Quand cet obstacle est également surmonté, je me sens soulagée et fière. Nous arrivons à Barsaloi sans problème.

Vie quotidienne

Les jours qui suivent, nous pouvons profiter du fruit de nos efforts. Il y a assez à manger, et nous avons de bonnes réserves d'essence. Tous les jours, nous prenons la voiture pour aller voir des parents de Lketinga ou pour ramener du bois. De temps en temps, nous descendons à la rivière en voiture, nous accomplissons notre rituel de lavage, puis nous rapportons des bidons pour la moitié du village de Barsaloi ; jusqu'à vingt bidons, parfois. Ces petites excursions usent beaucoup de notre précieuse essence, si bien que je dois parfois protester, ce qui provoque toujours de grandes discussions.

Un matin, un Moran nous raconte qu'une de ses vaches vient de mettre bas. Il faut que nous allions voir. Nous nous rendons à Sitedi en voiture. Comme il n'y a pas de route, je dois faire attention à ne pas rouler sur les épines qui jonchent le sol. Nous rejoignons le demi-frère de Lketinga dans l'enclos où l'on rassemble les vaches, le soir. Nous marchons dans des monceaux de bouses de vaches qui attirent des milliers de mouches. Le demi-frère de Lketinga nous montre le veau qui vient de naître. Lketinga est ravi ; moi, je me bats contre les mouches. Mes sandales en plastique s'enfoncent dans les bouses. Je me rends compte maintenant de la différence entre notre enclos et celui-ci. Je n'ai aucune envie de rester.

Nous sommes invités à prendre le *chai*, et Lketinga m'emmène à la hutte de son demi-frère et de sa jeune femme, qui a un bébé de quinze jours. Elle semble contente de notre visite. La conversation va bon train, mais je ne comprends rien. Les essaims de mouches m'exaspèrent. Pendant qu'on boit le thé, je tiens en permanence une main au-dessus de mon bol chaud pour, au moins, ne pas en avaler une. Le bébé est accroché à sa mère par un *kanga*. Je fais signe en direction du *kanga* car le bébé est en train d'y faire ses besoins et personne ne l'a remarqué : la femme rigole, sort l'enfant et le nettoie en lui crachant sur les fesses, puis elle l'essuie. Ensuite elle secoue sa jupe et le *kanga* en les frottant avec du sable jusqu'à ce qu'ils soient secs. L'idée que cela se passe plusieurs fois par jour et que le nettoyage se réduit à ce que je viens de voir me donne la nausée. J'en parle à Lketinga, qui trouve cela normal. En tout cas, les mouches contribuent à faire disparaître les restes d'excréments.

Alors que j'aimerais rentrer chez nous, Lketinga me dit : « Ce n'est pas possible, nous allons dormir ici ! » Il voudrait rester avec la vache, et son frère aimerait tuer une chèvre pour nous et pour sa femme, qui a besoin de manger un peu de viande, après la naissance. A la pensée d'avoir à passer une nuit ici, je suis au bord de la panique. D'un côté, je ne dois pas rejeter l'hospitalité des gens, de l'autre, je me sens vraiment perdue.

Lketinga et les autres guerriers sont presque tout le temps avec les vaches, pendant que je suis assise avec trois femmes dans la hutte obscure sans pouvoir dire un mot. Il est évident qu'elles parlent de moi, et elles n'arrêtent pas de pouffer de rire. L'une examine la peau blanche de mon bras, l'autre me touche les cheveux. Mes longs cheveux clairs les troublent beaucoup. Elles ont toutes le crâne rasé, mais elles portent des bandeaux de perles colorés et de longues boucles d'oreilles.

La femme allaite de nouveau son bébé, puis me le tend. Je le prends dans les bras, mais sans trop de plaisir car je redoute qu'il m'arrive la même chose qu'à la maman. Je comprends bien qu'il n'y a pas de couches-culottes ici, mais j'ai encore un peu de mal à me faire à cette idée. Après avoir admiré le bébé quelque temps, je suis soulagée de pouvoir le rendre à sa mère.

Lketinga passe la tête dans la hutte. Je lui demande où il est allé pendant tout ce temps. Il m'explique en riant qu'il boit du lait avec les guerriers. Plus tard, ils comptent tuer la chèvre et nous en apporter des morceaux. Il faut qu'il aille manger dans la brousse. J'aimerais me joindre à lui mais, cette fois, ce n'est pas possible. Le village est énorme ; il y a trop de femmes et de guerriers qui nous regardent. J'attends donc encore environ deux heures avec les autres femmes avant qu'on nous apporte notre part de viande.

Il fait nuit, la jeune mère fait cuire notre viande. Nous sommes trois femmes et quatre enfants à nous partager une moitié de chèvre. Lketinga et son demi-frère ont mangé l'autre part. Une fois rassasiée, je sors de la hutte et rejoins mon Massaï et les autres guerriers, accroupis à l'écart, près des vaches. Je demande à Lketinga quand il va venir se coucher. Il rit : « *Oh no, Corinne, here I cannot sleep in this house together with ladies, I sleep here with friends and the cows.* » Il ne me reste qu'à retourner dans la hutte auprès de ces femmes que je ne connais pas. C'est ma première nuit sans Lketinga, et sa chaleur me manque beaucoup. Près de ma tête sont attachés trois petits chevreaux nouveau-nés qui n'arrêtent pas de bêler. Cette nuit-là, je ne dors pas.

Tôt le matin, il y a beaucoup plus d'agitation dans le village que chez nous, à Barsaloi. Ici, il ne faut pas seulement traire les chèvres mais les vaches. On entend des bêlements et des beuglements impatients de tous les côtés. Ce sont les femmes et les jeunes filles qui s'occupent de traire les animaux. Après avoir bu le *chai*, nous partons. L'idée de retrouver notre *manyatta* propre, nos réserves de nourriture et la rivière me rend enthousiaste. Notre Land Rover est pleine de femmes qui veulent vendre leur lait à Barsaloi. Elles sont contentes de ne pas avoir à parcourir le long chemin à pied. Nous ne sommes pas partis depuis longtemps que Lketinga insiste pour conduire un peu, lui aussi. J'essaie par tous les moyens de l'en dissuader. Bientôt, je ne trouve plus rien à dire, d'autant que les femmes semblent encourager Lketinga. Il n'arrête pas de toucher le volant et je finis par arrêter la voiture, excédée. Fièrement, il s'assoit sur le siège du conducteur, sous les applaudissements des femmes. Je me sens mal à l'aise et, en désespoir de cause, j'essaie au moins de lui expliquer comment fonctionnent l'accélérateur et les freins. Mais il me repousse en disant « *I know, I know* », puis la voiture démarre en hoquetant, Lketinga est rayonnant de bonheur — un bonheur que je ne peux partager que quelques secondes. Déjà au bout de cent mètres, je crie : « *Slowly, slowly !* » Mais, au lieu de ralentir, Lketinga accélère en fonçant tout droit sur un arbre. Il a l'air de tout confondre. Je hurle : « Lentement, plus à gauche ! » Dans la panique, je braque le volant juste devant l'arbre. Ainsi, nous évitons une collision frontale, mais une aile de la voiture reste accrochée à l'arbre et le moteur cale.

Maintenant, je n'arrive plus à me maîtriser. Je descends, j'examine les dégâts et je donne des coups de poing furieux dans cette fichue voiture. Les femmes hurlent, non pas à cause de l'accident mais parce que je vitupère contre un homme. Lketinga, debout à côté de moi, est atterré. Il n'a pas voulu ça. Désemparé, il saisit ses lances et s'apprête à rentrer à pied. Plus jamais il ne montera dans cette voiture. En le voyant dans cet état, après l'avoir vu si gai deux minutes plus tôt, je suis quand même désolée pour lui. Je recule la Land Rover et, comme tout fonctionne encore, j'arrive à le persuader de remonter. Le reste du voyage se déroule en silence, et je m'imagine déjà la honte, à Maralal, quand la *mzungu* va rentrer avec sa voiture cabossée.

A Barsaloi, la maman nous accueille chaleureusement. Même Saguna me salue joyeusement. Lketinga s'allonge dans la hutte. Il a mal au cœur et redoute la police parce qu'il n'a pas son permis. Il est si mal que j'ai peur qu'il redevienne fou. Je le calme et lui promets de dire à tout le monde que c'est moi qui ai provoqué l'accident et de faire réparer la voiture à Maralal.

Je descends ensuite à la rivière pour me laver. Lketinga ne vient pas, il ne veut pas quitter la hutte. Alors j'y vais seule, bien que la maman ne soit pas contente. Elle a peur de me laisser partir à la rivière non accompagnée. Elle-même n'y va plus depuis des années. Malgré ses avertissements, je me mets en route, avec un bidon vide. Je me lave à notre endroit habituel. Mais, ne me sentant pas très rassurée, je n'ose pas me déshabiller complètement. Je fais une toilette rapide. A mon retour, quand j'entre dans la hutte, Lketinga veut savoir ce que j'ai fait à la rivière pendant tout ce temps et qui j'ai rencontré. Surprise, je lui réponds que je n'ai vu personne et que je n'ai pas traîné. Il ne répond pas.

Nous discutons avec sa mère de mon voyage en Suisse car mon visa arrive bientôt à expiration, et il va falloir que

126

je quitte le Kenya dans quinze jours. Ils n'en sont pas très heureux, ni l'un ni l'autre. Lketinga me demande, anxieux, ce qui se passera si je ne reviens pas, étant donné que nous avons déjà informé l'Office de notre intention de nous marier. Je réponds : « *I come back, no problem !* » Comme je n'ai pas de billet d'avion ni de réservation, je projette de partir dans une semaine. Les jours passent à toute vitesse. En dehors de la cérémonie de la toilette quotidienne, nous restons à la maison et parlons de l'avenir.

L'avant-dernier jour, nous sommes paresseusement allongés dans la hutte lorsque nous entendons soudain des cris de femmes. Surprise, je demande : « *What's that ?* » Son visage s'assombrit. Je redemande : « *What's the problem ?* », quelque chose ne va pas. Peu après, la maman entre dans la hutte, tout énervée. Elle jette des regards fâchés à Lketinga en échangeant deux, trois phrases avec lui. Il sort et j'entends une dispute véhémente. Quand je veux sortir à mon tour, la maman me retient. En me rasseyant, j'ai le cœur qui bat la chamade. Il doit se passer quelque chose de grave. Enfin, Lketinga revient s'asseoir à côté de moi, bouleversé. Dehors, les voix se calment. Je voudrais savoir de quoi il s'agit. Après un assez long silence, il m'apprend que la mère de la petite amie avec qui il est resté pendant plusieurs années se trouve devant la hutte avec deux autres femmes.

J'en suis malade. C'est la première fois que j'entends parler d'une petite amie. Je rentre en Suisse dans deux jours ; j'ai besoin de clarifier la situation : « *Lketinga, you have a girlfriend, maybe you must marry this girl ?* » Gêné, il éclate de rire et me dit : « *Yes, many years I have a little girlfriend, but I cannot marry this girl !* » Je n'y comprends rien. « *Why ?* » J'apprends alors que pratiquement chaque guerrier a une petite amie. Il la pare de perles et prend soin de lui acheter beaucoup de bijoux au cours des années pour qu'elle soit la plus belle possible quand elle se mariera. Mais un guerrier n'épouse jamais sa petite amie. Ils peuvent faire l'amour librement jusqu'à la veille du mariage de la jeune fille, puis ses parents la vendent à quelqu'un d'autre. La jeune fille ne connaît le nom de son futur époux que le jour de son mariage.

Bouleversée par ce que je viens d'apprendre, je dis que cela me semble horrible. « *Why ?* » me demande Lketinga.

« *This is normal for everybody !* » Il me raconte que la jeune fille s'était arraché tous les bijoux du cou en apprenant que je vivais avec Lketinga avant qu'elle se soit mariée. C'est très grave pour elle, me dit-il. Peu à peu, la jalousie m'envahit, et je lui demande quand il a vu la jeune fille pour la dernière fois et où elle habite. Très loin, du côté de Baragoi, me répond-il, et il m'assure qu'il ne l'a pas vue depuis que je suis là. Je réfléchis, puis je lui propose d'aller la voir pendant mon absence pour clarifier la situation, de lui racheter des bijoux, si nécessaire, mais de faire en sorte qu'à mon retour cette affaire soit réglée. Il ne répond pas, si bien que, le jour de mon départ, je ne sais pas ce qu'il compte faire. Mais j'ai confiance en lui et en notre amour.

Je dis au revoir à la maman et à Saguna qui, visiblement, se sont prises d'affection pour moi. En riant, je leur dis : « *Hakuna, matata*, pas de problème », puis nous prenons la Land Rover pour aller à Maralal et la donner à réparer au garage pendant mon absence. Lketinga rentrera à pied. Dans la brousse, nous tombons sur un petit troupeau de buffles mais, en entendant le moteur, ils s'enfuient tout de suite. Lketinga n'en saisit pas moins ses lances en émettant une sorte de grognement. Je le regarde en riant, et il finit par se calmer.

Nous nous garons directement au garage pour éviter que l'aile cabossée de la Land Rover n'attire trop l'attention. Le chef somali arrive et examine les dégâts. Il faudra quand même compter dans les 600 francs suisses, dit-il. Je suis effarée : c'est le quart du prix d'achat de la voiture. En négociant âprement, j'arrive à baisser jusqu'à 350 francs suisses, ce qui reste considérable. Nous passons la nuit dans notre *lodging* habituel. Nous ne dormons pas beaucoup, à cause de mon départ, et aussi des moustiques. Après des adieux douloureux, Lketinga reste un moment près du car qui s'en va ; il a l'air perdu. Je m'enveloppe le visage pour ne pas arriver à Nairobi couverte de poussière.

La Suisse, pays étranger

Je trouve une chambre à l'hôtel Igbol, et je commence par manger à ma faim. Puis je passe en revue toutes les compagnies aériennes avant de trouver un vol Alitalia. Pour la première fois depuis des mois, j'appelle chez moi. Ma mère est tout excitée en apprenant que je vais rentrer quelques jours. Les deux journées qui me restent à Nairobi avant le départ sont pénibles. Je me promène dans les rues pour tuer le temps. A chaque coin de rue se tiennent des infirmes et des mendiants à qui je donne ma petite monnaie. Le soir, à l'Igbol, je discute avec des baroudeurs ou j'essaie de me débarrasser des Indiens et des Africains qui m'offrent leurs services de boy-friend.

Enfin, je me trouve dans le taxi qui m'emmène à l'aéroport. Quand l'avion décolle, je n'arrive pas à me réjouir vraiment de rentrer « chez moi » parce que je sais que Lketinga et le reste de la famille attendent désespérément mon retour.

A Meiringen, au-dessus de Berne, où ma mère vit avec son mari, je ne me sens pas très à l'aise, une fois passée la joie des retrouvailles. Je ne suis plus habituée au rythme européen. L'opulence qui règne dans les magasins d'alimentation me donne presque la nausée, et les produits réfrigérés ne me conviennent plus. J'ai continuellement des problèmes digestifs.

A la mairie, je me procure une attestation en allemand et en anglais qui prouve que je suis encore célibataire. Au moins, mes papiers sont en règle. Ma mère achète une très jolie cloche de vache comme cadeau de mariage pour « mon guerrier ». Moi, j'achète quelques clochettes plus petites pour les chèvres ; il est vrai que j'ai déjà quatre chèvres à moi. Je couds quatre nouvelles jupes : deux pour la maman et deux pour Saguna. Pour Lketinga et moi, je fais l'acquisition de deux très belles couvertures en laine, une rouge vif pour lui et une à rayures pour nous deux.

Faire mes bagages ne s'avère pas très facile. Je mets au fond de mon sac de voyage ma longue robe de mariage blanche qu'un fournisseur m'avait offerte quand j'ai fermé la boutique. A l'époque, je lui ai promis que, si jamais je me mariais, je la mettrais ; il faut donc que je l'emporte, ainsi que la parure pour les cheveux. Au-dessus de la robe de mariée, je mets des puddings en sachets, des sauces et des soupes. Puis j'ajoute les cadeaux et je comble les trous de médicaments, de pansements, de bandages, de désinfectants et de cachets de vitamines. Tout en haut, je pose les couvertures. Mes deux sacs sont pleins à craquer.

Le départ approche. Toute ma famille enregistre sur une cassette quelques mots à l'attention de Lketinga. Il faut donc que j'emporte aussi un petit magnétophone-radio. A l'aéroport de Kloten, je me retrouve avec trente-deux kilos de bagages. Je suis très contente de rentrer chez moi — car au fond de moi-même, je sais maintenant où est mon vrai chez-moi. Naturellement, les adieux avec ma mère sont tristes, mais mon cœur appartient déjà à l'Afrique. Je ne sais pas quand je reviendrai.

L'Afrique, ma nouvelle patrie

A Nairobi, je me fais conduire en taxi jusqu'à l'hôtel Igbol. Le chauffeur remarque mes bracelets massaïs et demande si je connais bien cette population. Je réponds : « *Yes, I go to marry a Samburu man.* » Le chauffeur a un mouvement de tête dubitatif ; apparemment, il ne comprend pas pourquoi une Blanche veut épouser un homme originaire de ce qu'il appelle une population primitive. Je coupe court à la conversation, ravie d'arriver enfin à l'Igbol. Mais, aujourd'hui, je n'ai pas de chance : toutes les chambres sont occupées. Je pars à la recherche d'un autre *lodging* bon marché, et je trouve un endroit convenable deux rues plus loin.

J'ai du mal à porter mes bagages, même sur cette petite distance. En plus, je dois monter trois étages avant d'atteindre mon cagibi. L'hôtel est beaucoup moins chaleureux que l'Igbol, et je suis la seule Blanche. Le lit s'affaisse au milieu, et sous le sommier traînent deux capotes usagées. Néanmoins, les draps sont propres. Je repasse à l'Igbol téléphoner à la Mission de Maralal pour qu'ils informent demain par radio la Mission de Barsaloi de mon arrivée dans deux jours. Ainsi, Lketinga sera au courant de mon retour. Cette idée m'est venue dans l'avion et je voudrais tenter le coup, bien que je ne connaisse personne à la Mission de Maralal. Après le coup de fil, je ne sais pas si cela marchera. Mon anglais s'est amélioré, mais le bon missionnaire n'avait pas l'air de très bien saisir mon message.

Cette nuit-là, je dors mal. Apparemment, je suis tombée sur un hôtel de passe pour autochtones car on entend des cris, des gémissements et des rires des deux côtés du couloir. Des portes claquent. Mais cette nuit mouvementée prend fin.

Le voyage en car jusqu'à Nyahururu se passe sans incident. Je regarde par la fenêtre en m'imprégnant de la beauté du paysage. Mon chez moi se rapproche de plus en plus. A Nyahururu, il pleut et il fait froid. J'ai encore une nuit à passer ici avant de pouvoir prendre le vieux car délabré pour Maralal, le lendemain matin. Nous partons avec une heure et demie de retard, le temps de recouvrir les bagages sur le toit de bâches en plastique. Mon grand sac noir se trouve aussi sur le toit. J'ai un autre sac, plus petit, que j'ai gardé avec moi.

Bientôt, nous quittons la route asphaltée pour un chemin de terre. La poussière rouge s'est transformée en boue marron. Le car roule encore plus lentement que d'habitude afin d'éviter les trous remplis d'eau. Il avance en serpentant, se place parfois en travers de la route, puis reprend la bonne direction. Nous allons mettre deux fois plus de temps que prévu. La route devient de plus en plus impraticable. De temps en temps, nous dépassons un véhicule embourbé que des gens tentent de dégager. Par endroits, les pneus ont creusé des sillons de trente centimètres de profondeur. On ne voit presque plus rien à travers les vitres recouvertes par les éclats de boue.

A mi-chemin, le car dérape et l'arrière dévie en travers de la route. Les roues arrière se retrouvent dans le fossé. Le car n'avance plus, les roues tournent dans le vide. On fait d'abord descendre les hommes. Le car glisse deux mètres plus loin et s'immobilise de nouveau. Maintenant, tout le monde doit descendre. J'ai à peine sauté du car que je m'enfonce dans la boue jusqu'aux chevilles. Depuis un léger promontoire, nous pouvons observer les efforts des hommes pour dégager le car. En même temps qu'une bonne partie des passagers, je récolte des branches de buissons qui sont ensuite glissées sous les roues. Mais en vain. Certains s'emparent de leurs affaires et continuent à pied. Je demande au chauffeur ce qui va se passer. Il hausse les épaules et dit qu'il faudra attendre le lendemain matin. En espérant qu'il s'arrêtera de pleuvoir, la route sera sèche rapidement. Je suis désespérée : une fois de plus, je suis coincée au milieu de la brousse, sans eau ni nourriture, avec juste des sachets de pudding qui ne me servent à rien. Le temps fraîchit, et je commence à avoir froid dans mes vêtements mouillés. Je retourne à ma place. Au moins, j'ai une bonne couverture en laine avec moi. Si Lketinga a reçu mon message, il doit être en train de m'attendre à Maralal.

Certains commencent à déballer de la nourriture. Tous ceux qui ont quelque chose le partagent avec leurs voisins. A moi aussi, on offre du pain et des fruits. J'accepte, mais j'ai honte car je n'ai rien à offrir, bien que j'aie plus de bagages que les autres. Tous s'installent tant bien que mal sur leur siège pour dormir. Les rares places libres sont occupées par des femmes avec leurs enfants. Pendant la nuit, seule une Land Rover nous dépasse, mais elle ne s'arrête pas.

Vers quatre heures du matin, il fait tellement froid que le chauffeur met en marche le moteur pendant une heure. La nuit semble interminable. Peu à peu, le ciel rougit, le soleil commence à se montrer. Il est un peu plus de six heures. Les premiers passagers commencent à descendre pour faire leurs besoins derrière les buissons. Je descends à mon tour et m'étire. Autour du car, le sol est aussi boueux que la veille. Il faut attendre que le soleil ait séché un peu la route avant de refaire une tentative. De dix heures à midi, nous poussons le car et essayons de le sortir du fossé. Mais, au bout de trente mètres, il est embourbé de nouveau. Il serait horrible d'avoir à passer une nuit de plus dans cet endroit.

Soudain, j'aperçois une Land Rover blanche qui serpente à travers la boue et roule par moments à côté de la route. Désespérée, je cours vers la voiture et l'arrête. A l'intérieur se trouve un couple d'Anglais d'un certain âge. Je leur explique brièvement ma situation et les supplie de m'emmener. La femme accepte tout de suite. Ravie, je bondis vers le car et je demande qu'on descende mon sac. Dans la Land Rover, la lady est horrifiée en entendant mon histoire. Prise de pitié, elle me tend un sandwich que je dévore aussitôt.

Nous avons à peine parcouru un kilomètre lorsqu'une Land Rover grise arrive dans la direction opposée. Il faut faire extrêmement attention qu'aucune des voitures ne dérape car la route est très étroite. Nous ralentissons, mais l'autre voiture approche rapidement. Quand elle n'est plus qu'à vingt mètres de nous, je crois avoir des hallucinations. « Stop, please, stop your car, this is my boy-friend ! » C'est Lketinga qui se trouve au volant de la voiture, sur cette route abominable !

Je gesticule comme une folle à travers la vitre pour attirer son attention car les yeux de Lketinga sont fixés sur la route. Je ne sais pas ce qui l'emporte : ma joie et mon orgueil immenses de le retrouver ainsi ou la peur qu'il ne sache pas arrêter la voiture. A présent, il me voit, et nous sourit fièrement à travers le pare-brise. Le véhicule s'immobilise environ vingt mètres plus loin. Je saute de la voiture et cours vers Lketinga. Nos retrouvailles sont fantastiques. Il est orné de peintures et de parures encore plus belles que d'ordinaire. Je n'arrive pas à retenir mes larmes de joie. Il est accompagné de deux hommes et, sans que je le lui demande, il me donne les clés de la voiture en me disant qu'il vaut mieux que je conduise. Nous récupérons mes bagages et les installons dans notre Land Rover. Je remercie le couple d'Anglais ; l'homme me dit que, maintenant qu'il a vu ce très bel homme, il comprend pourquoi je suis ici.

Pendant le chemin du retour, Lketinga me raconte que le père Giuliano lui a transmis mon message et qu'il est parti tout de suite à pied pour Maralal, où il a attendu le car. Ce n'est que vers vingt-deux heures qu'il a appris que le car s'était embourbé et qu'il y avait une Blanche parmi les passagers. Le lendemain matin, le car n'arrivant toujours pas, il est allé chercher notre voiture réparée au garage et il est parti sauver sa femme, tout simplement. Je suis épatée qu'il ait réussi. Certes, la route est assez droite, mais complètement boueuse. Il a parcouru toute la distance en deuxième vitesse. De temps en temps, il a dû rallumer le moteur qui avait calé mais, à part cela, « *hakuna matata, no problem* ».

Nous atteignons Maralal et nous nous installons dans notre *lodging*. Les trois hommes sont assis sur un lit et moi sur l'autre. Lketinga veut naturellement savoir ce que j'ai apporté, et les guerriers sont curieux, eux aussi. J'ouvre les sacs, et je sors d'abord les couvertures. En voyant la douce couverture rouge vif, les yeux de Lketinga brillent, j'ai tapé dans le mille. Il veut donner la couverture rayée à son ami mais, là, je proteste car je veux la garder pour moi ; les couvertures kenyanes grattent. J'avais aussi cousu trois *kangas* pour Lketinga, je veux bien qu'il les offre à ses copains puisqu'ils n'arrêtent pas de faire de grands yeux. Quand je déballe le petit magnétophone avec les messages de ma famille, Lketinga est très impressionné en reconnaissant les voix d'Eric et de Jelly. Sa joie est sans bornes, je n'ai jamais vu autant d'étonnement heureux devant des objets qui, en Europe, n'ont rien d'exceptionnel. Mon chéri fouille le sac de voyage. Il est enthousiaste en découvrant la cloche de vache, cadeau de mariage de ma mère. Maintenant, les deux copains se réveillent aussi, et chacun agite la cloche dont la sonorité est ici beaucoup plus forte et plus belle, me semble-t-il. Les deux copains en réclament une pareille mais, comme je n'ai que celle-ci, je leur offre deux de mes clochettes de chèvre ; ils en sont ravis. En m'entendant dire qu'il n'y a plus rien, mon chéri continue quand même à défaire le sac, et il est intrigué par les sachets de pudding et les médicaments.

Maintenant, nous essayons enfin de nous raconter tout ce qui s'est passé. A la maison, tout va bien, me dit-il, car il a plu ; en revanche, il y a beaucoup de moustiques. Saguna, la petite-fille de la maman, est malade et ne mange plus depuis que je suis partie. Comme je suis contente de rentrer le lendemain !

D'abord, nous allons tous manger ; il y a bien sûr de la viande dure, des galettes de pain et une sorte d'épinards en branche ; en peu de temps, le sol est jonché d'os. Le monde est de nouveau différent de ce qu'il a été trois jours plus tôt ; ici, je me sens bien. Les deux amis nous quittent tard le soir et nous nous retrouvons enfin seuls au *lodging*. Comme il n'a pas arrêté de pleuvoir, il fait froid à Maralal, et je peux faire une croix sur la douche à l'extérieur. Lketinga va me chercher une grande bassine d'eau chaude pour que je puisse au moins me laver dans la chambre. Je suis heureuse d'être de nouveau près de mon chéri. Mais je n'arrive presque pas à fermer l'œil de la nuit, tant le lit est étroit et affaissé au milieu, et j'ai un peu perdu l'habitude de cet inconfort.

Tôt le lendemain, nous allons d'abord prendre des nouvelles à l'Office à propos de la carte d'identité de Lketinga. Malheureusement, tout est retardé parce que nous ne pouvons pas donner le numéro de la carte d'identité, nous dit le fonctionnaire. Cette nouvelle me décourage, je n'ai obtenu qu'un visa de deux mois en entrant au Kenya et je ne vois pas comment je pourrai me marier en aussi peu de temps, dans ces conditions.

Nous décidons de rentrer d'abord à la maison. A cause de l'humidité, nous ne pouvons pas prendre la route qui franchit la forêt et nous sommes obligés de faire un détour. L'autre route a beaucoup changé. Des rochers et des branches d'arbre traînent partout, des fossés assez larges se sont creusés en travers de la route. Mais nous avançons bien. La végétation fleurit et, par endroits, il y a même de l'herbe. Tout pousse incroyablement vite, ici. De temps en temps, nous voyons des zèbres qui paissent paisiblement ou des familles d'autruches qui s'enfuient à toutes jambes en entendant le bruit du moteur. Nous devons d'abord traverser une petite rivière, puis le fleuve. L'un comme l'autre ne sont plus asséchés mais, heureusement, nous arrivons à passer en nous servant de la propulsion à quatre roues.

Nous sommes environ à une heure de route de Barsaloi lorsque j'entends un léger chuintement et, peu après, la voiture se met en travers. Je sors regarder ce qu'il y a : nous avons encore crevé ! Il faut d'abord tout décharger pour atteindre la roue de secours, puis je rampe sous la voiture couverte de boue pour placer le cric. Lketinga m'aide et, une demi-heure plus tard, nous avons terminé et nous pouvons repartir. Enfin, nous arrivons près des *manyattas*.

La maman est debout devant la hutte, hilare. Saguna me saute au cou. Les retrouvailles sont chaleureuses, et je pose un baiser sur la joue de la maman. Nous mettons tout ce que j'ai apporté dans la *manyatta* qui, du coup, est presque pleine. La maman prépare du *chai* ; je lui donne ainsi qu'à Saguna les jupes faites main que j'ai apportées. Tout le monde est content. Lketinga passe la cassette avec les voix de ma famille, ce qui provoque beaucoup de commentaires. Quand je donne à Saguna la poupée brune que ma mère a achetée pour elle, toutes les bouches restent grandes ouvertes et Saguna sort de la hutte en courant. Toute cette agitation m'échappe. La maman ne regarde la poupée qu'à distance, et Lketinga me demande sérieusement si c'est un enfant mort. Une fois la surprise passée, j'éclate de rire : « *No, this is only plastic.* » Mais ils se méfient de cette poupée qui a des cheveux et, surtout, des yeux qui s'ouvrent et se ferment. De plus en plus d'enfants étonnés arrivent, et ce n'est que lorsqu'une autre petite fille s'apprête à ramasser la poupée que Saguna fait un bond, s'en empare et la serre contre elle. A partir de ce moment-là, personne n'a plus le droit d'y toucher, même la maman. Saguna ne dort plus qu'avec son « bébé ».

Au coucher du soleil, les moustiques commencent à attaquer. Dans l'humidité, ils s'épanouissent facilement. Bien que le feu brûle dans notre hutte, ils virevoltent autour de nos têtes. Je n'arrête pas d'agiter ma main devant mon visage. Je ne pourrai jamais dormir dans ces conditions ! Je suis même piquée à travers mes chaussettes. C'est une véritable plaie qui me gâche un peu la joie d'être rentrée. Je m'allonge tout habillée et me couvre jusqu'au cou. Mais, contrairement aux autres, je n'arrive pas à dormir la tête sous la couverture. Au bord de l'hystérie, je ne finis par m'endormir qu'au petit matin. Au réveil, je ne peux plus ouvrir un œil tellement ma paupière est enflée. Comme je n'ai aucune envie d'attraper la malaria, je voudrais acheter une moustiquaire, bien que ce ne soit pas sans danger, étant donné que nous faisons du feu dans la *manyatta*.

A la Mission, je demande au père s'il peut éventuellement me réparer le pneu. Il n'a pas le temps, mais il me prête une roue de rechange et me conseille d'acheter une deuxième roue de secours car il peut tout à fait arriver qu'on ait deux pneus crevés en même temps. Je profite de l'occasion pour lui demander ce qu'il fait contre les moustiques. Comme il habite une vraie maison, les moustiques ne lui posent pas trop de problèmes ; un spray lui suffit pour se protéger. Il me conseille de construire une maison le plus vite possible. Ce n'est pas cher, me dit-il. Le *chief* pourrait nous donner un emplacement que nous devrons ensuite faire enregistrer à Maralal.

L'idée de la construction d'une maison ne me quitte plus. Ce serait merveilleux d'avoir une vraie maison en bois ! Emballée par le projet, je retourne à la *manyatta* et je raconte tout à Lketinga, qui est moins enthousiaste et se demande s'il se sentira bien dans une maison. Nous décidons d'y réfléchir. Mais je veux de toute façon aller à Maralal car je ne peux pas passer une nuit de plus sans moustiquaire.

En très peu de temps, plusieurs personnes se regroupent autour de la Land Rover. Tous voudraient qu'on les emmène à Maralal. J'en connais certains de vue, d'autres non. Lketinga choisit les passagers. Nous mettons de nouveau près de cinq heures pour atteindre notre but en fin d'après-midi, sans panne. Nous faisons d'abord réparer le pneu, ce qui se révèle plus difficile que prévu. Pendant ce temps, j'examine de plus près les pneus de ma voiture et je constate qu'ils sont lisses. Au garage, je me renseigne sur des pneus neufs. Les prix sont astronomiques. Pour quatre pneus, ils demandent presque l'équivalent de 1 000 francs suisses. Ce sont les mêmes prix qu'en Suisse ! Ici, cela correspond à trois mois de salaire. Mais il me les faut si je ne veux pas m'embourber tout le temps.

Je trouve une moustiquaire dans une boutique et j'achète en plus plusieurs paquets de spirales antimoustiques. Le soir, au bar du *lodging*, je fais la connaissance du grand chef du district samburu. C'est un personnage sympathique qui s'exprime dans un bon anglais. Il a déjà entendu parler de moi ; il avait de toute façon l'intention de nous rendre visite. Il félicite mon Massaï d'avoir trouvé une femme aussi courageuse. Je lui explique le projet de construction d'une maison, de notre mariage et du problème avec la carte d'identité. Il promet de nous aider dans la mesure de ses moyens. La construction d'une maison sera difficile, dit-il, car il n'y a presque plus de bois.

En tout cas, il promet de s'occuper de la carte d'identité. Le lendemain matin, il nous accompagne à l'Office. Il y a de grandes discussions, il faut remplir des formulaires et fournir des renseignements sur la famille de Lketinga. Comme le *chief* la connaît très bien, la carte d'identité peut être établie en quinze jours ou trois semaines à Maralal même. Nous remplissons immédiatement la demande de mariage. A moins que quelqu'un s'y oppose, nous pourrons nous marier dans trois semaines. Il faut simplement que nous emmenions deux témoins qui sachent écrire. Je ne sais pas comment remercier le *chief*, tellement je suis contente. De temps en temps, il faut payer quelque chose mais, au bout de quelques heures, tout est mis en route. Nous devons revenir dans quinze jours en apportant les attestations qu'on nous a délivrées. Comme nous nous sentons d'excellente humeur, nous invitons le *chief* à manger. Il est le premier à nous avoir vraiment aidés de bon cœur. Généreusement, Lketinga lui glisse un peu d'argent.

Après une nuit à Maralal, nous nous apprêtons à repartir quand je tombe sur Jutta. Naturellement, il faut qu'on prenne un *chai* ensemble et qu'on se raconte ce qui nous est arrivé. Elle veut assister à notre mariage. Pour l'instant, elle habite chez Sophia, une autre Blanche qui vient de s'installer à Maralal avec son ami rasta. Jutta me dit de venir la voir de temps en temps. Nous autres Blanches, il faut qu'on soit solidaires, dit-elle en riant. Lketinga nous regarde d'un œil sombre, il ne comprend rien parce que nous parlons le plus souvent allemand et que nous rions beaucoup. Comme il veut rentrer, nous partons. Cette fois-ci, nous osons prendre le trajet à travers la jungle. La route est dans un état désastreux et, arrivée au passage le plus escarpé, je ne respire plus. Mes prières sont entendues, et nous atteignons Barsaloi sans problème.

Les jours suivants s'écoulent dans le calme, la vie reprend son cours habituel. Les gens ont suffisamment de lait et, dans les échoppes délabrées, on peut acheter de la farine de maïs et du riz. La maman est occupée par les préparatifs de la grande fête samburu qui aura lieu dans un peu plus d'un mois. Mon chéri et d'autres hommes de son âge arrivent à la fin de leur période de guerriers ; c'est ce passage que l'on célèbre. Après la fête, ces guerriers ont officiellement le droit de se trouver une fiancée et de se marier. Un an plus tard aura lieu la cérémonie de circoncision lors de laquelle la génération suivante de garçons accédera au statut de guerriers.

La fête qui se prépare se déroulera dans un endroit spécial où toutes les mères se retrouvent avec leurs fils guerriers. Dans quinze jours ou trois semaines, nous allons quitter notre *manyatta* et nous installer là-bas où les femmes construisent de nouvelles huttes spécialement pour la fête qui durera trois jours. Nous n'en connaîtrons la date qu'au dernier moment car elle est fixée en fonction de la lune. Selon mes calculs, nous devrons retourner à l'Office deux semaines avant la fête. En cas de problème, il ne me restera que quelques jours avant que mon visa n'expire.

Lketinga est souvent en vadrouille car il doit trouver un taureau noir d'une certaine taille. Il doit donc aller voir différents parents pour leur proposer des échanges. De temps en temps, je l'accompagne mais je ne dors qu'à la maison, sous la moustiquaire qui me protège bien. Dans la journée, je m'acquitte des travaux habituels. Le matin, je descends au fleuve, avec ou sans Lketinga. Parfois, j'emmène Saguna qui s'amuse énormément quand elle a le droit d'aller se baigner. Je lave nos vêtements enfumés, ce qui continue à m'abîmer la peau au niveau des articulations des doigts. Puis nous rentrons en rapportant de l'eau et, ensuite, nous allons chercher du bois pour le feu.

Stress administratif

Le moment arrive d'aller à Maralal pour nous marier. La maman est agacée que Lketinga parte si peu de temps avant la cérémonie. Mais nous pensons qu'une semaine est largement suffisante. Le jour de notre départ, la maman lève le camp et s'en va avec les autres mères et les ânes chargés de leurs affaires. En aucun cas, elle ne veut nous accompagner. Elle n'est jamais montée dans une voiture et n'a pas l'intention de tenter cette expérience. Alors je mets mes bagages dans la voiture, et la maman s'occupe du reste.

Lketinga emmène Jomo, un type d'un certain âge qui

parle un peu anglais. Il m'est antipathique ; il insiste lourdement, pendant tout le trajet, pour être notre témoin ou, du moins, pour assister au mariage. Puis nous parlons de la fête à l'occasion de laquelle des mères arriveront de partout. On construira quarante ou cinquante *manyattas* et on dansera beaucoup. Je me réjouis de cette grande fête à laquelle j'ai le droit d'assister. D'après la position de la lune, elle aura lieu dans une quinzaine de jours, explique notre passager.

A Maralal, nous allons d'abord à l'Office. Le fonctionnaire en charge du dossier est absent, on nous dit de revenir le lendemain après-midi. Sans carte d'identité, nous ne pouvons pas fixer de date pour le mariage. Nous nous promenons dans Maralal pour trouver deux témoins, ce qui n'est pas facile car ceux que Lketinga connaît ne savent pas écrire et ne comprennent ni le swahili ni l'anglais. Son frère est trop jeune ; d'autres ont peur de venir à l'office et ne comprennent pas à quoi va servir tout cela. Ce n'est que le lendemain que nous rencontrons deux Morans qui ont vécu à Mombasa et qui, en plus, sont en possession d'un passeport. Ils nous promettent de rester à Maralal dans les jours à venir.

Quand nous retournons à l'Office, l'après-midi, ô miracle, la carte d'identité de Lketinga l'y attend. Il n'a plus qu'à y poser l'empreinte de son pouce, puis nous nous rendons au « bureau d'état civil » afin d'obtenir une date pour le mariage. Le fonctionnaire examine mon passeport ainsi que l'attestation selon laquelle je suis encore célibataire. De temps en temps, il pose à Lketinga des questions en swahili auxquelles celui-ci, apparemment, ne sait pas toujours répondre. Lketinga est nerveux. J'ose demander quand aura lieu le mariage et je donne les noms de nos deux témoins. Le fonctionnaire dit qu'il faudra aller voir directement le *district officer* car lui seul peut procéder à notre mariage.

Nous nous intégrons dans la longue file d'attente avec tous ceux qui veulent parler à cet homme important. Après deux bonnes heures, nous sommes enfin appelés. Derrière un bureau prétentieux est assis un homme costaud. Je pose nos papiers devant lui et explique que nous voudrions fixer une date pour notre mariage. Il feuillette mon passeport et me demande pourquoi je veux épouser un Massaï et où nous allons vivre. Je suis tellement tendue que j'ai du mal à former des phrases en anglais. « Parce que je l'aime et que nous allons nous construire une maison à Barsaloi. » Ses regards se promènent de Lketinga à moi. Finalement, il nous demande de revenir dans deux jours, à quatorze heures, accompagnés de nos témoins. Ravis, nous le remercions et sortons.

Soudain, tout s'est passé normalement — je n'aurais pas pu espérer mieux. Lketinga s'achète du *miraa* et une bière avant de rentrer au *lodging*. Je le lui déconseille mais il me dit qu'il en a besoin. Vers neuf heures, on frappe à la porte. C'est Jomo, l'homme qui est venu avec nous de Barsaloi. Lui aussi mâche du *miraa*. Nous discutons encore une fois de tout mais, au fur et à mesure que la soirée se prolonge, Lketinga devient de plus en plus inquiet. Il se demande si c'est vraiment une bonne chose de se marier de cette façon-là. Il ne connaît personne qui se soit marié à l'Office. Je suis contente, maintenant, que son copain soit là pour tout lui expliquer. Lketinga ne fait que hocher la tête. Si seulement ces deux jours pouvaient se passer sans qu'il perde la tête ! Il supporte très mal les visites à l'Office.

Le lendemain, je vais chez Jutta et Sophia. Sophia vit « luxueusement » dans une maison qui a deux pièces, l'électricité, l'eau courante et même un réfrigérateur. Toutes deux se réjouissent de notre mariage et promettent de venir le lendemain à quatorze heures à l'Office. Sophia me prête une jolie barrette et un très beau chemisier. Nous achetons deux beaux *kangas* pour Lketinga. Nous sommes prêts.

Le matin de notre mariage, je me sens tout de même un peu nerveuse. A midi, nos témoins n'ont pas encore apparu et ne savent même pas que leur présence est requise dans les deux heures qui suivent. Il nous faut donc en trouver deux autres. Jomo redevient un candidat possible, cela m'est égal, du moment que nous trouvons une deuxième personne. Désespérée, je demande à la patronne de notre *lodging*, qui accepte sur-le-champ, enthousiaste. A quatorze heures, nous sommes à l'Office. Sophia et Jutta sont là, elles ont même apporté des appareils photo. Nous nous asseyons sur un banc et attendons à côté d'autres personnes. L'ambiance est un peu tendue, Jutta n'arrête pas de me charrier. Il est vrai que j'avais imaginé les instants qui précéderaient mon mariage un peu plus solennels.

Une demi-heure s'est écoulée, et nous n'avons toujours pas été appelés. Des gens entrent et sortent du bureau en permanence. Un homme y pénètre même pour la troisième fois. Le temps passe, Lketinga s'énerve. Il a peur d'aller en prison s'il y a quelque problème que ce soit avec ses papiers. J'essaie tant bien que mal de le rassurer. A cause du *miraa*, il n'a presque pas dormi. « *Hakuna matata*, nous sommes en Afrique, *pole, pole* », dit Jutta puis, tout à coup, la porte s'ouvre, et Lketinga et moi sommes appelés. Les témoins doivent attendre dehors. Je commence à me sentir assez mal à l'aise, moi aussi.

Le *district officer* siège derrière son bureau prétentieux, comme la dernière fois, et deux autres hommes sont assis devant lui à une longue table. L'un d'eux est celui qui n'arrêtait pas d'entrer et de sortir. Nous sommes priés de nous asseoir en face des deux hommes qui se présentent comme des policiers en civil et demandent à voir mon passeport et la carte d'identité de Lketinga.

Je sens le sang battre dans mes tempes. Que se passe-t-il ? J'ai peur de ne pas comprendre leur anglais administratif, dans l'état où je suis. Des questions pleuvent sur moi. Ils veulent savoir depuis quand je vis en territoire samburu, où j'ai rencontré Lketinga, depuis quand, comment et de quoi nous vivons, quelle est ma profession, comment nous communiquons, etc. L'interrogatoire est interminable.

Lketinga demande sans arrêt de quoi nous parlons mais je ne peux pas le lui expliquer dans le curieux mélange de langues et de gestes grâce auquel lui et moi communiquons. Lorsqu'on me demande si j'ai déjà été mariée, je commence à perdre patience. Enervée, je réponds que mon acte de naissance et mon passeport portent le même nom et que j'ai également une attestation de la Fédération helvétique en anglais. Nous ne la reconnaissons pas, me dit l'un des hommes, car elle n'a pas été authentifiée par l'ambassade à Nairobi. « Mais mon passeport ! » dis-je, agacée. L'*officer* m'interrompt : mon passeport pourrait être faux. Je suis hors de moi, à présent. L'*officer* veut savoir si Lketinga a déjà épousé une femme samburu.

Lketinga répond que non, ce qui est la vérité. L'*officer* lui demande comment il compte prouver ce fait. Tout le monde le sait, à Barsaloi, dit Lketinga. Mais nous sommes à Maralal, ici, réplique l'*officer*. Et dans quelle langue voulez-vous être marié ? poursuit-il. En anglais, je suppose, avec quelqu'un qui traduit en massaï. L'*officer* rit méchamment, dit qu'il n'a pas le temps pour ces cas particuliers et que, de toute façon, il ne parle pas le massaï. Et il nous suggère de revenir quand nous parlerons la même langue, l'anglais ou le swahili, quand j'aurai fait tamponner mon attestation à Nairobi et que Lketinga aura obtenu une lettre signée du *chief* prouvant qu'il n'a jamais été marié.

Excédée par ces chicanes, je sors de mes gonds et, en élevant la voix, je demande à l'*officer* pourquoi il n'a pas mentionné tout cela quand nous sommes venus la première fois. Avec une arrogance inouïe, il me répond que c'est lui qui décide ce qu'il mentionne et à quelle occasion, et que, si cela ne me plaît pas, il peut me faire expulser du pays le lendemain même. Voilà qui est bien envoyé ! « *Come, darling, we go, they don't want give the marriage.* » Furieuse et en larmes, je sors du bureau, suivie de Lketinga. Dehors s'illuminent les flashes des appareils photo de Sophia et Jutta qui croient que nous sommes mariés.

Entre-temps, une bonne vingtaine de personnes se sont assemblées devant l'Office. J'ai envie de disparaître sous terre. Jutta est la première à s'en apercevoir. « Qu'est-ce qui se passe, Corinne, Lketinga, *what's the problem ?* » Désemparé, il dit : « *I don't know.* » Je me précipite vers ma Land Rover et je fonce au *lodging*. Je veux rester seule. Là-bas, je tombe sur mon lit et je laisse libre cours à mes larmes, tout mon corps est secoué de sanglots. Je n'arrête pas de penser : « Quels salauds ! »

Plus tard, Lketinga s'assoit à côté de moi et tente de me calmer. Je sais bien que les larmes l'incommodent, mais je ne peux me retenir. Jutta vient aussi me voir et m'apporte un verre d'eau-de-vie locale. Je me force à le boire cul sec et, peu à peu, la crise de larmes s'arrête. Je me sens fatiguée et comme anesthésiée. Jutta finit par partir, Lketinga boit de la bière et mâche du *miraa*.

Quelque temps après, on frappe à la porte. Je suis allongée sur le lit et je fixe le plafond. Lketinga ouvre, et les deux policiers en civil entrent discrètement. Ils s'excusent poliment et nous proposent leur aide. Comme je ne réagis pas, l'un d'eux, qui est samburu, parle avec Lketinga. Quand je comprends que ces salauds ne nous permettront de nous marier qu'en échange de beaucoup d'argent, je sors de mes gonds à nouveau. En hurlant, je les somme de quitter notre chambre. J'épouserai cet homme à Nairobi ou ailleurs, et sans avoir recours à leurs sales propositions ! Gênés, ils quittent la pièce.

Nous décidons d'aller à Nairobi le lendemain pour faire authentifier mon attestation et prolonger mon visa. Grâce aux formulaires de demande de mariage, cela devrait être possible. Ainsi, nous aurons trois mois devant nous pour obtenir l'attestation du *chief*. On va bien voir si nous n'allons pas y arriver sans pot-de-vin ! Au moment où je m'apprête à me coucher, surgit l'antipathique Jomo. Lketinga lui raconte notre projet, et Jomo veut nous accompagner ; il connaît Nairobi comme sa poche, affirme-t-il. Comme la route pour Nyahururu est toujours en très mauvais état, nous décidons d'aller à Isiolo via Wamba puis de prendre un car jusqu'à Nairobi. Comme nous devons être rentrés pour la fête, il ne nous reste que quatre ou cinq jours.

Bien que le trajet soit nouveau pour moi, tout se déroule sans problème. Au bout de cinq heures de route nous atteignons Isiolo. En demandant à différentes personnes, j'arrive à trouver la Mission où, avec un peu de chance, je voudrais laisser la Land Rover. Le missionnaire m'y autorise. Si je garais la voiture n'importe où, elle n'y resterait sûrement pas longtemps.

Comme nous avons encore trois ou quatre heures de route jusqu'à Nairobi, nous décidons de passer la nuit à Isiolo, puis de repartir tôt le lendemain matin pour pouvoir nous présenter à l'Office dans l'après-midi. Notre accompagnateur nous explique alors qu'il n'a plus d'argent. Je n'ai pas d'autre choix que de lui payer sa chambre, son repas et ses boissons. Je le fais de mauvaise grâce car il m'est toujours aussi antipathique. Dans la chambre, je m'écroule sur le lit et m'endors avant qu'il fasse nuit. Les deux autres boivent de la bière en discutant. Le lendemain matin, j'ai soif. Nous prenons notre petit déjeuner et nous montons dans le car pour Nairobi. Après plus d'une heure d'attente, il est enfin complet et nous pouvons partir. Nous atteignons Nairobi peu avant midi.

Nous nous rendons d'abord à l'ambassade suisse pour faire authentifier mon attestation. On nous répond qu'ils ne font pas ce genre de choses et que, de toute façon, nous devons aller à l'ambassade allemande, étant donné que j'ai un passeport allemand. Je doute que les Allemands connaissent les tampons des municipalités suisses, mais mes interlocuteurs ne se laissent pas convaincre. L'ambassade allemande se trouve dans un autre quartier. Il faut traverser la ville par un temps lourd et étouffant. A l'ambassade allemande, il y a beaucoup de monde et l'attente est longue. Quand on m'appelle enfin, l'employé veut me renvoyer à l'ambassade suisse. Excédée, je lui fais remarquer que j'en viens ; il saisit alors son téléphone et appelle l'ambassade suisse. Comme il n'obtient pas d'information satisfaisante, il authentifie mon attestation tout en m'affirmant que, du point de vue administratif, c'est une absurdité, mais que, pour Maralal, il suffit qu'il y ait un maximum de tampons et de signatures sur mon papier. Après l'avoir remercié, je quitte l'ambassade.

Lketinga veut savoir pourquoi tout le monde trouve quelque chose à redire à mes papiers. Je n'ai pas de réponse ; alors sa méfiance vis-à-vis de moi s'accroît. Nous marchons jusqu'à l'immeuble Nyayo, qui se trouve encore dans un autre quartier, pour faire renouveler mon visa, qui se termine dans dix jours. J'ai les jambes comme du plomb, mais je veux absolument obtenir mon visa dans l'heure et demie qui nous reste. Dans l'immeuble Nyayo, il faut de nouveau remplir des formulaires. Maintenant, je suis bien contente que notre accompagnateur soit là car j'ai la tête qui bourdonne et je ne comprends à peu près qu'une question sur deux. Avec sa tenue traditionnelle, Lketinga attire tous les regards ; il se cache le visage derrière son *kanga*. Nous attendons qu'on nous appelle. Le temps passe. Cela fait déjà plus d'une heure que nous sommes assis dans ce hall étouffant. J'ai du mal à supporter plus longtemps le caquetage des gens. Je regarde ma montre. L'Office ferme dans un quart d'heure et, demain, toute cette attente recommencera.

Enfin, quelqu'un lève mon passeport. « *Miss Hofmann !* » dit fermement une voix de femme. Je me fraie un chemin jusqu'au guichet. La femme me regarde et me demande si je veux épouser un Africain. Je réponds brièvement : « *Yes !* — *Where is your husband ?* » Je fais un geste dans la direction de Lketinga. Amusée, la femme demande si je veux vraiment devenir la femme d'un Massaï. « *Yes, why not ?* » Elle va chercher deux collègues qui examinent Lketinga, puis moi. Et toutes les trois de rire. Fièrement, je reste debout devant le guichet, sans me laisser affecter par leur insolence. Enfin, elle applique un tampon sur une page de mon passeport — j'ai mon visa. Je la remercie poliment, et nous quittons l'immeuble.

Malaria

Dehors, l'air est étouffant, et les gaz d'échappement me gênent plus que d'habitude. Il est seize heures, tous mes papiers sont en règle. Je voudrais m'en réjouir, mais je suis trop épuisée. Il faut que nous retournions dans un quartier où nous pourrons trouver un *lodging*. Déjà au bout de quelques centaines de mètres, j'ai le vertige. Mes jambes ne me portent plus. « *Darling, help me !* » Lketinga demande : « *Corinne, what's the problem ?* » Tout tourne. Il faut que je m'assoie, mais il n'y a pas de restaurant à proximité. Je m'appuie contre le rebord d'une vitrine, je me sens mal et j'ai horriblement soif. Lketinga est gêné car les premiers curieux s'arrêtent déjà. Il veut m'entraîner plus loin mais je n'y arrive pas sans aide. Jomo et lui me portent en direction d'un *lodging*.

Soudain, je deviens agoraphobe. Les silhouettes des gens que nous croisons deviennent floues. Et ces odeurs ! A chaque coin de rue, on fait griller du poisson, du maïs ou de la viande. J'ai mal au cœur. Si je ne quitte pas immédiatement cette rue, je crois que je vais vomir. Il y a un bar à bière non loin. Nous y entrons. Je demande un lit. D'abord, ils ne veulent pas nous en donner mais, quand Jomo dit que je ne peux plus marcher, ils nous emmènent dans une chambre à l'étage supérieur.

C'est un hôtel de passe typique. Dans la chambre, on entend la musique kikuyu presque aussi fort qu'au bar, au rez-de-chaussée. Je me laisse tomber sur le lit et, immédiatement, je suis prise de nausées. Je leur fais comprendre que je vais devoir vomir. Lketinga me soutient, me porte pratiquement jusqu'aux toilettes. Mais je n'arrive même pas à me retenir jusque-là. Déjà dans le couloir, je commence à vomir. Dans les toilettes, ça continue. Je vomis jusqu'à ce qu'il ne sorte plus que de la bile jaune. Les jambes flageolantes, je retourne dans la chambre. Je suis gênée d'avoir tout sali. Je me couche avec l'impression de mourir de soif. Lketinga m'apporte du Schweppes. Je vide la bouteille d'une traite, puis une autre, puis une autre. Tout à coup, je me mets à avoir très froid. J'ai aussi froid que si je me trouvais dans un frigo. Cela va de mal en pis. Mes dents claquent tellement que j'en ai mal à la mâchoire, mais je ne peux pas les en empêcher. « *Lketinga, I feel so cold, please give me blankets !* » Lketinga me donne une couverture, mais cela ne sert à rien. Jomo va chercher deux autres couvertures en bas. Malgré toutes ces couvertures, mon corps raide tremble tellement que je décolle du lit. Je voudrais du thé, du thé très chaud. Il me semble que cela dure des heures avant qu'on m'en apporte. Comme je tremble très violemment, je peux à peine le boire. Après deux ou trois gorgées, mon estomac se révolte de nouveau. Mais je ne peux plus me lever. Lketinga court chercher une des bassines qui traînent dans les douches. Je vomis tout ce que j'ai bu.

Lketinga, désemparé, n'arrête pas de me demander ce qui se passe, mais je ne le sais pas. J'ai peur. Finalement, les frissons s'arrêtent et, quand je me laisse retomber dans les coussins, mes bras et mes jambes sont comme du pudding. Tout mon corps est endolori. Je suis aussi épuisée que si j'avais couru pendant des heures pour sauver ma vie. Maintenant, je sens la chaleur m'envahir. En peu de temps, tout mon corps est trempé. Les cheveux me collent au crâne. J'ai l'impression de me consumer. Je réclame du Coca très froid, je le bois à toute vitesse. J'ai envie d'aller aux toilettes. Lketinga m'y emmène et, aussitôt, c'est la diarrhée qui commence. Je suis contente que Lketinga soit avec moi, bien qu'il soit complètement perdu. De retour dans le lit, je n'ai plus qu'une envie, dormir. Je n'arrive plus à parler. En somnolant, j'entends les voix des deux hommes, moins fortes que la musique du bar.

Une nouvelle crise s'annonce. Le froid envahit mon corps et, peu après, je recommence à trembler. Paniquée, je m'accroche au lit. Je supplie Lketinga : « *Darling, help me !* » Il se couche sur moi avec tout le haut de son corps, mais je continue à trembler. Jomo, qui se tient à côté, dit que j'ai sûrement attrapé la malaria et qu'il va falloir m'emmener à l'hôpital. Ce mot résonne dans ma tête : malaria, malaria, malaria ! D'une seconde à l'autre, j'arrête de trembler et me mets à transpirer par tous les pores de mon corps. Les draps sont trempés. J'ai soif, soif ! Il faut que je boive. Notre logeuse passe la tête par la porte et, quand elle m'aperçoit, j'entends les mots « *mzungu, malaria, hospital* ». Je fais signe que je ne veux pas. Je ne veux pas aller à l'hôpital de Nairobi. J'ai entendu tellement d'horreurs à ce sujet ! Puis il y a Lketinga ! Seul à Nairobi, il est perdu.

La logeuse s'en va et revient avec de la poudre anti-paludisme. Je la bois dans de l'eau ; je suis fatiguée. Quand je me réveille, il fait nuit. Ma tête bourdonne. J'appelle Lketinga, mais il n'y a personne. Plusieurs minutes ou heures plus tard, Lketinga revient dans la chambre. Il était en bas, au bar. Je sens son haleine chargée de bière et aussitôt mon estomac se retourne. Je suis secouée de frissons durant toute la nuit.

Quand je me réveille, le matin, j'entends les deux hommes discuter. Ils parlent de la fête qui doit avoir lieu à Barsaloi. Jomo s'approche du lit et me demande comment ça va. Je réponds : « Mal. » Il me demande si nous n'allons pas rentrer aujourd'hui. Pour moi, c'est impossible. Je dois aller aux toilettes. Mes jambes vacillent, je peux à peine me tenir debout. La pensée me traverse l'esprit qu'il vaudrait mieux que je mange quelque chose.

Lketinga descend et revient avec une assiette de viande. En sentant l'odeur de nourriture, mon estomac, qui me fait horriblement mal, se rebelle. Je vomis de nouveau. A part un peu de liquide jaune, rien ne sort, mais ces vomissements sont extrêmement douloureux. A force de vomir « à sec », la diarrhée me reprend. Je me sens misérable et j'ai le sentiment que ma dernière heure a sonné.

Le soir du deuxième jour, je m'endors pendant les accès

de fièvre et je perds toute notion du temps. La musique ininterrompue m'est tellement insupportable que je me mets à pleurer en me bouchant les oreilles. Tout cela est sans doute un peu trop dramatique pour Jomo car il nous dit qu'il doit aller voir des parents à lui et qu'il sera de retour dans trois heures. Lketinga compte notre argent liquide : j'ai l'impression qu'il en manque pas mal mais cela m'est égal. Je commence à comprendre que, si je n'entreprends rien maintenant, je ne survivrai pas à ce voyage à Nairobi et que je ne sortirai probablement pas vivante de cet affreux *lodging*.

Lketinga part chercher des cachets de vitamine et le remède antipaludisme local. Je me force à avaler les cachets. Dès que je vomis, j'en reprends un immédiatement. Il est minuit, et Jomo n'est toujours pas rentré. Nous nous faisons du souci car ce quartier de Nairobi est dangereux. Lketinga ne dort presque pas et s'occupe très affectueusement de moi.

Mes crises se sont un peu atténuées grâce au remède que je prends, mais je suis tellement faible que je n'arrive même pas à lever les bras. Lketinga ne sait pas que faire. Il veut partir à la recherche de Jomo, mais c'est de la folie dans cette ville qu'il ne connaît pas. Je le supplie de rester avec moi, de ne pas me laisser toute seule. Nous devons quitter Nairobi au plus vite. Je suce les cachets de vitamine comme des bonbons. Lentement, les choses deviennent un peu plus claires dans ma tête. Si je ne veux pas crever ici, je dois rassembler mes dernières forces. J'envoie mon chéri m'acheter des fruits et du pain. Surtout rien qui ait une odeur de nourriture ! Je me force à avaler morceau par morceau. Le contact des fruits sur mes lèvres gercées me brûle atrocement, mais je dois retrouver des forces pour pouvoir partir. Jomo nous a laissés tomber.

La crainte que Lketinga puisse devenir fou me donne des forces. J'aimerais essayer de me laver pour me sentir mieux. Mon chéri m'amène à la douche et je réussis très péniblement à me doucher. Puis je demande qu'on change enfin les draps, au bout de trois jours. Le temps que le lit soit refait, j'essaie de faire quelques pas. Dans la rue, j'ai le vertige, mais je dois y arriver. Nous marchons peut-être cinquante mètres, j'ai l'impression que ce sont cinq kilomètres. Je dois rentrer, la puanteur de la rue agresse trop mon estomac. Je n'en suis pas moins fière de ma performance. Je promets à Lketinga que nous allons quitter Nairobi le lendemain. Allongée de nouveau dans le lit, j'ai envie d'être chez ma mère, en Suisse.

Le lendemain matin, un taxi nous emmène à la gare routière. Lketinga est inquiet en pensant que nous repartons sans Jomo. Mais, au bout de deux jours d'attente, nous avons quand même le droit de repartir, d'autant plus que la fête de Lketinga approche.

Le voyage jusqu'à Isiolo dure une éternité. Lketinga doit me soutenir pour empêcher que je tombe de mon siège dans les virages, tellement je suis faible. Lketinga propose de passer la nuit à Isiolo, mais je veux rentrer à la maison ou du moins aller jusqu'à Maralal : peut-être y verrai-je Jutta ou Sophia. Je me traîne jusqu'à la Mission et monte dans la voiture tandis que Lketinga prend congé des missionnaires. Il veut conduire, mais je ne veux pas prendre ce risque. Nous sommes dans une petite ville, et il y a plein de contrôles routiers.

En démarrant, j'arrive à peine à appuyer à fond sur l'embrayage. La route est asphaltée sur quelques kilomètres, puis se transforme en chemin de terre. Nous nous arrêtons une fois pour prendre des Samburus qui veulent aller à Wamba. Je ne pense à rien en conduisant, je me concentre entièrement sur le trajet. Je vois de loin les trous dans la route. Ce qui se passe dans la voiture, je ne le perçois même pas, jusqu'à ce qu'un des hommes allume une cigarette. J'exige qu'elle soit éteinte immédiatement, autrement je vais vomir. Je sens mon estomac se rebeller. Il ne faut surtout pas que je m'arrête, cela me prendrait trop d'énergie. La sueur dégouline sur tout mon corps. Je n'arrête pas de m'essuyer le front avec le dos de la main pour empêcher que la sueur me goutte dans les yeux. Je continue à conduire ainsi pendant un temps qui me semble une éternité, sans détourner un instant les yeux de la route.

La nuit commence à tomber, on aperçoit des lumières, nous sommes à Maralal. J'ai du mal à y croire car j'avais perdu toute notion du temps ; je me gare tout de suite près de notre *lodging*. J'éteins le moteur et je regarde Lketinga.

Tout à coup, je sens mon corps devenir léger, puis tout est noir.

A l'hôpital

En ouvrant les yeux, je crois d'abord être dans un mauvais rêve. Puis je regarde autour de moi et je m'aperçois que les cris et les gémissements sont bien réels. Je suis à l'hôpital, dans une grande salle où de nombreux lits sont posés l'un à côté de l'autre. A ma gauche est allongée une vieille femme samburu toute décharnée. A ma droite se trouve un lit d'enfant, rose et grillagé ; à l'intérieur, quelque chose frappe sans arrêt contre le bois en hurlant. Où que je regarde, je ne vois que détresse. Pourquoi suis-je à l'hôpital ? Je commence à paniquer. Depuis combien de temps suis-je ici ? Dehors, il fait un temps clair et ensoleillé. Mon lit consiste en un châssis en fer avec un mince matelas et des draps sales de couleur grisâtre.

Deux jeunes médecins en chemise blanche passent. « *Hello !* » Je leur fais un signe de la main. Mais ma voix ne porte pas. Les gémissements dans la salle sont plus forts, et je suis trop faible pour me redresser. Ma tête est trop lourde. Des larmes me montent aux yeux. Qu'est-ce que tout cela signifie ? Où est Lketinga ?

La femme samburu me parle, mais je ne comprends rien. Enfin, je vois Lketinga s'avancer vers moi. Sa vue me calme et me donne même un peu de joie. « *Hello, Corinne, how you feel now ?* » J'essaie de sourire en répondant : « Pas mal. » Il me raconte que je me suis évanouie tout de suite après notre arrivée. Notre logeuse a aussitôt appelé l'ambulance. Je suis à l'hôpital depuis la veille au soir. Lketinga me dit qu'il a passé la nuit près de moi, mais que je ne me suis pas réveillée. J'ai du mal à croire que tout cela soit arrivé sans que je m'en rende compte. Le médecin m'a fait une piqûre.

Quelque temps après, les deux médecins autochtones viennent me voir. J'ai une crise de malaria aiguë, mais ils ne peuvent pas grand-chose car ils manquent de médicaments. Ils me donnent quand même quelques pilules et

151

me conseillent de manger et de dormir beaucoup. Rien que le mot « manger » me soulève le cœur, et dormir me semble impossible, en raison des gémissements et des hurlements des enfants. Assis au bord de mon lit, Lketinga me regarde d'un air impuissant.

Soudain, une forte odeur de chou me monte au nez. Mon estomac se retourne. J'ai besoin d'un récipient quelconque. Dans mon embarras, je saisis la cruche à eau et vomis dedans. Lketinga tient la cruche et me soutient, j'aurais du mal à y arriver autrement. Aussitôt, une infirmière noire surgit à côté de nous, m'arrache la cruche et la remplace par une bassine. « *Why you make this ? This is for drinking water !* » me hurle-t-elle. Je me sens misérable. L'odeur vient du chariot des repas sur lequel sont posées des écuelles en fer-blanc remplies d'un mélange de riz et de chou. On pose une écuelle au chevet de chaque lit.

Epuisée d'avoir vomi, je reste allongée sur le lit de camp et me bouche le nez avec mon bras. Il est inconcevable que je puisse manger quelque chose. J'ai pris les premiers cachets il y a une heure, et je commence à avoir des démangeaisons sur tout le corps. Je me gratte violemment. Lketinga remarque que j'ai des taches et des boutons sur le visage. Je remonte ma jupe et nous découvrons que mes jambes sont également couvertes de pustules. Il va chercher un médecin. Apparemment, je fais une allergie au médicament qu'il m'a prescrit. Mais pour l'instant, il ne peut rien me donner car il ne reste plus rien. Ils attendent des médicaments de Nairobi d'un jour à l'autre.

En fin d'après-midi, Lketinga me laisse pour aller manger quelque chose et voir s'il ne trouve pas quelqu'un de Barsaloi qui puisse lui dire quand débutera la grande fête. Je suis horriblement fatiguée et n'aspire qu'à dormir. Tout mon corps est trempé de sueur et le thermomètre indique quarante et un. A force de boire de l'eau, je ressens le besoin d'aller aux toilettes. Mais comment y parvenir ? La cabane des toilettes se trouve à environ trente mètres de l'entrée de l'hôpital. Comment vais-je pouvoir m'y rendre ? Lentement, je pose mes pieds par terre et j'enfile mes sandales en plastique. Puis je me lève en m'accrochant au châlit. Mes jambes tremblent, je peux à peine me tenir debout. Je fais un effort surhumain car, en aucun cas, je ne dois m'écrouler. En prenant appui sur les rebords des lits, j'atteins la sortie. Les trente mètres me paraissent infiniment longs et, pour les derniers, je suis tentée de ramper par terre car je ne peux me tenir nulle part. Je serre les dents et, en mobilisant mes dernières forces, j'atteins les toilettes. Mais on ne peut pas s'y asseoir, au contraire, il faut que je m'accroupisse. Je m'appuie du mieux que je peux contre les murs de pierre.

Je prends conscience de la gravité de ma situation en réalisant que je suis extrêmement affaiblie, moi qui n'ai jamais été réellement malade. Devant la porte des toilettes se tient une femme massaï qui doit être tout près d'accoucher. Comme elle s'aperçoit que je m'accroche à la porte pour ne pas tomber, elle m'aide sans rien dire à regagner l'entrée de l'hôpital. Je lui suis tellement reconnaissante que des larmes me coulent sur les joues. L'infirmière vient me demander si j'ai mal. Je fais non de la tête et me sens encore plus misérable. Je finis par m'endormir.

Je me réveille dans la nuit. L'enfant dans le lit grillagé hurle horriblement et se tape la tête contre le grillage. Personne ne vient ; je vais devenir folle. Je suis ici depuis quatre jours maintenant, et je vais très mal. Lketinga vient me voir souvent. Il n'a pas l'air en forme non plus, il voudrait rentrer à la maison mais il ne veut pas partir sans moi car il a peur que je meure. Je n'ai toujours rien mangé en dehors des cachets de vitamine. Les infirmières me grondent sans arrêt mais, chaque fois que j'avale quelque chose, je vomis. Mon ventre me fait horriblement mal. Un jour, Lketinga m'apporte toute une patte de chèvre bien grillée et me supplie désespérément de la manger, pour guérir. Mais je ne peux pas. Déçu, il se retire.

Le cinquième jour, Jutta vient me voir. Elle a entendu dire qu'il y a une Blanche à l'hôpital. Elle est horrifiée en me voyant et me dit qu'il faut immédiatement que je quitte cet endroit et que j'aille à l'hôpital de la Mission, à Wamba. Je ne comprends pas bien à quoi cela servirait de changer d'établissement puisque c'est la même chose partout. De toute façon, je ne suis pas en état de faire un voyage de quatre heures et demie en voiture. « Si tu pouvais te voir, tu comprendrais pourquoi il faut que tu partes d'ici. En cinq jours, ils ne t'ont rien donné ? Alors tu ne vaux pas plus qu'une chèvre. Peut-être ne veulent-ils même pas t'aider », me dit-elle. Je la supplie : « Jutta, emmène-moi dans un *lodging*. Je ne veux pas mourir ici et, vu l'état des routes, je ne pourrai jamais aller à Wamba, je n'arrive même plus à me tenir debout ! » Jutta parle aux médecins. Ils ne veulent pas me laisser partir. Ce n'est qu'après que j'ai signé une attestation les dégageant de toute responsabilité qu'ils me préparent mes papiers de sortie.

Entre-temps, Jutta part à la recherche de Lketinga afin qu'il l'aide à m'emmener jusqu'au *lodging*. Ils me prennent chacun un bras et, ainsi, nous traversons lentement le village. Partout, les gens s'arrêtent et nous regardent. J'ai honte d'être portée à travers le village, d'être à la merci des autres.

Mais je veux lutter et survivre. C'est pour cela que je demande à mes accompagnateurs de m'emmener au restaurant somali. Là-bas, j'essaierai de manger au moins une portion de foie. Le restaurant est à deux cents mètres, et mes jambes ne me soutiennent pas. Je me parle intérieurement pour me donner du courage : « Corinne, tu vas y arriver ! Il faut que tu y arrives ! » Epuisée, mais fière, je m'assois. Nous commandons du foie. Mon estomac se rebelle dès que je vois l'assiette. En faisant un énorme effort, je commence à manger lentement. Au bout de deux heures, j'ai presque fini mon assiette et j'essaie de me persuader que je me sens merveilleusement bien. Lketinga est content. Nous allons tous les trois au *lodging*, puis Jutta nous laisse. Elle veut revenir le lendemain ou le surlendemain. Je passe le reste de l'après-midi devant le *lodging* au soleil. Il est bon de sentir la chaleur.

Le soir, allongée dans mon lit, je mange lentement une carotte et je suis fière de mes progrès. Mon estomac s'est calmé, je garde tout. En m'endormant, je me dis, pleine d'optimisme : « Corinne, maintenant, ça va aller mieux ! »

Au matin, Lketinga apprend que la cérémonie a déjà commencé. Il est énervé et voudrait rentrer tout de suite pour participer à la fête. Mais il est hors de question que je fasse un aussi long voyage en voiture et, s'il y va à pied, il n'y sera de toute façon que le lendemain.

Il pense beaucoup à sa maman qui doit attendre désespérément et ne sait pas ce qui est arrivé. Je promets à mon chéri que nous partirons le lendemain, ce qui me donne encore toute une journée pour rassembler des forces afin de pouvoir tenir au moins le volant. Quand nous serons sortis de Maralal, Lketinga pourra conduire mais, ici, où la police est très présente, c'est trop dangereux.

Nous retournons chez le Somali, et je réussis à marcher jusqu'au restaurant presque sans aide. Je commande le même repas que la veille, et je mange plus facilement. Lentement, je sens mon corps se ranimer. Mon ventre n'est plus creux, mais plat. Dans le *lodging*, je me regarde pour la première fois dans la glace depuis le début de la maladie. Mon visage a beaucoup changé. Mes yeux me semblent immenses, mes pommettes sont saillantes et anguleuses. Avant que nous partions, Lketinga achète quelques kilos de tabac à mâcher et du sucre ; j'achète du riz et des fruits. Les premiers kilomètres me fatiguent beaucoup car je dois sans arrêt passer de la première à la deuxième vitesse, et l'embrayage nécessite beaucoup de force. Lketinga, assis à côté de moi, m'aide en renforçant la pression de mes cuisses avec son bras. De nouveau, je conduis comme en transe et, après plusieurs heures, nous arrivons à l'endroit de la fête.

La cérémonie

Epuisée, je suis néanmoins impressionnée en voyant l'immense enclos. A partir de rien, les femmes ont construit un nouveau village avec plus de cinquante *manyattas*. L'agitation règne partout. De la fumée sort de chaque hutte. Lketinga cherche la *manyatta* de sa maman pendant que j'attends près de la Land Rover. Mes jambes tremblent, et mes maigres bras me font mal. En très peu de temps, des enfants, des femmes et des vieillards se rassemblent autour de moi et me regardent fixement. J'espère que Lketinga va bientôt revenir. En effet, il réapparaît, accompagné de la maman. Elle m'examine d'un air sombre : « *Corinne, jambo... wewe malaria ?* » Je hoche la tête et retiens mes larmes.

Nous déballons tout et laissons la voiture devant l'enclos. Il nous faut dépasser environ quinze *manyattas* avant d'atteindre celle de la maman. Tout le chemin est couvert de bouses de vache. Naturellement, tous les participants ont amené leurs animaux. Pour l'instant, les bêtes sont dans les pâturages, on ne les rentre que le soir. Nous buvons du *chai*, et la maman discute vivement avec Lketinga. Plus tard, j'apprends que nous avons manqué deux jours de fête sur trois. Mon chéri est déçu et a l'air très troublé. Je suis désolée pour lui. Il va y avoir un conseil des anciens au cours duquel les personnes les plus importantes décideront si Lketinga sera malgré tout admis, et ce qu'il conviendra de faire. La maman, qui fait elle aussi partie de ce conseil, parcourt le village pour rendre visite aux hommes les plus importants.

Les festivités ne commencent qu'avec la tombée de la nuit, une fois que les animaux sont rentrés. Assise devant la *manyatta*, j'observe l'agitation qui règne partout. Pendant qu'ils couvrent artistiquement Lketinga de parures et de peintures, deux guerriers lui racontent la première partie de la fête. Une énorme tension règne dans le village. Je me sens exclue et oubliée. Personne ne m'adresse plus la parole depuis des heures. Bientôt, on va ramener les vaches et les chèvres et, peu après, il fera nuit. La maman revient et discute avec Lketinga de la situation. Elle a l'air un peu soûle. Tous les vieux boivent de grandes quantités de bière qu'ils ont brassée eux-mêmes.

Je veux savoir ce qui se passera. Lketinga m'explique qu'il doit tuer un grand bœuf ou cinq chèvres pour les vieux. Ils accepteront alors de l'admettre à la cérémonie, ils diront la bénédiction cette nuit devant la *manyatta* de la maman et il aura le droit de mener la danse des guerriers pour que tous apprennent officiellement que ce retard important qui, d'ordinaire, entraîne l'exclusion, lui a été pardonné. Je suis soulagée. Mais il me dit que, pour l'instant, il ne possède pas cinq chèvres adultes. Il en a au maximum deux, les autres sont grosses et il est interdit de les sacrifier. En lui donnant une liasse d'argent, je lui suggère d'en acheter aux parents. D'abord il refuse parce qu'il sait qu'aujourd'hui une chèvre coûtera le double de son prix. Mais la maman lui parle avec énergie et, enfin, il

156

prend l'argent et quitte la hutte dès que l'on entend le tintement des clochettes qui annonce le retour des animaux.

Notre *manyatta* se remplit peu à peu d'autres femmes. La maman prépare un plat au maïs appelé *ugali* ; on parle beaucoup. La hutte est faiblement éclairée par le feu. De temps en temps, l'une des femmes essaie d'engager la conversation avec moi. Une jeune femme avec un petit enfant, assise à côté de moi, examine avec curiosité mes bras chargés de bracelets massaïs ; peu après, elle ose aussi toucher mes longs cheveux lisses. De nouveau, on rit beaucoup, et elle me montre son crâne rasé, orné d'un simple bandeau de perles. Je fais non de la tête. J'ai du mal à m'imaginer chauve.

Dehors, il fait déjà nuit noire lorsque soudain j'entends une sorte de grognement. C'est le bruit typique qu'émettent les hommes en état d'excitation, que ce soit dans une situation de danger ou en faisant l'amour. Immédiatement, le silence se fait dans la hutte. Mon guerrier passe la tête, mais redisparaît tout de suite à la vue de toutes ces femmes. J'entends des voix de plus en plus fortes. Tout à coup un cri résonne, puis plusieurs personnes entonnent une sorte de chant ou de roucoulement. Curieuse, je sors de la hutte et je suis impressionnée par le grand nombre de guerriers et de jeunes filles réunis pour la danse devant notre hutte. Les guerriers sont peints spécialement et portent un pagne rouge. Leurs torses sont nus et ornés de colliers de perles croisés. La peinture rouge appliquée entre le cou et le milieu de la poitrine se rétrécit en une pointe aiguë. Au moins trois douzaines de guerriers bougent leur corps au même rythme. Les jeunes filles, qui ont peut-être entre neuf et quinze ans, dansent en rang, tournées vers les hommes, en bougeant la tête au même rythme. La cadence ne s'accélère que très progressivement. Après une bonne heure, les premiers guerriers sautent en l'air ; ce sont les sauts typiques des Massaïs.

Mon guerrier est très beau. Il bondit de plus en plus haut, comme monté sur un ressort. Ses longs cheveux flottent au vent à chaque bond. Les torses nus sont brillants de sueur. On ne voit guère que les contours, dans la lumière du ciel étoilé, mais on sent physiquement l'érotisme qui se dégage de cette danse qui dure des heures entières. De temps en temps résonne un cri sauvage, ou quelqu'un entonne un chant et les autres le rejoignent. C'est un spectacle fantastique qui me fait oublier la maladie et la fatigue.

Les jeunes filles se choisissent toujours des guerriers différents et elles s'en approchent en sautillant, la poitrine nue et le cou orné de lourds bijoux. En les voyant, je me sens envahie de tristesse. Je prends conscience que je suis déjà très vieille, ici, avec mes vingt-sept ans. Peut-être Lketinga prendra-t-il plus tard une deuxième épouse de l'âge de ces filles ? Tourmentée par la jalousie, je me sens déplacée et exclue.

Les danseurs se placent maintenant l'un derrière l'autre comme pour une sorte de danse polonaise, et c'est Lketinga qui mène fièrement le cortège. Il a l'air sauvage et hautain. Lentement, la danse se termine. Les jeunes filles se tiennent un peu à l'écart en pouffant de rire. Les vieux sont assis par terre en cercle, emmitouflés dans leurs couvertures. Les Morans forment également un cercle. Les vieux prononcent la bénédiction. L'un d'eux dit une phrase, et les autres disent « *Enkaï* ». Cela se répète pendant une demi-heure, puis la fête est terminée. Lketinga vient me voir et me conseille d'aller me coucher auprès de la maman. Lui va aller avec d'autres guerriers dans la brousse pour tuer une chèvre. Ils ne dormiront pas, mais parleront du passé et de l'avenir. Je peux très bien comprendre cela et lui souhaite une merveilleuse nuit.

Dans la *manyatta*, je m'installe du mieux que je peux au milieu des autres. Je reste longtemps sans pouvoir m'endormir : on entend des voix partout. Au loin rugissent des lions et, parfois, une chèvre se met à bêler. Je prie Dieu pour qu'il me redonne rapidement quelques forces.

La journée commence à six heures. Toutes ces bêtes réunies au même endroit font beaucoup de bruit. La maman sort pour traire nos chèvres et nos vaches. Nous préparons du *chai*. Je reste emmitouflée dans ma couverture car il fait frais. J'attends Lketinga avec impatience : je dois aller aux toilettes, mais je n'ose pas quitter l'enclos en présence de tant de monde. Tous me regarderaient, surtout les enfants qui n'arrêtent pas de me courir après dès que je fais quelques pas sans Lketinga.

Enfin, il arrive. Un sourire rayonnant sur les lèvres, il passe la tête dans la hutte : « *Hello, Corinne, how are you ?* » Puis il défait son deuxième *kanga* et me tend, emballée dans des feuilles, une patte de chèvre : « *Corinne, now you eat slowly, after malaria this is very good.* » Je suis heureuse qu'il ait pensé à moi car il est plutôt inhabituel qu'un guerrier apporte à sa fiancée de la viande déjà grillée. En me voyant hésitante, avec cette patte de chèvre à la main, il s'assoit à côté de moi et me coupe avec son couteau de brousse de petits morceaux faciles à manger. Je n'ai aucune envie de viande mais il n'y a rien d'autre et je dois manger si je veux récupérer. Je me force à avaler quelques morceaux, et Lketinga s'en réjouit. Je lui demande où nous pouvons nous laver. En riant, il m'explique que la rivière est loin et inaccessible en voiture. Les femmes vont juste chercher l'eau nécessaire pour le thé, c'est tout. Il faudra donc attendre quelques jours avant de pouvoir nous laver. Cette pensée m'est pénible. Il y a moins de moustiques dans le nouveau village, mais les mouches sont d'autant plus présentes. Lorsque je vais me brosser les dents devant la *manyatta*, tout le monde me regarde. En me voyant cracher la mousse, les spectateurs s'affolent, ce qui me fait rire à mon tour.

Ce jour-là, on tue un bœuf au milieu de la place. Le spectacle est terrifiant. Six hommes essaient de coucher le bœuf sur le côté. Ce n'est pas facile car, dans sa peur de mourir, l'animal donne des coups de tête violents. Ce n'est qu'après plusieurs tentatives que deux guerriers arrivent à attraper les cornes du bœuf et à pousser la tête vers le sol. Lentement, le bœuf se couche par terre. On lui attache immédiatement les pattes. Trois hommes se chargent de l'étouffer tandis que les autres lui tiennent les pattes. C'est horrible mais, pour les Massaïs, c'est la seule façon d'abattre un animal. Lorsqu'il ne bouge plus, on lui ouvre la carotide, et tous les hommes qui entourent le cadavre boivent le sang. Ce doit être considéré comme un délice car une véritable cohue se crée. Puis commence le découpage. Les vieux, les femmes et les enfants font déjà la queue pour avoir les morceaux qui leur reviennent. Les meilleurs morceaux appartiennent aux vieux hommes, les parts des femmes et des enfants sont distribuées ensuite. Après quatre heures, il ne reste plus qu'une flaque de sang et la peau tendue. Les femmes se sont retirées dans leur hutte pour faire la cuisine. Assis à l'ombre, sous les arbres, les vieux attendent que leurs morceaux soient cuits.

En fin d'après-midi, j'entends un bruit de moteur ; peu après apparaît Giuliano sur sa moto. Je le salue chaleureusement. Il a entendu dire que j'étais ici et que j'avais attrapé la malaria. Il m'a apporté du pain qu'il a fait lui-même et des bananes. Je me réjouis comme si c'étaient des cadeaux du père Noël. Puis je lui raconte tous mes déboires, depuis le mariage raté jusqu'à la malaria. Il me conseille fortement d'aller à Wamba ou de rentrer en Suisse, le temps de récupérer quelques forces. On ne rigole pas avec la malaria, me dit-il en me regardant droit dans les yeux, et je prends conscience que je ne suis pas encore guérie. Puis il remonte sur sa moto et disparaît comme une flèche.

Je pense à la Suisse, à ma mère et à un bain chaud. Oui, ce serait vraiment agréable, bien que je sois revenue de Suisse il n'y a pas très longtemps. J'ai l'impression d'être là depuis une éternité. Mais en voyant mon chéri, j'oublie la Suisse. Il me demande comment je me sens, et je lui raconte la visite du père, qui m'a appris que les écoliers rentraient aujourd'hui de Maralal. Le père Roberto en ramène quelques-uns en voiture. Quand la maman apprend la nouvelle, elle espère que James en fera partie. La perspective de pouvoir parler anglais avec quelqu'un pendant quinze jours me ravit, moi aussi.

De temps en temps, je mange quelques morceaux de viande dont je dois d'abord chasser des nuées de mouches. L'eau potable ressemble plus à du chocolat qu'à de l'eau, mais je n'ai pas d'autre choix que d'en boire si je ne veux pas mourir de soif. On ne me donne pas de lait car la maman dit que c'est très dangereux après une crise de malaria et que cela peut provoquer une rechute.

Les premiers écoliers arrivent. James est parmi eux, avec deux amis à lui. Ils sont tous habillés de la même façon : culottes courtes grises, chemise bleu clair et pull-over bleu marine. Ravi, il me dit bonjour et salue respectueusement sa mère. Lorsque nous prenons le thé, j'observe cette génération et je m'aperçois à quel point ils sont différents des hommes de l'âge de Lketinga. En un sens, ils détonnent dans ces *manyattas*. James me regarde, puis il me dit qu'il a entendu dire, à Maralal, que j'avais attrapé la malaria. Il m'admire de pouvoir vivre dans la *manyatta* de la maman, en tant que Blanche. Même lui, qui est pourtant samburu, a toujours beaucoup de mal au début, en rentrant chez lui pour les vacances, me dit-il. Tout lui semble sale et étroit.

L'arrivée des garçons constitue une distraction : la journée passe à toute vitesse. Déjà, on ramène les vaches et les chèvres. Le soir, a lieu une grande fête avec des danses. Aujourd'hui, même les vieilles femmes dansent, mais seulement entre elles. Les jeunes garçons dansent à l'extérieur de l'enclos, certains gardent leur uniforme scolaire. C'est assez drôle à voir. Plus tard dans la nuit, les rois de la fête, les guerriers, se rassemblent de nouveau. James se met à côté d'eux et enregistre les chants avec notre magnétophone, une idée à laquelle je n'avais pas pensé. Au bout de deux heures, il n'y a plus de place sur la cassette.

Les guerriers dansent de plus en plus sauvagement. L'un des Morans s'agite frénétiquement, puis il tombe par terre et se débat avec les bras en poussant des hurlements. Deux guerriers se détachent du groupe des danseurs et le maintiennent de force contre le sol. Inquiète, je vais voir James et je lui demande ce qui se passe. Probablement, ce Moran a bu trop de sang et la danse l'a fait tomber dans une sorte de transe, m'explique-t-il. Maintenant il a l'impression de lutter contre un lion. James me dit que ce n'est pas très grave parce qu'il est surveillé et qu'il va finir par redevenir normal. L'homme se roule par terre en hurlant. Ses yeux sont fixés sur le ciel, il a de la bave aux lèvres. C'est terrifiant à voir. J'espère seulement que rien de semblable n'arrivera à Lketinga. En dehors des deux hommes qui le surveillent, personne ne s'occupe de l'incident et la fête continue. Mes regards se tournent bientôt vers Lketinga, qui bondit élégamment en l'air. Une fois encore, je peux me réjouir de ce spectacle, puis la fête est officiellement terminée.

Un peu soûle, la maman se retire dans la *manyatta*. Les garçons passent les chants enregistrés sur le magnétophone, ce qui provoque une confusion générale. Perplexes, les guerriers se réunissent autour de l'appareil que

James a posé par terre. Lketinga, qui reconnaît les voix des différents Morans, s'en empare le premier, un grand sourire aux lèvres. Tandis que les uns regardent fixement le magnétophone, les yeux grands ouverts, d'autres le touchent. Fièrement, Lketinga met le baladeur sur son épaule et quelques Morans recommencent à danser.

Il fait de plus en plus frais et je rentre dans la *manyatta*. James va dormir chez un copain, et mon chéri va dormir avec les autres guerriers dans la brousse. De nouveau, j'entends des bruits de tous côtés. L'entrée de la hutte n'est pas fermée, si bien que je vois de temps en temps passer une paire de jambes. Mes vêtements sont enfumés et sales. Mon corps aurait bien besoin d'être lavé, sans parler de mes cheveux.

Le matin, les garçons réapparaissent dans la *manyatta* avant Lketinga. La maman est en train de préparer du *chai* lorsque Lketinga passe la tête. En apercevant les garçons, il leur parle sur un ton furieux. La maman répond quelque chose, et les garçons quittent notre *manyatta* sans avoir bu de *chai*. Lketinga et un autre Moran prennent leur place. Un peu troublée, je demande : « *What's the problem, darling ?* » Après un silence assez long, il m'explique que ceci est une hutte de guerrier et que les garçons non circoncis n'ont rien à y faire. James doit manger et boire dans une hutte où la maman n'a pas de fils en âge d'être moran, mais de l'âge de James. La maman se tait obstinément. Je suis déçue d'avoir à me priver de la conversation en anglais et, en même temps, j'éprouve de la pitié pour ces garçons mis dehors. Mais je dois accepter les coutumes d'ici.

Je demande combien de temps nous allons rester dans ce nouveau village. Encore deux à trois jours, me dit-on, puis chaque famille retournera à l'endroit où elle vivait avant. Je suis épouvantée à l'idée de rester aussi longtemps sans pouvoir me laver, incommodée par les bouses de vache et les mouches. De nouveau, je pense à la Suisse. Je continue à me sentir très faible. Je ne m'éloigne jamais de plus de quelques mètres pour faire mes besoins dans la brousse. J'ai envie aussi de mener de nouveau une vie normale avec mon fiancé.

Giuliano se présente dans l'après-midi pour m'apporter quelques bananes et une lettre de ma mère. La lettre me remonte le moral, bien que ma mère se fasse beaucoup de souci car elle n'a pas reçu de mes nouvelles depuis longtemps. J'ai à peine le temps d'échanger quelques mots avec le père que le voilà déjà reparti. Je réponds aussitôt à ma mère en ne parlant de ma maladie que succinctement, minimisant la gravité de la situation pour ne pas l'inquiéter. En revanche, j'évoque la possibilité de venir en Suisse prochainement. En rentrant à Barsaloi, je vais donner ma lettre à la Mission. Il faudra que ma mère patiente encore trois semaines avant de la recevoir.

Enfin, nous partons. Tout est vite emballé. Nous mettons le plus d'affaires possible dans la Land Rover ; la maman charge les deux ânes de ce qui reste. Bien sûr, nous arrivons à Barsaloi bien avant la maman, je vais directement à la rivière. Comme Lketinga ne veut pas laisser la voiture sans surveillance, nous longeons le lit asséché de la rivière jusqu'à ce qu'il n'y ait plus personne. J'enlève mes vêtements enfumés, et nous nous lavons longuement. L'eau savonneuse qui coule sur ma peau est noire. Patiemment, Lketinga me lave les cheveux trois fois de suite.

Cela fait longtemps que je ne me suis pas regardée toute nue ; je suis frappée par la maigreur de mes jambes. Après la toilette, je me sens renaître. Je m'enveloppe dans un *kanga* puis nous commençons à laver les vêtements. Comme toujours, il est laborieux d'enlever la crasse à l'eau froide, mais, en utilisant beaucoup d'Omo, on y arrive à peu près. Lketinga me donne un coup de main et me prouve combien il m'aime en m'aidant à laver mes jupes, mes tee-shirts et même mon linge de corps. Aucun autre homme ne laverait les vêtements d'une femme.

Je prends beaucoup de plaisir à me retrouver seule avec lui. Nous posons nos vêtements mouillés sur les buissons ou sur les rochers chauds. Nous nous asseyons au soleil, Lketinga complètement nu, moi en *kanga*. Il sort son petit miroir de poche et, à l'aide d'un petit bout de bois, il commence à peindre soigneusement son visage fraîchement lavé dans les couleurs ocre orangé. Ses doigts longs et élégants bougent avec une telle précision que c'est un plaisir de l'observer. Il est merveilleusement beau. Enfin, je sens de nouveau le désir monter en moi. Il me regarde en riant : « *Why you look always to me, Corinne ?* »

Je lui réponds : « *Beautiful, it's very nice.* » Lketinga désapprouve de la tête et m'explique qu'il ne faut jamais dire des choses pareilles, cela porte malheur.

Nos vêtements sèchent vite, nous remballons tout et nous repartons. Nous nous arrêtons au village pour aller à la maison du *chai* où l'on peut prendre non seulement du thé, mais aussi des petites galettes de maïs, des *mandazi*. Le bâtiment est un composé de baraquement et de grande *manyatta*. Par terre brûlent deux feux avec des casseroles de *chai* bouillant au-dessus. Des planches posées le long des murs servent de bancs. Trois vieillards et deux Morans y sont assis. On se salue : « *Supa Moran !* » La réponse est « *Supa* ». Nous commandons du thé et, pendant que les deux guerriers m'examinent, Lketinga entame une conversation. Je commence à comprendre maintenant les quelques phrases que l'on échange toujours au début d'une conversation. On demande aux gens que l'on ne connaît pas leur nom, leur lieu d'habitation, on s'enquiert de la santé de leur famille et de leurs bêtes, on leur demande d'où ils viennent et où ils vont. On discute d'affaires de brousse qui viennent d'avoir lieu. Dans la brousse, ces conversations remplacent ce qui est en ville le journal et le téléphone. Quand nous nous promenons à pied, nous avons ce même genre de conversation avec chaque personne que l'on croise. Les deux Morans veulent savoir, en plus, qui est cette *mzungu*. Puis la conversation est terminée, et nous quittons la maison du thé.

Entre-temps, la maman est arrivée ; elle est occupée à réparer notre vieille *manyatta*. Les trous dans le toit sont bouchés avec du carton ou des nattes de sisal. Il n'y a pas de bouses de vache pour l'instant. Lketinga va dans la brousse avec James pour couper quelques buissons épineux. Ils veulent réparer l'enclos et surélever la haie. Quelques jours auparavant, les gens qui étaient restés à Barsaloi ont été surpris par deux lions qui ont tué deux chèvres. Pendant la nuit, les fauves ont sauté la haie d'épineux, ils ont attrapé les chèvres puis ont disparu dans l'obscurité. Comme les guerriers étaient tous partis, on ne les a pas poursuivis. Dans toute la région, on parle de cet incident. Il faut se méfier car les lions vont revenir. Dans notre enclos à nous, ils auront du mal car nous décidons de laisser la Land Rover devant la hutte, si bien que la moitié du passage est déjà barré.

En fin d'après-midi, nos bêtes rentrent. A cause des clochettes suisses, nous les entendons de loin, et Lketinga et moi allons à leur rencontre. C'est un beau spectacle que ces animaux qui se bousculent pour rentrer à la maison, les chèvres d'abord, les vaches ensuite.

Au dîner, nous prenons des *ugali* ; Lketinga ne mange que tard le soir, une fois tout le monde endormi, puis nous pouvons enfin faire l'amour. Il faut rester silencieux car la maman et Saguna dorment à un mètre et demi de nous. Malgré tout, il est bon de toucher sa peau soyeuse et de sentir monter son désir. Après ces ébats amoureux, Lketinga me murmure dans l'oreille : « *Now you get a baby.* » La conviction avec laquelle il dit cela me fait rire. En même temps, je réalise que cela fait quelque temps que je n'ai pas eu mes règles. Mais je mets cela sur le compte de mon état affaibli plutôt que sur celui d'une éventuelle grossesse. En pensant au bébé que j'aurai peut-être un jour, je m'endors, heureuse.

Dans la nuit, je me réveille en sentant un tiraillement dans l'estomac. Je sens que je vais avoir la diarrhée. Je panique. Doucement, je touche Lketinga, mais il dort profondément. Mon Dieu, je ne trouverai jamais l'ouverture de l'enclos ! En plus, il y a peut-être des lions à proximité. Sans faire de bruit, je sors de la *manyatta* et je regarde rapidement autour de moi pour voir s'il y a quelqu'un. Puis je m'accroupis derrière la Land Rover ; je ne peux plus me retenir. La crise semble interminable. J'ai honte car je sais que c'est un grave délit de faire ce genre de besoins à l'intérieur de l'enclos. Il ne faut en aucun cas que j'utilise du papier ; je m'essuie donc avec mon slip, que je cache ensuite sous la Land Rover, dans le châssis. Je recouvre de sable les dégâts que j'ai faits et j'espère que, le lendemain matin, il n'y aura plus trace de ce cauchemar. Inquiète, je rentre dans la *manyatta*. Personne ne se réveille, Lketinga pousse juste un petit grognement.

Pourvu que je n'aie pas à y retourner ! Je tiens bon jusqu'au matin, puis je dois vite courir dans la brousse. La diarrhée continue et mes jambes recommencent à trembler. De retour dans l'enclos, je jette discrètement un regard derrière la Land Rover et je constate avec soulagement qu'il ne reste rien de mes petits problèmes nocturnes. Probablement, un chien, venu rôder par ici, en a effacé toutes les traces. Je raconte à Lketinga que j'ai des problèmes digestifs, et je demande à la Mission s'ils peuvent me procurer des médicaments. Mais, malgré les pilules de carbone, je continue à avoir la diarrhée toute la journée. La maman m'apporte de la bière maison dont je suis censée boire un litre. Le liquide est d'aspect dégoûtant, et le goût est à l'avenant. Après deux tasses, l'effet de l'alcool se fait sentir, et je somnole une bonne partie de la journée.

Plus tard, les écoliers passent à notre *manyatta*. Lketinga est au village, et je peux profiter librement de la conversation. Nous parlons de tout et de n'importe quoi, de la Suisse, de ma famille et du mariage qui aura lieu bientôt, j'espère. James m'admire ; il est fier que son frère, qui à ses yeux n'est pas quelqu'un de facile, se marie avec une femme blanche et avec quelqu'un de bien. Les garçons parlent longuement de leur école et m'affirment à quel point la vie change quand on est allé à l'école. Il y a beaucoup de choses qu'ils ne comprennent plus en rentrant chez eux. Ils me donnent des exemples qui nous font tous rire.

Au cours de la conversation, James me demande pourquoi je ne monte pas une affaire avec ma voiture. Je pourrais apporter des sacs de maïs ou de sucre aux Somalis, me suggère-t-il, ou transporter des gens. Etant donné l'état des routes, cette idée ne m'enthousiasme pas, mais je déclare qu'après le mariage j'aimerais avoir une activité qui rapporte de l'argent. Ce qui me plairait le plus, ce serait d'avoir une boutique d'alimentation. Mais, pour l'instant, ce n'est qu'un rêve. Je suis encore trop faible et il faut d'abord qu'on nous autorise à nous marier avant que j'aie le droit de travailler. Les garçons sont fascinés par l'idée de la boutique. James me promet de m'aider d'ici une petite année, quand il aura terminé l'école. L'idée est séduisante mais, un an, c'est long.

Lketinga revient et, peu après, les garçons se retirent avec respect. Il veut savoir de quoi nous avons parlé. Je lui raconte l'idée, encore vague, de créer une boutique. A ma grande surprise, il est enthousiasmé par le projet. Ce serait la seule boutique massaï dans toute la région et, du coup, les Somalis n'auraient plus de clients car tout le monde préfère venir chez quelqu'un de la même tribu. Puis, en me regardant, il me dit que cela coûterait beaucoup d'argent et il me demande si j'en aurai assez. Je le rassure en lui affirmant qu'il m'en reste un peu, en Suisse. Mais il faut bien y réfléchir avant.

« Pole, pole »

Je m'occupe fréquemment de personnes blessées. Depuis que j'ai guéri avec une crème désinfectante l'enfant d'une voisine, qui avait un furoncle purulent à la jambe, les mères amènent quotidiennement leurs enfants, qui souffrent parfois d'horribles abcès. Je m'occupe du mieux que je peux de nettoyer la plaie, de mettre de la crème et des bandages, et je dis aux gens de revenir deux jours plus tard. Mais l'affluence est telle que je n'ai bientôt plus de crème et que je ne peux plus faire face à la demande. J'envoie les gens à l'hôpital ou à la Mission, mais les femmes s'en vont en silence, sans suivre mes conseils.

Dans deux jours, les écoliers retourneront à l'école. J'en suis désolée car leur présence était très distrayante. Le projet de la boutique continue à nous occuper l'esprit et je prends la décision d'effectuer quand même un voyage en Suisse pour récupérer des forces et prendre quelques kilos. Je pourrais profiter de ce que Roberto ou Giuliano emmènent bientôt les écoliers à Maralal pour partir avec eux. Ainsi, je pourrais laisser notre Land Rover à Barsaloi et je n'aurais pas à faire moi-même le trajet, dans l'état de faiblesse où je suis. Je mets Lketinga au courant de ma décision. Que je veuille le quitter dans deux jours le trouble énormément. Je lui promets de réfléchir à la boutique et de rapporter de l'argent. Je lui demande de se renseigner pendant mon absence sur les possibilités de construire et sur un emplacement possible. Pendant que je discute de tout cela avec lui, le projet d'une boutique que nous tiendrions ensemble se concrétise dans ma tête.

Maintenant, j'ai seulement besoin de temps pour tout préparer et rassembler des forces.

Bien sûr, Lketinga a de nouveau peur que je puisse le quitter mais, cette fois-ci, les garçons sont là pour m'aider et pour lui traduire mot pour mot l'engagement de revenir dans trois ou quatre semaines en bonne santé. Je lui promets de lui communiquer le jour exact de mon retour dès que j'aurai acheté le billet d'avion. J'espère trouver très vite un vol pour la Suisse, une fois que je serai à Nairobi. A contrecœur, il consent à me laisser partir. Je lui laisse un peu d'argent, l'équivalent de 300 francs suisses.

Chargée d'un petit sac, j'attends avec plusieurs écoliers devant la Mission. Nous ignorons à quelle heure aura lieu le départ mais ceux qui ne seront pas là devront aller à pied. La maman et mon chéri sont là également. Pendant que la maman répète ses dernières recommandations à James, je console Lketinga. Il trouve qu'un mois de séparation, c'est très long. Puis Giuliano arrive. Je peux m'asseoir à côté de lui tandis que les garçons s'entassent à l'arrière. Lketinga agite la main et me dit : « *Take care of our baby !* » De le voir aussi convaincu de ma prétendue grossesse me fait sourire.

Le père Giuliano conduit très vite. J'ai du mal à m'accrocher. Nous ne parlons pas beaucoup. Quand je lui dis que je voudrais être de retour dans un mois, il me répond qu'il me faudra au moins trois mois pour récupérer. Mais, pour moi, c'est impensable.

A Maralal, c'est le chaos. Le bourg est rempli d'écoliers en partance. On les répartit dans tout le pays pour que les différentes tribus se mélangent. James a de la chance : il pourra rester à Maralal. Un garçon de notre village doit aller à Nakuru, si bien que nous pouvons faire une partie du trajet ensemble. Mais, avant tout, il faut se procurer un billet pour le car. Pour les deux jours à venir, cela semble impossible. Toutes les places sont prises. Certains sont venus de l'extérieur avec des pick-up pour se faire de l'argent en proposant des transports à un prix élevé. Mais même ces véhicules-là sont complets. Quelqu'un parle vaguement d'un départ le lendemain matin à cinq heures. Nous réservons, mais ne payons rien pour l'instant.

Le garçon qui doit voyager avec moi est désarçonné car il ne sait pas où passer la nuit, sans argent. Il est très timide et serviable, et il n'arrête pas de porter mon sac. Je lui propose d'aller dans le *lodging* où je descends d'habitude pour boire quelque chose et se renseigner sur les chambres disponibles. La logeuse me salue chaleureusement, mais elle n'a pas deux chambres à nous offrir. Elle propose de m'en libérer une d'ici ce soir parce que je suis une bonne cliente. Nous buvons du *chai*, puis nous passons voir les autres *lodgings*. Je suis prête à payer pour la chambre du garçon ; pour moi, cela ne coûte pas grand-chose. Mais toutes les chambres sont occupées. La nuit commence à tomber, et il fait plus froid. J'hésite à loger le garçon dans ma chambre, qui dispose d'un deuxième lit. Pour moi, ce ne serait pas un problème mais je ne sais pas ce qu'en penseraient les gens. Je lui demande ce qu'il a l'intention de faire. Il m'explique qu'il veut aller dans différentes *manyattas* en dehors de Maralal. S'il trouve une maman qui a un fils de son âge, elle devra le loger.

Cela me paraît tout de même trop compliqué, d'autant plus que nous devons partir à cinq heures du matin. Je me décide à lui proposer mon deuxième lit, qui est contre le mur opposé. D'abord, il me jette un regard gêné et décline mon offre en me remerciant. Il ne peut pas dormir dans la chambre de la fiancée d'un guerrier, dit-il, cela créerait des problèmes. Je ne prends pas tout cela très au sérieux et, en riant, je lui suggère de n'en parler à personne, tout simplement. D'abord, je vais au *lodging*. Je donne quelques pièces au gardien en lui demandant de me réveiller à quatre heures et demie. Le garçon arrive une demi-heure après. Je suis déjà couchée, tout habillée, bien qu'il soit seulement huit heures. Comme il fait nuit, il n'y a plus beaucoup d'animation dehors, sauf dans quelques bars que j'évite.

L'ampoule nue éclaire la vilaine pièce jusque dans les moindres recoins. Sur les murs, l'enduit couvert de peinture bleue s'effrite et laisse entrevoir des taches brunes d'où partent des traces d'humidité. Ce sont de répugnantes traces de tabac recraché. A la maison, la maman et les visiteurs plus âgés avaient aussi cette habitude, jusqu'à ce que je m'en plaigne. Maintenant, la maman crache sous l'une des pierres du feu. Je trouve cette chambre de *lodging* particulièrement infecte. Le garçon se couche tout habillé et se tourne tout de suite vers le mur. Nous éteignons l'ampoule qui diffuse une lumière trop crue et ne parlons plus.

On frappe violemment à la porte. Tirée d'un sommeil profond, je demande ce qui se passe. Avant même que l'on me réponde, le garçon me dit qu'il est déjà presque cinq heures. Il faut partir ! Quand le pick-up est plein, il s'en va Nous ramassons nos affaires et nous précipitons vers le lieu de rendez-vous. Des petits groupes d'écoliers attendent partout. Quelques-uns montent dans un véhicule. Le reste attend comme nous dans l'obscurité. J'ai horriblement froid. A cette heure-ci, Maralal est glacial et humide, tout est humecté de rosée. Nous ne pouvons même pas boire de thé car les *lodgings* sont encore fermés.

A six heures, le car régulier nous dépasse en klaxonnant, bondé. Notre chauffeur n'a pas encore fait apparition. Le jour se lève et nous sommes toujours en train d'attendre. Maintenant, je suis en colère. Je veux partir d'ici, je veux atteindre Nairobi dans la journée. Le garçon cherche désespérément deux places dans une voiture, mais les quelques autos sont déjà surchargées, il n'y a que la possibilité de se faire emmener par un camion chargé de choux. J'accepte tout de suite car nous n'avons pas le choix. Mais, à peine au bout de quelques mètres, je me demande si j'ai bien fait. Etre assis sur ces boules dures qui bougent tout le temps est une vraie torture. Je ne peux m'accrocher qu'à la rambarde qui me rentre dans les côtes. A chaque trou dans la chaussée, nous sautons en l'air pour atterrir ensuite sur les choux, qui sont durs comme de la pierre. Il est impossible de se parler. Il y a trop de bruit et, en plus, ce serait dangereux car on risque de se mordre les lèvres dans les cahots. Je ne sais pas comment je survis à ces quatre heures et demie de voyage jusqu'à Nyahururu.

Epuisée, je descends du camion et prends congé de mon jeune accompagnateur avant d'entrer dans un restaurant pour aller aux toilettes. En baissant mon jean, je m'aperçois que mes cuisses sont couvertes de grosses taches violacées. Mon Dieu, d'ici mon retour en Suisse, mes jambes ne seront pas seulement très maigres mais bleu foncé ! Ma mère risque d'avoir une attaque car, depuis ma dernière visite il y a deux mois, j'ai beaucoup changé physiquement. Pour l'instant, elle ne sait même pas que je suis sur le point de revenir, si peu de temps après mon dernier passage, toujours célibataire et en piteux état.

Au restaurant, je commande un Coca et un vrai repas. Je mange un demi-poulet accompagné de frites poisseuses. Il est encore trop tôt pour passer la nuit ici ; je prends donc mon sac et je vais à la gare routière, où il y a beaucoup de monde, comme d'habitude. J'ai de la chance ; un car est sur le point de partir pour Nairobi. Heureusement, la route est asphaltée, et je m'endors sur mon siège. Quand je rouvre les yeux, nous ne sommes plus qu'à une demi-heure de Nairobi. Avec un peu de chance nous allons arriver dans la mégapole avant la nuit. L'hôtel Igbol est situé dans un quartier qui n'est pas très sûr. La nuit commence à tomber lorsque nous atteignons la périphérie de la ville.

De nombreux passagers descendent au fur et à mesure, chargés de leurs bagages ; je colle le nez à la vitre pour essayer de m'orienter au milieu de toutes ces lumières. Je ne reconnais rien, pour l'instant. Il y a encore cinq personnes dans le car, et je me demande si je ne ferais pas mieux de descendre car je ne veux en aucun cas aller jusqu'à la gare routière ; à cette heure-ci, c'est beaucoup trop dangereux pour moi. Le chauffeur me jette plusieurs fois des regards dans le rétroviseur et s'étonne que la *mzungu* ne descende pas. Quelque temps après, il me demande où je vais. Je réponds : « *To Igbol Hotel.* » Il hausse les épaules. Je me souviens alors du nom d'un grand cinéma qui se trouve tout près de l'Igbol. Pleine d'espoir, je lui demande : « *Mister, you know Odeon Cinema ? — Odeon Cinema ? This place is no good for Mzungu lady !* » s'exclame-t-il. Je le rassure : « *It's no problem for me. I only go into the Igbol Hotel. There are some more white people.* » Il change quelquefois de file, tourne tantôt à gauche, tantôt à droite, puis il se gare directement devant l'hôtel. Reconnaissante de ce service, je lui donne un peu d'argent. Dans l'état d'épuisement où je suis, chaque mètre que je n'ai pas à parcourir à pied est un soulagement.

A l'hôtel Igbol, c'est la bousculade. Toutes les tables sont occupées, et il y a des sacs à dos qui traînent partout. L'homme à la réception me reconnaît et me lance « *Jambo, Massai lady !* » Il ne lui reste plus qu'un lit dans une chambre de trois. La chambre est déjà occupée par deux Anglaises qui sont en train d'étudier un guide touristique. Je vais aussitôt prendre une douche en emportant mon sac avec l'argent et mon passeport. Je me déshabille et je constate avec horreur à quel point mon corps a souffert. Mes jambes, mes fesses et mes avant-bras sont couverts d'hématomes. Mais, après la douche, je me sens revivre. Je vais au restaurant de l'hôtel pour manger enfin quelque chose et observer les différents touristes. Plus je regarde les Européens et surtout les hommes, plus mon beau guerrier me manque. Peu de temps après, je me retire dans la chambre pour allonger mon pauvre corps fatigué.

Après le petit déjeuner, je vais au bureau de la Swissair. A ma grande déception, il n'y aura de la place que dans cinq jours. C'est trop long. A la Kenya Airways, l'attente est encore plus longue. Cinq jours à Nairobi, c'est la dépression garantie. Je vais donc voir d'autres compagnies aériennes jusqu'à ce que je trouve chez Alitalia un départ dans deux jours, mais avec quatre heures d'escale à Rome. Je demande le prix et je réserve. Ensuite, je cours à la Kenya Commercial Bank, qui se trouve à proximité, pour retirer de l'argent.

A la banque, les gens font la queue. L'entrée est surveillée par deux policiers armés de mitraillettes. Je me mets dans l'une des files d'attente et, après une bonne demi-heure, c'est enfin mon tour. J'établis un chèque avec la somme dont j'ai besoin. Il faudra que je transporte une énorme liasse de billets jusqu'aux bureaux d'Alitalia. Le guichetier tourne le chèque dans tous les sens et me demande où se trouve Maralal. Puis il disparaît et revient quelques minutes plus tard. Il me demande si je suis sûre de vouloir emporter autant d'argent liquide. Agacée, je réponds : « Yes. » Mais je ne suis pas très rassurée non plus par cette idée. Après m'avoir fait signer divers reçus, on me remet des liasses de billets que je fais immédiatement disparaître dans mon sac à dos. Heureusement, l'agence est presque vide à ce moment-là. L'employé de banque me demande ce que je veux faire avec autant d'argent et se propose comme boy-friend. Je décline en remerciant et je m'en vais.

Je parviens aux bureaux de l'Alitalia sans problème. De nouveau, je dois remplir des formulaires, et l'on contrôle mon passeport. Une employée voudrait savoir pourquoi je n'ai pas de billet de retour pour la Suisse. Je lui explique que je vis au Kenya et que je n'étais que de passage en Suisse, voilà deux mois et demi. Elle réplique poliment que je n'en suis pas moins touriste puisqu'il n'est marqué nulle part que je vis au Kenya. Toutes ces questions me troublent. Je voudrais simplement un billet d'avion pour la Suisse, que je propose de payer en liquide. Mais c'est là justement le problème. J'ai un papier qui prouve que j'ai retiré cet argent d'un compte bancaire kenyan. En tant que touriste, je n'ai pas le droit de posséder de compte, me dit l'employée. En plus, je dois prouver que cet argent vient de Suisse, autrement on pourrait supposer qu'il s'agit d'argent gagné au noir car les touristes ne sont pas autorisés à travailler au Kenya. J'en reste pantoise. C'est ma mère qui a fait les virements, et j'ai laissé les relevés à Barsaloi. Consternée, je reste debout devant cette employée, mes liasses d'argent à la main, qu'on refuse d'encaisser. La guichetière africaine regrette de ne pas pouvoir me vendre un billet d'avion si je ne peux pas prouver l'origine de cet argent. A bout de nerfs, j'éclate en sanglots et je dis en balbutiant qu'il est hors de question que je quitte ce bureau avec autant d'argent sur moi, que je n'ai pas envie de me faire tuer.

L'Africaine me jette un regard effaré et, en voyant mes larmes, elle abandonne immédiatement son attitude arrogante. « *Wait a moment* », dit-elle d'une voix rassurante, puis elle disparaît. Peu après apparaît une deuxième employée qui m'explique encore une fois le problème et m'assure qu'elles ne font que leur devoir. Je lui demande de bien vouloir se renseigner auprès de la banque de Maralal, dont le directeur me connaît bien. Les deux employées discutent de mon cas. Finalement, elles se contentent de photocopier mon reçu de la banque et mon passeport. Dix minutes plus tard, je quitte l'agence avec le billet d'avion en poche. Maintenant, je dois trouver un téléphone international pour annoncer à ma mère ma visite surprise.

Pendant le vol, je me réjouis de retrouver la civilisation européenne ; toutefois, ma famille africaine me manque déjà. A l'aéroport de Zurich, ma mère est épouvantée en me voyant. Elle a du mal à le cacher mais ne dit rien, et je lui en suis reconnaissante. Je n'ai pas faim car j'ai très bien mangé dans l'avion, mais je voudrais boire un bon café suisse avant de partir pour la campagne au-dessus de Berne. Les jours suivants, ma mère me gâte en me préparant de bons petits plats et, peu à peu, je retrouve un aspect à peu près normal. Nous parlons beaucoup de mon avenir, et je lui raconte notre projet d'ouvrir un magasin d'alimentation. Elle comprend que j'aie besoin de revenus et d'une activité.

Le dixième jour, je peux enfin aller voir un gynécologue. Malheureusement, les résultats sont négatifs. Je suis trop anémique et sous-alimentée pour tomber enceinte. Je m'imagine la déception de Lketinga. Mais je me console en me disant que nous avons encore beaucoup de temps pour avoir des enfants. Je me promène tous les jours dans la campagne ; dans ma tête, je suis en Afrique. Au bout de deux semaines, je commence déjà à prévoir mon retour et je prends un billet d'avion pour dans dix jours. Une fois de plus, j'achète beaucoup de médicaments, diverses épices et plusieurs paquets de pâtes. J'informe Lketinga de mon arrivée en envoyant un télégramme à la Mission.

Les neuf journées qui me restent à passer en Suisse s'écoulent sans incident particulier. Le mariage de mon frère Eric avec Jelly constitue la seule distraction. Je vis ce mariage dans un état second, le luxe et l'abondance de nourriture me semblent indécents. Tout le monde m'interroge sur la vie au Kenya. En fin de compte, chacun essaie de me ramener à la raison. Mais, pour moi, la raison est du côté du Kenya, de mon grand amour et de la vie modeste. Je suis impatiente de rentrer.

Adieu et bienvenue

Lourdement chargée, je me fais emmener à l'aéroport de Zurich. Je suis particulièrement triste de dire au revoir à ma mère car je ne sais pas quand je vais revenir. Le 1er juin 1988, j'atterris à Nairobi, et je prends un taxi jusqu'à l'hôtel Igbol.

Deux jours plus tard, j'arrive à Maralal, je porte mes

lourds bagages jusqu'au *lodging* et je réfléchis à une façon de rejoindre Barsaloi. Tous les jours, je passe le bourg au peigne fin dans l'espoir de trouver un véhicule susceptible de m'emmener. Je me rends aussi chez Sophia, mais on me dit qu'elle est en Italie en ce moment pour des vacances. Le troisième jour, j'apprends qu'un camion chargé de farine de maïs et de sucre destinés à la Mission partira vers Barsaloi l'après-midi même. Impatiente, j'attends devant le grossiste qui doit fournir la marchandise. En effet, le camion arrive vers midi. Je parle avec le chauffeur et je négocie un prix afin qu'il me laisse monter à l'avant. Nous ne prenons la route que dans l'après-midi. Comme nous passons par Baragoi, nous mettrons au minimum six heures et nous n'atteindrons Barsaloi que dans la nuit. Le camion emmène au moins quinze passagers, ce qui rapporte beaucoup d'argent au chauffeur.

Le voyage est interminable. C'est la première fois que je fais ce trajet dans un tel véhicule. Quand nous traversons le premier fleuve, il fait déjà nuit. Nous avançons en tâtonnant dans la vaste obscurité à la seule lumière des phares. Vers dix heures, nous sommes enfin arrivés. Le camion se gare devant le dépôt de la Mission. Beaucoup de gens l'attendent, il s'appelle *lori*, ici. Ils ont aperçu la lumière des phares depuis longtemps et Barsaloi, si calme d'habitude, est plein d'agitation. Certains veulent se faire un peu d'argent en déchargeant les sacs lourds.

Fatiguée, mais joyeuse et tout excitée, je descends. Je suis chez moi, bien que les *manyatta*s se trouvent à quelques centaines de mètres. Quelques personnes me saluent gentiment. Giuliano paraît avec une lampe de poche pour donner des instructions. Lui aussi me salue brièvement avant de disparaître. Mes lourds bagages posés à côté de moi, je reste là un peu désemparée car, dans le noir, je ne peux les porter jusqu'à notre *manyatta*. Deux garçons, qui apparemment ne sont pas des écoliers puisqu'ils sont vêtus de manière traditionnelle, me proposent leur aide. A mi-chemin, quelqu'un vient à notre rencontre avec une lampe de poche. C'est mon chéri. « *Hello !* » me dit-il, avec un grand sourire. Joyeusement, je le serre contre moi et lui pose un baiser sur les lèvres. Je suis tellement contente de le retrouver que je ne sais que dire. Nous allons jusqu'à la *manyatta* en silence.

La maman est aussi très contente de me voir. Tout de suite, elle allume le feu et prépare le traditionnel *chai*. Je distribue mes cadeaux. Plus tard, Lketinga me tapote affectueusement le ventre et me demande : « *How is our baby ?* » Je suis malade d'avoir à lui dire que je n'ai pas de bébé dans le ventre.

Son visage s'assombrit. « *Why ? I know you have baby before !* » Aussi calmement que possible, j'essaie de lui expliquer que, si je n'ai pas eu mes règles, c'est à cause de la malaria. Lketinga est très déçu. Malgré cela, nous passons une nuit d'amour merveilleuse.

Les semaines suivantes, je nage dans le bonheur. La vie reprend son cours habituel jusqu'à ce que nous retournions à Maralal redemander un rendez-vous pour notre mariage. Le frère de Lketinga nous accompagne. Cette fois, nous avons de la chance. Quand nous montrons les papiers authentifiés, ainsi que la lettre du *chief* que Lketinga a obtenue entre-temps, il ne semble plus y avoir de problèmes.

Mairie et voyage de noces

Nous nous marions le 26 juillet 1988. Dans l'assistance se trouvent deux nouveaux témoins, le frère aîné de Lketinga et quelques personnes que je ne connais pas. La cérémonie se déroule d'abord en anglais, puis en swahili ; elle est célébrée par un *officer* sympathique. Tout se passe sans incident, sauf que mon chéri ne dit pas « *yes* » au bon moment ; je dois lui donner un léger coup de pied pour qu'il réponde enfin. Puis nous signons l'acte de mariage. Lketinga prend mon passeport et dit qu'il me faudra un passeport kenyan puisque je m'appelle Leparmorijo, maintenant. L'*officer* explique qu'il faudra faire changer mon passeport à Nairobi puisque, de toute façon, Lketinga devra demander pour moi le droit de résidence permanent. Je ne comprends plus rien. Je croyais que tout était en ordre et que la guerre bureaucratique était enfin terminée. Hélas, non, malgré le mariage, je suis toujours touriste jusqu'à ce que le droit de résidence soit certifié dans mon passeport. Ma joie s'évanouit ; Lketinga ne comprend rien à tout cela non plus. Au *lodging*, nous décidons d'aller à Nairobi.

Accompagnés des témoins et du frère aîné de Lketinga, qui n'a jamais voyagé, nous partons le lendemain. Nous allons jusqu'à Nyahururu avec notre Land Rover, puis nous prenons le car jusqu'à Nairobi. Le frère n'en finit pas de s'étonner. Pour moi, c'est un plaisir que d'observer quelqu'un qui, à quarante ans, visite pour la première fois une ville. Il reste bouche bée, et il est encore plus perdu que Lketinga. Il ne peut même pas traverser une rue sans notre aide. Si je ne le prenais par la main, il resterait sûrement planté au même endroit jusqu'au soir, parce que la circulation et les nombreuses voitures l'effraient. En voyant un grand immeuble d'habitation, il se demande comment les gens peuvent vivre superposés.

Enfin, nous arrivons à Nyayo. Je me mets en bout de file d'attente, je remplis une fois de plus quelques formulaires. Pour finir, la guichetière me donne rendez-vous dans trois semaines. Je proteste et j'essaie de lui faire comprendre que nous sommes venus de très loin, que nous ne rentrerons pas sans une mention du droit de résidence sur mon passeport. Je la supplie presque ; elle me répond poliment que tout doit passer par les voies officielles mais qu'elle veut bien essayer de ramener la procédure à une semaine. Comme je sens que je n'en obtiendrai pas plus, je la remercie puis je m'en vais.

Dehors, nous discutons de la situation. Nous sommes quatre et nous devons attendre une semaine. Avec mes trois hommes de la brousse, cela est impensable à Nairobi. Je propose donc d'aller à Mombasa pour que le frère de Lketinga puisse voir la mer. Lketinga accepte : accompagné des deux autres, il se sent en sécurité. Nous entamons donc les huit heures de trajet ; ce sera pour ainsi dire notre voyage de noces.

A Mombasa, nous passons voir Priscilla. Notre mariage la ravit et elle croit, elle aussi, que tout ira bien à présent. Le frère de Lketinga voudrait voir la mer mais, une fois devant l'immense étendue d'eau, il s'accroche à nous. Il se tient à dix mètres et refuse de s'en approcher davantage, tellement il a peur. Je lui montre aussi un hôtel pour touristes. Il n'arrive pas à croire ce qu'il voit. Il demande même à mon mari si nous sommes vraiment encore au

177

Kenya. C'est beau de montrer ce monde à quelqu'un qui est encore capable de s'étonner. Plus tard, nous allons manger et boire. Le frère de Lketinga boit pour la première fois de la bière, ce qui ne lui réussit pas du tout. A Ukunda, nous trouvons un *lodging* délabré.

Le séjour à Mombasa me coûte beaucoup d'argent. Les hommes boivent de la bière, et je reste avec eux car je n'aime pas aller seule à la plage. Petit à petit, j'en ai assez de payer la consommation de bière de trois personnes ; les premières petites chamailleries ne se font pas attendre. Lketinga, qui est maintenant officiellement mon mari, ne me comprend pas et considère que c'est ma faute si nous devons attendre aussi longtemps avant de pouvoir retourner à Nairobi. De toute façon, il ne voit pas bien pourquoi j'ai besoin d'un tampon supplémentaire. Selon lui, puisque nous nous sommes mariés, je m'appelle maintenant Leparmorijo et je suis kenyane. Les autres acquiescent. Je ne sais pas comment leur expliquer toutes ces tracasseries bureaucratiques.

Au bout de quatre jours, nous repartons de mauvaise humeur. A Nairobi, j'ai toutes les peines du monde à emmener Lketinga encore une fois à l'Office. C'est la dernière fois, me dit-il. J'espère ardemment que j'obtiendrai le tampon aujourd'hui même. Une fois de plus, j'explique notre problème et je demande qu'on veuille bien vérifier s'il y a déjà une réponse. Puis il faut attendre. Les trois hommes se montent mutuellement la tête, et je suis contaminée par leur nervosité. Les gens nous regardent avec de grands yeux. Une femme blanche avec trois Massaïs, c'est un spectacle qu'on ne voit pas tous les jours à l'Office.

Enfin, mon mari et moi sommes appelés, une femme nous demande de la suivre. Devant l'ascenseur, je devine déjà ce qui se passera lorsqu'on demandera à Lketinga d'y entrer. La porte de l'ascenseur s'ouvre et libère une grappe de gens. Effrayé, Lketinga fixe la cabine vide et demande : « *Corinne, what's that ?* » J'essaie de lui expliquer que nous irons au douzième étage dans cette boîte. La femme s'impatiente déjà dans l'ascenseur. Lketinga ne veut pas y aller. Il a peur de monter dans les airs. « *Darling, please, this is no problem, if we are in the 12th floor you go around like now. Please, please come !* » Je le supplie de monter avant que l'employée ne perde patience. Il finit par le faire, effaré.

On nous conduit dans un bureau où nous attend une Africaine à l'air sévère. Elle me demande si je suis vraiment mariée avec ce Samburu. A Lketinga, elle demande s'il peut prendre soin de moi, me fournir une maison et de la nourriture. Il me regarde avec de grands yeux : « *Corinne, please, which house I must have ?* » Je pense : « Mon Dieu, dis simplement oui. » Les regards de la femme vont de l'un à l'autre. Je suis tellement tendue que je transpire par tous les pores. Le regard sévèrement fixé sur moi, elle demande : « *You want to have children ?* » Je réponds du tac au tac : « *Oh yes, two.* » Suit un silence. Puis elle se dirige vers le bureau et choisit un tampon. Je paie l'équivalent de 200 shillings kenyans et elle me rend mon passeport tamponné. Je pourrais hurler de joie. J'ai enfin réussi ! Je peux rester dans ce pays que j'aime. Je ne songe plus qu'à sortir d'ici au plus vite et rentrer à Barsaloi, à la maison.

Notre *manyatta* à nous

La maman est contente que tout se soit bien déroulé. Maintenant il est temps de prévoir un mariage samburu traditionnel. Il nous faut aussi une *manyatta* à nous, car nous n'aurons plus le droit d'habiter sous son toit après le mariage. Comme j'en ai assez des procédures bureaucratiques, j'abandonne l'idée d'une vraie maison et je demande à Lketinga de trouver des femmes qui puissent nous construire une grande et belle *manyatta*. Je me propose d'aller chercher des branches d'arbres avec la Land Rover, mais je ne peux pas construire la hutte. Comme salaire, elles recevront une chèvre. Peu de temps après, quatre femmes, dont les deux sœurs de Lketinga, construisent notre *manyatta*. Elle est deux fois plus grande que celle de la maman et plus haute. Je peux presque m'y tenir debout.

Les femmes travaillent depuis dix jours, et j'attends avec impatience que nous puissions nous y installer. La hutte mesurera cinq mètres sur trois et demi. Elles ont commencé par marquer les contours avec des pieux épais qu'elles ont ensuite reliés avec des branches de saule entrelacées. Nous allons aménager l'intérieur en trois zones. L'emplacement du feu se trouvera près de l'entrée. A côté, nous accrocherons une sorte d'étagère pour les tasses et les casseroles. Un mètre et demi plus au fond, une natte séparera l'avant de l'arrière, qui sera réservé à mon chéri et à moi. Nous étalerons par terre une peau de vache, puis une natte en paille, puis ma couverture en laine rayée rapportée de Suisse. Au-dessus de notre couche sera fixée la moustiquaire. En face de nous pourront dormir deux ou trois visiteurs éventuels. Tout au fond de la hutte se trouvera un rangement pour mes vêtements.

Le gros des travaux pour notre méga-hutte est maintenant terminé, il ne manque plus que l'enduit, c'est-à-dire des bouses de vache. Comme il n'y a pas de vaches à Barsaloi, nous allons chez le demi-frère de Lketinga, à Sitedi, et nous chargeons notre Land Rover de bouses. Au bout de trois voyages, nous en avons rapporté suffisamment.

A l'intérieur, les deux tiers des murs de la hutte sont revêtus de fumier ; étant donné la chaleur, celui-ci sèche vite. Pour un tiers des murs et le toit, l'enduit n'est posé qu'à l'extérieur pour que la fumée puisse s'échapper à travers le toit poreux. Il est excitant de suivre la progression des travaux. Les femmes étalent le fumier à mains nues et rient de me voir faire la grimace. Nous pourrons emménager une semaine après la fin des travaux car, d'ici là, le fumier sera devenu dur comme de la pierre et inodore.

Le mariage samburu

Nous passons nos derniers jours dans la hutte de la maman. Tout tourne maintenant autour du mariage samburu imminent. Tous les jours, des hommes ou des femmes d'un certain âge se rendent chez la maman pour essayer de convenir d'un moment propice. Nous vivons sans calendrier et sans date, tout dépend de la lune. J'aimerais bien célébrer le mariage à Noël, mais les Massaïs ne connaissent pas cette fête et, en plus, ils ne peuvent prévoir la position de la lune à ce moment-là. Mais, pour l'instant, nous gardons cette date. Comme il n'y a jamais eu de mariage mixte ici, nous ne savons pas combien il y aura de personnes. La nouvelle se répandra de village en village et nous ne saurons que le jour du mariage qui nous aura fait l'honneur de venir. Plus il y aura de gens, et surtout de vieux, plus on aura de considération pour nous.

Un soir, le garde-chasse passe nous voir, un homme calme et imposant qui m'est d'emblée sympathique. Malheureusement, il ne parle que quelques mots d'anglais. Il discute longuement avec Lketinga. Au bout d'un certain temps, ma curiosité me pousse à demander de quoi il est question. Mon mari m'explique que le garde-chasse veut nous louer le magasin qu'il vient de faire construire et qui sert pour l'instant d'entrepôt au père Giuliano. Tout excitée, je l'interroge sur le prix de la location. Il me propose de venir passer voir le magasin le lendemain et de discuter du loyer ensuite. Cette nuit-là, je dors mal car Lketinga et moi avons déjà commencé à échafauder des projets.

Après notre toilette habituelle au bord du fleuve, nous traversons le village en direction du magasin. Mon mari parle à toutes les personnes que nous croisons. Il s'agit toujours de notre mariage. Même les Somalis sortent de leurs boutiques et demandent quand aura lieu l'événement. Pour l'instant, je voudrais surtout voir le magasin et je pousse Lketinga à avancer.

Le garde-chasse nous attend déjà dans la maison ouverte et vide. Je suis sans voix. Il s'agit d'un bâtiment en pierre à proximité de la Mission ; j'étais persuadée qu'il appartenait au père Giuliano. Le magasin est immense, avec une grande porte qui s'ouvre sur l'extérieur. A gauche et à droite se trouve une sorte de comptoir de vente, et contre le mur du fond sont posées de vraies étagères en bois. Une porte donne sur une seconde pièce, de la même taille, qui pourrait servir d'entrepôt ou d'appartement. Je m'imagine immédiatement faire de cet endroit le plus beau magasin de Barsaloi et de toute la région. Mais je dois dissimuler mon enthousiasme si je ne veux pas faire monter le loyer. Nous nous mettons d'accord sur une somme équivalant à 50 francs suisses, à condition que Lketinga obtienne la licence pour tenir le magasin. Je ne veux pas me fixer avant : mes expériences de l'administration sont trop décourageantes.

Le garde-chasse est d'accord, et nous rentrons chez la maman. Une fois que Lketinga lui a tout raconté, une dispute éclate entre eux. Quand elle s'est calmée, Lketinga me traduit en riant : « Maman a peur qu'il y ait des problèmes avec les Somalis si les gens ne vont plus dans leurs boutiques. Les Somalis sont dangereux et peuvent nous jeter de mauvais sorts. Elle veut que nous nous mariions d'abord. »

Puis la maman me regarde très longuement et me conseille de mieux vêtir le haut de mon corps pour que tout le monde ne voie pas tout de suite que j'ai un bébé dans le ventre. Lorsque Lketinga essaie de me traduire ses paroles, je reste pantoise. Moi, enceinte ? Mais après réflexion je me rends compte que mes règles ont près de trois semaines de retard, ce dont je n'avais pas pris conscience jusque-là. Enceinte ? Mais je m'en serais aperçue !

Je demande à Lketinga : « Qu'est-ce qui lui fait croire ça ? » La maman vient vers moi et dessine du doigt les lignes des veines qui vont jusqu'aux seins. Je n'arrive toujours pas trop à y croire et je ne sais pas non plus si cela m'arrangerait tellement en ce moment, étant donné nos projets de magasin. Mais, indépendamment de cela, je voudrais bien sûr avoir des enfants avec mon mari, surtout une fille. La maman est persuadée que son diagnostic est juste et ordonne à Lketinga de me laisser tranquille maintenant. Surprise, je demande : « *Why ?* » Il m'explique avec beaucoup de peine que, si une femme enceinte a des rapports avec un homme, les enfants auront plus tard le nez bouché. Cela me fait rire, bien que, apparemment, il parle sérieusement. Tant que je ne suis pas sûre d'être enceinte, j'aimerais continuer à avoir une vie sexuelle.

Deux jours plus tard, lorsque nous rentrons du fleuve, plusieurs personnes sont assises en grande discussion sous l'arbre près de chez la maman. Nous restons dans sa hutte. La nôtre sera prête dans trois jours, ce qui signifie que je devrai faire moi-même le feu et que je serai responsable du bois. Quant à l'eau, je peux aller en chercher avec la voiture si je ne trouve personne qui s'en charge en échange de quelques pièces. Mais je voudrais avoir un bidon de vingt litres car cinq litres d'eau ne me suffisent pas.

La maman entre dans la *manyatta* et parle avec Lketinga. Comme il a l'air bouleversé, je demande : « *What's the problem ? — Corinne, we have to make the ceremony in five days because the moon is good.* » Le mariage aura donc lieu déjà dans cinq jours ? Dans ce cas-là, il faudra tout de suite aller à Maralal pour acheter du riz, du thé, des sucreries, des boissons et d'autres produits !

Lketinga est malheureux parce qu'il n'aura pas le temps de se faire refaire ses tresses, procédure qui prend des journées entières. Même la maman est stressée parce qu'elle doit brasser d'énormes quantités de bière, ce qui prend une petite semaine. En fait, elle ne veut pas nous laisser partir mais il n'y a plus de sucre ni de riz au village, seulement de la farine de maïs. Je lui donne de l'argent pour qu'elle puisse commencer à brasser la bière, puis Lketinga et moi partons.

A Maralal, nous achetons cinq kilos de tabac à mâcher à offrir aux vieux — très important —, cent kilos de sucre sans lequel le thé serait imbuvable, ainsi que vingt litres de lait longue conservation, ne sachant pas combien de femmes suivront la coutume d'apporter du lait. Je ne veux prendre aucun risque, je veux que ce soit une belle fête, même s'il ne doit y avoir que peu de monde. Nous avons aussi besoin de riz, mais il n'y en a pas pour l'instant. Je prends mon courage à deux mains et en demande à la Mission de Maralal. Par chance, le missionnaire nous vend son dernier sac de vingt kilos. Puis nous devons aller à l'école pour informer James. Le *headmaster* nous explique que les écoliers seront en vacances à partir du 15 décembre et, comme notre fête aura lieu le 17, James pourra y assister sans problème. Je me réjouis de le voir bientôt. Pour finir, nous achetons un vieux bidon à essence qui, une fois nettoyé, pourra nous servir de réservoir à eau. Nous chargeons enfin les sucreries pour les enfants. Quand nous avons terminé, il est déjà cinq heures.

Malgré l'heure tardive, nous décidons de repartir tout de suite, pour pouvoir franchir le passage dangereux à travers la forêt avant la tombée de la nuit. La maman est soulagée de nous voir rentrer. Les voisins se précipitent pour mendier du sucre mais, cette fois-ci, Lketinga ne se laisse pas fléchir. Il dort dans la voiture pour qu'on ne nous vole rien.

Le lendemain, nous partons acheter quelques chèvres que nous devrons abattre pour la fête. Je refuse qu'on tue les nôtres parce que je les connais bien maintenant. Il nous faut aussi un bœuf. Au bord du fleuve, je lave le nouveau bidon pour chasser l'odeur d'essence, ce qui n'est pas facile. Durant toute la matinée, j'agite le bidon rempli de lessive et de sable dans tous les sens jusqu'à ce qu'il soit à peu près propre. Trois enfants m'aident à remplir le bidon d'eau à l'aide de boîtes de conserve vides. La maman passe toute la journée au bord du fleuve pour brasser de la bière car cela est interdit au village.

En fin d'après-midi, je me rends à la Mission pour apprendre la nouvelle aux missionnaires et leur demander de bien vouloir nous prêter quelques bancs d'église et de la vaisselle. Le père Giuliano ne se montre pas surpris car il a déjà eu vent de l'événement par ses employés, et il m'autorise à venir chercher les objets en question le jour du mariage. Comme le jour où j'avais déposé mes bidons d'essence j'avais également déposé à la Mission ma robe de mariée, je lui demande la permission de me changer à la Mission. Il est étonné que je veuille me marier en blanc, mais il est d'accord.

Il ne reste plus que deux jours, et Lketinga n'est toujours pas rentré de son « safari de chèvres ». Je commence à être nerveuse, d'autant plus que je ne peux parler à personne et que tout le monde s'agite dans tous les sens. Je suis contente quand, en fin d'après-midi, arrivent les écoliers. James est très excité et me décrit le déroulement d'un mariage samburu.

Habituellement, la fête commence le matin — par l'excision de la mariée, qui a lieu dans la hutte. Je tombe des nues. « *Why ?* » Parce que, autrement, elle n'est pas une vraie femme et ne pourra pas avoir d'enfants sains, me répond James, d'habitude si instruit. Avant que j'aie le temps de me remettre de ce choc, Lketinga pénètre dans la hutte. Il m'adresse un grand sourire, je suis contente

Lketinga.

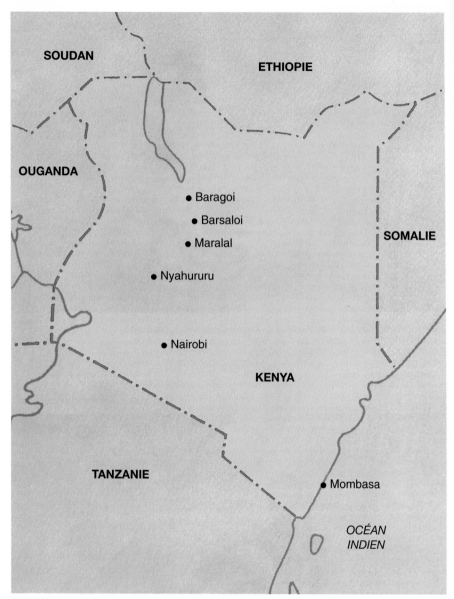

Mes principaux lieux de séjour au Kenya.

Lketinga portant la parure traditionnelle pour les cheveux, teintés en rouge.

Au bord de la rivière pour chercher de l'eau.

J'ai passé plus d'un an dans cette petite hutte, avec Lketinga et sa mère.

Devant notre nouvelle manyatta.

Mon mariage samburu en robe blanche traditionnelle.

Notre fille Napirai avec ses parents très fiers !

Avec le troupeau.

Le dépeçage d'une vache dans la brousse ; au centre de la photo, la sœur de Lketinga.

Mama Masulani, la mère de Lketinga, avec Saguna et trois autres petit-enfants.

qu'il soit de retour. Il a rapporté quatre chèvres, ce qui n'a pas été facile parce qu'elles essaient tout le temps de rejoindre leur troupeau.

Après le *chai* traditionnel, les garçons nous quittent, et je peux enfin demander à Lketinga ce qu'il en est de cette histoire d'excision. Je lui dis fermement que je suis prête à tout pour lui, mais pas à cela. Il me regarde calmement. « *Why not, Corinne ? All ladies here make this.* » Raide comme la justice, je m'apprête à lui faire comprendre que, dans ces conditions, quel que soit l'amour que j'ai pour lui, je renoncerai à me marier, lorsqu'il me prend dans ses bras et me rassure : « *No problem, my wife, I have told to everybody white people have this* — il fait un geste en direction de mon bas-ventre — *cut when they are babies.* » Je lui jette un regard dubitatif mais, lorsqu'il me tapote affectueusement le ventre et me demande : « *How is my baby ?* », je lui saute au cou, soulagée. Plus tard, j'apprends qu'il a raconté cette histoire même à sa mère.

Un jour avant notre mariage, les premiers invités arrivent de loin et se répartissent dans les *manyattas* voisines. Mon chéri va chercher le bœuf chez son demi-frère, ce qui lui prend la demi-journée. Accompagnée des garçons, je pars dans la brousse en Land Rover pour couper le bois dont nous avons besoin. Nous devons faire pas mal d'allers et retours avant que la voiture soit pleine. Les garçons sont très travailleurs. En fin d'après-midi, nous descendons au fleuve pour remplir d'eau tous les bidons disponibles. Sur le chemin du retour, je demande à James de commander à la maison de thé des petites galettes de pain, des *mandazi*, pour le lendemain. Pendant que j'attends dans la voiture, le plus jeune des propriétaires du magasin, un Somali sympathique, vient me féliciter de mon mariage.

Dans la nuit qui le précède, nous dormons pour la dernière fois dans la hutte de la maman. Cela fait quelques jours que notre *manyatta* est prête mais je ne voulais déménager que le jour du mariage : Lketinga était beaucoup en vadrouille et je ne voulais pas dormir seule dans la nouvelle hutte.

Nous nous réveillons tôt ; je suis très nerveuse. Je descends au fleuve pour me laver et me faire un shampooing. Lketinga va à la Mission en voiture, avec les garçons, pour

185

prendre les bancs et la vaisselle. A mon retour, l'agitation est grande, déjà. Les bancs sont posés à l'ombre de l'arbre. Le frère aîné de Lketinga prépare du thé dans une énorme casserole. Maintenant, Lketinga descend à son tour au fleuve pour se parer. Nous convenons de nous retrouver à la Mission, une heure plus tard. Je revêts ma robe de mariée et les bijoux. L'employée de Giuliano m'aide. La robe étroite commence à être juste, et maintenant je crois, moi aussi, que je suis enceinte. Elle me serre légèrement au niveau des seins et du ventre. Lorsque j'ai fini de me maquiller, le père Giuliano apparaît dans l'embrasure de la porte ; en m'apercevant, il reste sans voix. Pour la première fois depuis longtemps, j'ai droit à un compliment. Il me fait remarquer en riant que cette longue robe blanche n'est pas très commode pour les *manyattas* et surtout, pour les buissons épineux. Puis mon chéri, merveilleusement peint, vient me chercher. Légèrement troublé, il me demande pourquoi je porte une robe pareille. Un peu gênée, je réponds en riant : « Pour être belle. » Dieu merci, je porte des sandales en plastique blanches et non pas des chaussures à talons. Giuliano accepte notre invitation.

Lorsque je descends de la voiture, les enfants et les adultes me regardent avec de grands yeux ; ils n'ont jamais vu une robe pareille. Je me sens mal à l'aise, je ne sais pas ce que je dois faire. Partout, les gens font la cuisine, évident et découpent les chèvres. Il n'est que dix heures, et il y a déjà plus de cinquante personnes. Les vieux ont pris place sur les bancs et boivent du thé alors que les femmes sont assises à l'écart, sous un autre arbre. Les enfants courent autour de moi. Je leur offre des chewing-gums tandis que les vieux font la queue auprès de James, qui distribue le tabac. Les gens arrivent de tous les côtés. Les femmes donnent à la maman leurs calebasses remplies de lait, d'autres attachent des chèvres aux arbres. Au-dessus d'un très grand feu, on fait cuire dans une immense casserole du riz avec de la viande. Je suis inquiète : comme on n'arrête pas de préparer du thé, l'eau diminue très vite. Vers midi, le premier repas est prêt et je commence à le servir. Le père Giuliano, arrivé entre-temps, filme les festivités.

Je ne tarde pas à être débordée par les événements. Il y

186

a maintenant plus de deux cent cinquante personnes, sans compter les enfants. J'entends partout dire que c'est la plus grande cérémonie qu'il y ait jamais eue à Barsaloi. Je suis surtout fière de mon chéri, qui a pris le risque d'épouser une Blanche bien que de nombreuses personnes aient cherché à l'en dissuader. James m'informe qu'il n'y a plus de riz, et ce alors que beaucoup de femmes et d'enfants n'ont encore rien mangé. J'avertis de ce « malheur » Giuliano, qui prend tout de suite sa voiture et revient avec un sac de vingt kilos : ce sera son cadeau de mariage. Alors que les guerriers commencent à danser à l'écart, on continue à préparer la cuisine pour ceux qui n'ont encore rien eu. La plupart du temps, Lketinga est avec les autres guerriers, ils ne mangeront que dans la nuit. Plus le temps passe, plus je me sens un peu abandonnée. C'est tout de même mon mariage, aucun de mes parents n'est là et mon mari passe plus de temps avec ses guerriers qu'avec moi.

Les invités dansent. Chaque groupe danse séparément : les femmes sous leur arbre, les garçons dans un endroit à eux, et les guerriers très à l'écart des autres. On me demande de participer à la danse des femmes mais, assez rapidement, la maman me prend à part et me déconseille de sauter à cause du bébé. Un peu à l'écart de la fête, on a découpé le bœuf dont on commence à distribuer des morceaux. Avec satisfaction, je constate que nous avons assez à manger et à boire pour tout le monde.

Avant que la nuit tombe, on nous offre ou on nous promet des cadeaux. Tous ceux qui veulent offrir quelque chose se lèvent et annoncent ce que c'est. La personne doit préciser à qui son cadeau est destiné car, chez les Samburus, les femmes et les hommes ont des biens — c'est-à-dire des animaux — séparés. Je suis très étonnée de voir combien les gens m'offrent : quatorze chèvres, deux moutons, un coq, une poule, deux jeunes veaux et un petit chameau, rien que pour moi. Mon mari reçoit à peu près la même chose. Tous n'ont pas apporté leur cadeau ; Lketinga devra aller chercher les bêtes plus tard.

La fête se termine, et je me retire pour la première fois dans ma nouvelle *manyatta*. La maman a tout arrangé Enfin, je peux m'extraire de ma robe serrée. Assise devant le feu, j'attends mon mari qui est encore dans la brousse. C'est une nuit merveilleuse, et je suis pour la première fois seule dans notre grande *manyatta*. Ma nouvelle vie de ménagère et d'épouse à part entière commence.

La boutique

Une semaine après le mariage, nous allons à Maralal nous renseigner sur une licence de boutique pour Lketinga. Un fonctionnaire sympathique nous dit que, cette fois-ci, cela pourrait aller vite. Il nous fait remplir des formulaires et nous prie de revenir trois jours plus tard. Comme nous avons besoin d'une balance, nous partons pour Nyahururu. Je voudrais aussi acheter du treillis de fil de fer pour mieux exposer la marchandise ; je proposerai des pommes de terre, des carottes, des oranges, des kakis, des bananes et bien d'autres choses.

Nous ne trouvons pas de balance à Nyahururu. Le seul marchand de ferraille du coin nous dit qu'elles sont très chères et ne se trouvent qu'à Nairobi. Lketinga n'est pas très content mais, comme nous en avons besoin, nous prenons le car pour cette ville tant détestée. Là-bas, on en propose partout, et à des prix variables. Nous finissons par faire l'acquisition d'une balance et de poids à 350 francs suisses, chez le marchand le moins cher, puis nous rentrons à Maralal, où nous faisons tous les grossistes et les marchés pour dénicher les produits les moins coûteux. Mon mari trouve tout trop cher mais je suis persuadée qu'en négociant habilement nous pourrons obtenir les mêmes prix que les Somalis. Le marchand le plus important me propose d'affréter un camion pour le transport des marchandises jusqu'à Barsaloi.

Le troisième jour, nous allons à l'Office, optimistes. Le gentil *officer* nous explique qu'un petit problème est apparu. Il nous accordera la licence à condition que nous fournissions une lettre du vétérinaire de Barsaloi prouvant que la boutique est propre et que nous présentions le portrait du président de la République qui doit être accroché dans tous les magasins du pays. Lketinga veut protester, mais je le retiens. De toute façon, je voudrais d'abord rentrer à Barsaloi signer un bail écrit et aménager la boutique pour ranger la marchandise de façon fonctionnelle. En plus, il faudra trouver quelqu'un pour nous aider parce que je parle trop mal la langue et que mon mari ne sait pas calculer.

Le soir, nous rendons visite à Sophia et à son ami. Elle vient de rentrer d'Italie, et nous avons beaucoup de choses à nous raconter. Elle me confie en passant qu'elle est enceinte de trois mois. Je me réjouis beaucoup de cette nouvelle parce que, maintenant, je crois être dans la même situation. Mais je ne suis pas sûre à cent pour cent. Contrairement à moi, Sophia vomit tous les matins. Elle est très surprise quand je lui raconte mon projet de commerce. Mais il faut que je gagne enfin de l'argent avec la voiture ; je ne peux pas continuer éternellement à dépenser des milliers de francs.

A Barsaloi, nous signons le contrat, et nous voilà les heureux gérants d'une boutique. Pendant des journées entières, je nettoie les étagères poussiéreuses, je fixe le treillis de fil de fer sur le comptoir de vente. Je sors les vieilles planches qui sont entreposées dans la pièce du fond. Soudain, j'entends un sifflement, et je vois disparaître la queue d'un serpent vert sous le tas de bois que je n'ai pas encore dégagé. Terrifiée, je cours à l'extérieur et je crie : « *Snake, snake !* » Quelques hommes s'approchent lentement mais, quand ils comprennent de quoi il s'agit, aucun n'a le courage d'entrer.

En peu de temps, six personnes se sont rassemblées devant le magasin, mais personne ne bouge jusqu'à ce qu'arrive un grand homme de la tribu des Turkanas, armé d'un long bâton. Il entre précautionneusement et agite le tas de bois avec son bâton. Il dégage les planches l'une après l'autre jusqu'à ce que le serpent, d'environ un mètre de long, surgisse de sa cachette. Le Turkana tente de le tuer à coups de bâton mais le serpent rampe rapidement vers la sortie en se dirigeant vers nous. Avec une rapidité étonnante, un garçon samburu enfonce sa lance dans la bête. Quand on me dit combien la situation a été dangereuse, mes genoux se mettent à trembler.

Mon mari arrive environ une heure plus tard. Il était chez le vétérinaire, qui lui a remis la lettre à condition que nous fassions installer des W.-C. à la turque à l'extérieur de la boutique. Il ne manquait plus que ça ! Quelques volontaires se présentent, surtout des Turkanas, qui sont prêts à creuser un trou de trois mètres de profondeur et d'installer les toilettes. Matériel compris, cela coûtera près de 600 francs suisses. Les dépenses semblent sans fin — j'espère que nous gagnerons bientôt de l'argent.

Je fais part de mon projet de boutique aux pères Giuliano et Roberto. Ils sont enthousiastes car jusque-là, pendant six mois de l'année, on ne pouvait pas acheter de maïs à Barsaloi. Je ne mentionne pas ma grossesse, ni auprès des pères ni dans les lettres que j'envoie en Suisse. Cela n'empêche pas que je sois très contente, mais je sais qu'on peut rapidement tomber malade, ici, et je ne voudrais inquiéter personne.

Enfin, le grand jour arrive. Nous allons à Maralal pour revenir avec un camion chargé de marchandises. Nous avons aussi trouvé une vendeuse agréable, Anna, la femme du policier du village. Elle est robuste et elle a déjà travaillé à Maralal. Avec beaucoup de bonne volonté, elle comprend quelques mots d'anglais.

A Maralal, nous allons à la Commercial Bank pour voir si l'argent que j'ai demandé en Suisse est arrivé. Nous avons de la chance, et je retire près de 5 000 francs suisses pour payer les marchandises. On nous donne des liasses de shillings kenyans. Lketinga n'a jamais vu autant d'argent. Nous demandons au grossiste somali quand il pourra mettre un camion à notre disposition pour aller à Barsaloi. En ce moment, tous les fleuves sont asséchés, si bien que la route peut être empruntée sans risque par les poids lourds. Il nous apprend qu'il y en aura un de libre dans deux jours.

Nous faisons nos courses. La location du camion coûte 300 francs ; nous devons donc profiter pleinement des dix tonnes de charge utile. Je commande quatre-vingt fois 100 kilos de farine de maïs et quinze fois 100 kilos de sucre, ce qui représente une fortune, ici. Je m'apprête à payer en demandant un reçu, mais Lketinga reprend les liasses d'argent et prétend que je donne beaucoup trop d'argent à ces Somalis. Il veut tout contrôler. Je me sens presque gênée car il offense ces gens et, de toute façon, il ne sait pas additionner des sommes aussi importantes. Il amasse des petits tas de billets, et personne ne comprend où il veut en venir. J'use de toutes mes forces de persuasion jusqu'à ce qu'il accepte de me rendre l'argent. Je recompte devant lui la somme. Comme il reste 3 000 shillings, il me dit méchamment : « Tu vois, c'était beaucoup trop ! » Je le calme et lui explique que c'est le prix de la location du camion. Les Somalis se jettent des regards perplexes. Enfin, les marchandises sont commandées et réservées pour nous jusqu'à l'arrivée du camion. Je parcours ensuite le village avec la Land Rover pour acheter 100 kilos de riz chez tel marchand, 100 kilos de pommes de terre chez tel autre, et des choux et des oignons encore ailleurs.

En fin d'après-midi, le chargement du camion est enfin terminé. Nous n'atteindrons sans doute pas Barsaloi avant onze heures du soir. Je charge dans ma Land Rover les produits fragiles comme l'eau minérale, le Coca et le Fanta, mais aussi les tomates, les bananes, le pain, la lessive, la margarine, le thé et d'autres articles. Au final, la voiture est remplie jusqu'au toit. Je ne veux pas prendre le chemin le plus long mais passer par la forêt afin d'atteindre Barsaloi en deux heures. Lketinga monte dans le camion : il craint à juste titre que des marchandises disparaissent s'il n'est pas là pour surveiller

Le garde-chasse et deux femmes montent avec moi. Etant donné le chargement de la voiture, je dois me servir assez vite de la propulsion à quatre roues pour la montée à l'entrée de la forêt. Il faut que je m'habitue à conduire un véhicule aussi lourdement chargé ; il y a tout de même 700 kilos de marchandises. De temps en temps, nous traversons des trous remplis d'eau qui, dans les sous-bois, sont rarement asséchés.

Le pré où j'avais rencontré des buffles est aujourd'hui désert. Malgré les difficultés de la route, j'essaie de discuter avec le garde-chasse de notre boutique. Peu avant la « pente de la mort », la route escarpée fait un double virage serré. A l'entrée du chemin creux, un grand mur gris se dresse tout à coup devant nous. Je freine comme une forcenée mais, à cause du poids de chargement, la voiture continue à déraper lentement vers l'éléphant mâle qui barre la route. « *Stop, stop the car !* » crie le garde-chasse. J'essaie tout, y compris le frein à main, mais celui-ci ne fonctionne plus très bien. La voiture s'immobilise à environ trois mètres de l'arrière-train énorme de l'animal, qui tente de se retourner dans l'étroit chemin. Je mets vite la marche arrière. Les femmes poussent des hurlements, à l'arrière, et veulent descendre. L'éléphant s'est retourné et nous fixe de ses yeux ronds. Il balance sa trompe en l'air et barrit. Ses défenses immenses le rendent encore plus effrayant. Notre voiture recule doucement ; nous sommes maintenant à six mètres de lui. Mais le garde-chasse m'avertit que nous ne serons hors de danger que lorsque l'éléphant ne pourra plus nous voir, autrement dit, quand nous aurons disparu derrière le virage. Comme la voiture est remplie jusqu'au toit et n'a pas de rétroviseur, je ne vois rien à l'arrière. Le garde-chasse doit me guider ; j'espère que j'interprète bien ses paroles.

Enfin, la distance est assez grande ; nous ne voyons plus l'éléphant, mais nous continuons à l'entendre. Ce n'est qu'à ce moment-là que je sens mes genoux trembler. Il ne faut pas que je pense à ce qui serait arrivé si la voiture avait heurté le colosse ou si le moteur avait calé en reculant.

Le garde-chasse sent toujours l'odeur de l'éléphant. Comme par hasard, il n'a pas pris son fusil ce jour-là. Nous devons être maintenant à quatre-vingts mètres, mais nous entendons le craquement des arbres écrasés par l'éléphant. Puis plus rien pendant quelque temps. Le garde-chasse s'avance doucement vers le virage et constate que l'éléphant défend son territoire : planté au milieu du chemin, il est en train de paître tranquillement. Des deux côtés de la route sont couchés de petits arbres.

Peu à peu, la nuit tombe. Nous sommes envahis de frelons qui piquent méchamment. Personne ne descend, à part le garde-chasse. Une heure plus tard, l'éléphant est toujours au milieu du chemin. Je commence à être énervée car nous avons encore beaucoup de route à faire et je devrai traverser les éboulis dans le noir, avec la voiture lourdement chargée. Comme la situation ne change pas, le garde-chasse ramasse de gros cailloux, retourne doucement vers le virage et jette les cailloux dans la forêt dense, ce qui produit des bruissements et des bruits de chute. Peu après, l'éléphant quitte la route.

A Barsaloi, je vais directement à la boutique et je décharge la voiture à la lumière des phares. Heureusement, quelques personnes viennent m'aider. Ensuite, je me rends à notre *manyatta*. Quelque temps après, un garçon du voisinage vient me dire qu'il a vu deux lumières au loin. Son frère aîné guette lui aussi les lumières. Maintenant, tout le monde est très excité. C'est notre camion qui arrive, notre camion samburu !

Accompagnée de l'aîné des deux garçons, je vais à la boutique pour attendre là-bas. Le vétérinaire nous rejoint ; il apporte une lampe à pétrole. Nous la posons sur le comptoir et, tout de suite, la boutique est plongée dans une chaude lumière. Je réfléchis aux endroits où décharger et ranger les différents produits. De plus en plus de personnes tournent autour du magasin et attendent le camion.

Enfin, il surgit en provoquant un bruit étourdissant. C'est une vision grandiose, pour moi, et un sentiment de bonheur m'envahit à la pensée qu'il y aura dorénavant un magasin à Barsaloi où il y aura toujours des choses à manger. Personne n'aura plus à souffrir de la faim car il y aura toujours des aliments en stock. Tout fier, Lketinga descend du camion et salue quelques personnes, dont le garde-chasse, qui lui raconte notre aventure. Effaré, Lketinga écoute son récit, puis il vient vers moi et me demande en riant : « *Hello, wife, really you have seen an elefant ? — Yes, sure !* » Il se prend la tête entre les mains : « *Crazy, this is very dangerous, really, Corinne, very dangerous !* » Je réponds : « *Yes, I know, but now we are OK* », puis je me mets à la recherche de gens pour nous aider à décharger.

On négocie, et nous désignons trois hommes que les Somalis emploient parfois pour ce genre de travail. D'abord, il faut ranger les sacs de riz et de pommes de terre ; les sacs de maïs et de sucre sont déposés dans la pièce du fond qui servira d'entrepôt. Les autres marchandises sont entassées dans la boutique.

Tout le monde s'affaire. Une demi-heure plus tard, le camion est vide et entame, au milieu de la nuit, le chemin du retour vers Maralal. Nous nous retrouvons en plein chaos, entre les paquets de lessive et les boîtes de thé. Les premiers clients apparaissent et nous demandent du sucre. Mais je refuse parce qu'il est beaucoup trop tard et que nous devons d'abord tout ranger. Nous fermons le magasin à clé et rentrons dans notre *manyatta*.

Le matin, nous nous levons comme d'habitude et nous allons nous asseoir avec les animaux au soleil, lorsque quelques femmes s'approchent de nous. Lketinga leur demande ce qui se passe. Elles veulent savoir quand nous comptons ouvrir le magasin. Lketinga veut y aller tout de suite mais je lui fais dire que je ne vends rien avant midi, il faut d'abord tout déballer et Anna n'est pas encore là.

Anna a le sens du rangement. Au bout de deux heures, la boutique est presque parfaite. Au moins cinquante hommes et femmes attendent l'ouverture devant le magasin. Le treillis de fil de fer fait bon usage. J'ai posé les pommes de terre, les choux, les carottes, les oignons, les oranges et les mangues sous le comptoir. Les régimes de bananes sont accrochés à une corde au plafond. Derrière, sur les étagères, sont alignées les boîtes de lessive Omo en différentes tailles, les boîtes de graisse Kimbo, le thé, le papier hygiénique qui, étrangement, aura beaucoup de succès, ainsi que divers savons, des sucreries de toutes sortes et des allumettes. A côté de la balance, nous posons un sac de sucre, un de farine de maïs et un autre de riz. Nous nettoyons encore une fois par terre, puis nous ouvrons la porte du magasin.

Nous sommes éblouis par la lumière du soleil, puis les femmes prennent d'assaut la boutique. Un flot de personnes parées de couleurs vives se dirige vers moi. Le magasin est plein à craquer. Tous nous tendent leur *kanga* ou des sacs en tissu cousus main. Anna commence à peser et à distribuer la farine de maïs. Pour qu'il n'y ait pas trop de pertes, nous avons fabriqué une sorte de pelle en carton. Je me mets moi aussi à distribuer du sucre et de la farine de maïs. La plupart des gens posent simplement de l'argent sur le comptoir et veulent avoir différents produits en échange. Cela demande des calculs rapides.

Le premier grand sac de maïs est vendu en moins d'une heure, ainsi qu'un demi-sac de sucre. Je suis contente d'avoir marqué auparavant tous les prix sur les articles. Le chaos n'en est pas moins considérable. Le soir — nous avons vendu près de 600 kilos de farine de maïs, 200 kilos de sucre et divers autres produits —, la boîte qui nous sert de caisse déborde. A la tombée de la nuit, nous aimerions fermer, mais il y a toujours des enfants qui arrivent pour acheter du sucre ou de la farine de maïs pour le dîner. A sept heures, nous fermons enfin la boutique. Je n'arrive plus à me tenir debout ni à bouger les bras. Anna est elle aussi morte de fatigue en rentrant chez elle.

D'un côté, c'était un immense succès, de l'autre, cette affluence me donne à réfléchir. Demain, cela continuera de la même façon du matin jusqu'au soir. Il faudra aussi que j'aille me laver à la rivière, un de ces jours. Mais quand ?

A huit heures, nous sommes de retour dans la boutique, où Anna nous attend déjà. Les affaires démarrent lentement mais, de neuf heures à la fin de l'après-midi, le magasin ne désemplit pas. Les caisses d'eau minérale, de Coca, de Fanta et de Sprite se vident rapidement. Les gens ont dû s'en passer pendant trop longtemps, ici.

Beaucoup de guerriers ou de jeunes passent des heures dans le magasin ou devant pour discuter. Les femmes et les jeunes filles sont assises à l'ombre. L'épouse du vétérinaire, le médecin et le professeur de brousse viennent, eux aussi, pour acheter des pommes de terre et des fruits en quantité. Tous sont contents de la superbe boutique. Bien sûr, je constate d'ores et déjà qu'il manque pas mal de choses.

Lketinga est la plupart du temps avec nous ; il parle avec les gens ou s'occupe de vendre les produits les plus simples, comme le savon et la lessive. Il aide du mieux qu'il peut. Pour la première fois depuis longtemps, la maman vient au village visiter notre magasin.

A la fin de la deuxième journée, je maîtrise déjà tous les chiffres de la langue maa. J'ai établi un tableau qui nous donne directement les prix des différentes quantités de maïs ou de sucre, ce qui facilite considérablement les calculs. Ce jour-là, encore, nous travaillons sans interruption et nous sommes rompus de fatigue en rentrant chez nous, le soir. Bien sûr, nous n'avons pas pu prendre de repas chaud, ce qui n'est pas très raisonnable dans mon état. J'ai mal au dos, à force de me baisser tout le temps. Dans la seule journée d'aujourd'hui, nous avons pesé et vendu huit sacs de maïs et près de 300 kilos de sucre.

La maman me prépare de la farine de maïs avec un peu de viande, et je parle avec Lketinga de cette situation intenable. Anna et moi avons besoin d'une pause à midi pour pouvoir manger quelque chose et nous laver. Nous décidons de fermer la boutique entre midi et quatorze heures dès le lendemain. Anne est contente de ce nouvel arrangement. Nous apportons quarante litres d'eau dans le magasin pour que je puisse au moins me laver dans l'arrière-boutique.

Peu à peu, les fruits et les légumes diminuent. Même le riz, qui est pourtant cher, a déjà disparu. Je n'en ai rapporté que 3 kilos à la maison. Giuliano et Roberto viennent aujourd'hui pour la première fois dans la boutique ; ils sont admiratifs, et cela me fait plaisir. Je leur demande si je peux déposer l'argent de la caisse chez eux parce que je ne vois pas d'autre endroit où garder de telles sommes. Giuliano est d'accord et, à partir de maintenant, je passe tous les soirs à la Mission pour déposer une enveloppe remplie d'argent.

Les gens ont du mal avec les nouveaux horaires parce que la plupart d'entre eux ne possèdent pas de montre. Soit nous devons fermer de force, soit il y a tellement de monde que nous sautons la pause. Après neuf jours, la boutique est presque vide, il n'y a plus que cinq sacs de maïs, le sucre est épuisé depuis deux jours. Il faut donc que nous retournions à Maralal. Avec un peu de chance, nous serons de retour dans trois jours avec un camion. Anne restera seule dans la boutique car, depuis que nous n'avons plus de sucre, il y a beaucoup moins de monde.

A Maralal, le sucre est également une denrée rare. Les magasins n'ayant pas été réapprovisionnés, on ne vend plus de sacs de 100 kilos. Sans sucre, ce n'est pas la peine de rentrer à Barsaloi. Quand, au bout de trois jours, le sucre est enfin livré, les sacs sont rationnés. Au lieu de vingt sacs, nous n'en recevons que huit. Le cinquième jour, nous pouvons repartir avec un camion.

Pendant notre séjour à Maralal, j'ai acheté quelques nouveaux produits : des *kangas*, qui sont très demandés, du tabac à mâcher pour les vieux et même vingt paires de sandales fabriquées avec des pneus. Malheureusement, l'argent que nous avons gagné ne suffit pas pour les nouvelles acquisitions. Il faut que je retire de l'argent à la banque, et je me promets d'augmenter un peu le prix du maïs et du sucre, bien qu'il soit fixé par l'Etat. Etant donné l'importance des frais de transport, il est impossible de demander les mêmes prix qu'à Maralal. En plus, nous devons remplir le bidon d'essence de 200 litres.

Cette fois-ci, Lketinga ne me laisse pas rentrer seule avec la Land Rover car il craint que je tombe de nouveau sur des éléphants ou des buffles. Mais qui accompagnera le chauffeur du camion ? Lketinga envoie un homme de sa connaissance, à qui il croit pouvoir faire confiance. Nous partons vers midi et atteignons Barsaloi sans incident. C'est vraiment curieux : quand mon mari est avec moi, il n'y a jamais de problèmes.

Dans la boutique, c'est le calme plat. Anna vient à notre rencontre, elle a l'air de s'ennuyer. Pendant les cinq jours qu'a duré notre absence, ce qui restait de farine de maïs a également été vendu. De temps en temps arrive un client pour acheter du thé ou de la lessive. La caisse est à moitié remplie de billets mais je ne peux pas contrôler si les comptes sont justes car il reste quelques produits en stock. Je fais confiance à Anna.

Quand nous rentrons dans notre *manyatta*, nous y trouvons deux guerriers qui dorment paisiblement. Je ne suis pas très contente de trouver ma *manyatta* occupée, mais l'hospitalité exige que je les accueille. Tous les hommes du même groupe d'âge que Lketinga ont le droit de se reposer ou de passer la nuit dans notre hutte. Je dois aussi leur offrir du *chai*. Pendant que j'allume le feu, les trois hommes discutent. Lketinga me traduit qu'à Sitedi un homme a été blessé à la cuisse par un buffle. Il faut qu'il parte tout de suite en voiture pour amener le blessé chez le médecin. Je reste à Barsaloi, le camion doit arriver d'ici deux heures. J'ai un mauvais sentiment en confiant à mon mari les clés de voiture : un an plus tôt, sur le même trajet, il l'a emboutie.

Je rejoins Anna et nous rangeons la boutique de façon que tout soit prêt pour le déchargement. En fin d'après-midi, nous allumons les deux nouvelles lampes à pétrole. J'ai aussi fait l'acquisition d'un réchaud à charbon tout simple, pour pouvoir préparer occasionnellement du thé ou un repas dans l'arrière-boutique.

Enfin, le camion arrive. De nouveau, les curieux affluent. Le déchargement est vite fait. Cette fois-ci, je compte les sacs pour être sûre que tout y est, mais ma méfiance n'est pas fondée. Une fois les marchandises déchargées, c'est le chaos. Partout s'entassent des cartons que nous n'avons pas encore vidés.

Tout à coup, mon mari surgit dans la boutique. Je lui demande si tout va bien. « *No problem, Corinne, but this man has a big problem* », me répond-il. Il a amené le blessé chez le médecin de brousse, qui a nettoyé la jambe et recousu la plaie de vingt centimètres de long sans anesthésie. Maintenant l'homme se trouve dans notre *manyatta* et doit faire une visite de contrôle tous les jours.

Lketinga a acheté à Maralal plusieurs kilos de *miraa* qu'il revend à un bon prix. Tout le village vient acheter cette herbe, et même deux Somalis, pour la première fois, attirés, eux aussi, par le *miraa*. Mon mari les regarde méchamment et leur demande sur un ton arrogant ce qu'ils veulent. Son comportement me gêne. Les deux hommes sont aimables alors que notre business leur cause un préjudice. Ils reçoivent le *miraa* qu'ils ont demandé et s'en vont. Vers vingt et une heures, nous avons suffisamment avancé nos rangements pour pouvoir reprendre la vente le lendemain matin.

En entrant dans ma hutte, j'y trouve allongé un robuste guerrier dont une jambe est entourée d'épais bandages. Il gémit doucement. Je lui demande comment il va. « *OK* », me répond-il. Mais, ici, cela ne signifie pas grand-chose. Aucun Samburu ne dirait jamais autre chose, même sur le point de rendre l'âme. Il transpire énormément, l'air est chargé d'un mélange de sueur et d'iode. Peu après, Lketinga rentre ; il a sur lui deux paquets de *miraa*. Il parle au blessé mais celui-ci répond à peine. Il a probablement beaucoup de fièvre. Après une petite discussion, je suis autorisée à lui prendre la température. Le thermomètre indique 40,5 °C. Je donne au guerrier des médicaments qui font baisser la fièvre et, peu après, il s'endort. Cette nuit-là, je dors mal. Mon mari mâche du *miraa* toute la nuit ; le guerrier blessé gémit et pousse parfois des cris.

Le lendemain matin, je vais au magasin pendant que Lketinga reste avec son camarade. Les affaires marchent très bien car la nouvelle d'un arrivage de sucre et de farine de maïs s'est répandue comme une traînée de poudre. Ce jour-là, Anna a l'air fatiguée. Elle n'arrête pas de s'asseoir et, de temps en temps, elle se précipite dehors pour vomir.

Inquiète, je lui demande ce qui se passe. Elle me répond que ça va aller, qu'elle a peut-être une légère crise de malaria. Je lui dis de rentrer chez elle. L'homme qui avait accompagné le camion me propose son aide, ce qui m'arrange bien parce qu'il ne rechigne pas à la tâche. Après plusieurs heures de travail, j'ai de nouveau très mal au dos. Je ne sais pas si cela vient de ma grossesse ou du fait de devoir me baisser tout le temps. Je suppose que j'arrive à la fin du troisième mois. En dehors d'une légère proéminence, on ne voit rien. Mon mari doute maintenant que je sois enceinte et pense que j'ai peut-être une tumeur dans le ventre.

Quelque temps après, Lketinga entre dans la boutique. Il a un moment de surprise et, d'une voix sèche, il demande à l'homme qui m'aide ce qu'il fait derrière le comptoir. Je continue à servir. L'homme explique qu'Anna s'est trouvée mal et qu'elle a dû rentrer chez elle. Nous continuons à travailler ; assis dans un coin, mon mari mâche du *miraa*, ce qui finit par m'énerver. Je l'envoie chez le vétérinaire pour voir si l'on a tué une chèvre aujourd'hui car je veux faire un bon repas avec de la viande et des pommes de terre. Je veux fermer le magasin à midi pour pouvoir faire la cuisine et me laver dans l'arrière-boutique. Mais Lketinga et notre assistant veulent continuer à travailler. Je prépare un excellent ragoût sur mon nouveau réchaud. Cela fait longtemps que je n'ai pu manger tranquillement. Je garde la moitié du plat pour Lketinga. Ainsi restaurée, je reprends le travail avec des forces renouvelées.

Nous rentrons après dix-neuf heures. Le blessé est assis dans notre hutte ; il a l'air d'aller mieux. Mais la hutte est un vrai foutoir. Des branches de *miraa* effeuillées et des chewing-gums recrachés traînent partout. La casserole est posée à côté du feu avec les restes d'un repas au maïs collés aux parois. Tout autour sont éparpillés des restes de repas grouillants de fourmis. Et l'odeur ! J'en ai le souffle coupé. Je rentre du travail, fatiguée, et je dois commencer par nettoyer la hutte, sans parler de la casserole que je dois gratter avec les ongles avant de pouvoir préparer le *chai*.

Lorsque je fais part à mon mari de mon mécontentement, je me heurte à une incompréhension totale. Sans doute à cause de l'effet du *miraa*, il se sent agressé et pense que je ne veux pas aider son ami qui vient d'échapper à la mort, alors que tout ce que je demande, c'est un peu d'ordre. Le guerrier quitte la hutte en boitant, accompagné de mon mari ; ils vont chez la maman. J'entends une vive discussion, je me sens seule et exclue. Pour ne pas perdre contenance, je sors mon magnétophone et j'écoute de la musique allemande. Après quelque temps, Lketinga passe la tête par la porte et me regarde d'un air maussade. « *Corinne, what's the problem ? Why you hear this music ? What's the meaning ?* » Mon Dieu, comment lui expliquer que je me sens mal comprise et exploitée, et que je cherche une consolation dans la musique ? Il ne le comprendrait pas.

Je lui prends la main et je lui demande de s'asseoir à côté de moi. Nous écoutons la musique ensemble en fixant le feu. Peu à peu, je sens monter la tension érotique entre nous, et j'y prends plaisir. A la lueur du feu, Lketinga est merveilleusement beau. Je pose ma main sur sa cuisse sombre et nue, et je sens son excitation. Il me jette un regard sauvage et, soudain, nous sommes dans les bras l'un de l'autre. Nous nous embrassons. Pour la première fois, j'ai l'impression qu'il y prend plaisir, lui aussi. J'ai souvent réessayé de l'embrasser mais mes tentatives ont toujours échoué, jusque-là. Maintenant, il m'embrasse de plus en plus fougueusement. Enfin, nous faisons l'amour. C'est merveilleux. Une fois détendu, il caresse affectueusement mon petit ventre et me demande : « *Corinne, you are sure, you have now a baby ?* » Je réponds en riant, heureuse : « *Yes ! — Corinne, if you have a baby, why you want love ? Now it's okay, I have given you a baby, now I wait for it.* » Evidemment, cette vision des choses me refroidit un peu, mais je la prends moins au sérieux, maintenant. Nous nous endormons heureux.

Le lendemain est un dimanche. Notre boutique est fermée, et nous décidons d'assister à la messe célébrée par Giuliano. La petite église est pleine à craquer. Il n'y a presque que des femmes et des enfants. Quelques hommes, comme le vétérinaire avec sa famille, le médecin et le professeur de brousse sont assis d'un côté. Giuliano dit la messe en swahili, puis le professeur la traduit en samburu. Durant les pauses, les femmes et les enfants chantent et font du tam-tam. Dans l'ensemble, cela se passe dans la gaieté. Lketinga est le seul guerrier ; cette visite dans l'église sera sa première et sa dernière.

Nous passons l'après-midi ensemble au bord du fleuve. Je lave des vêtements, Lketinga nettoie la voiture. Enfin, nous avons suffisamment de temps pour le rituel de la toilette mutuelle. Tout est comme avant, et je repense avec nostalgie à l'époque où nous allions tous les jours au bord du fleuve. Bien sûr, notre magasin me plaît, notre alimentation est devenue plus variée. Mais nous n'avons plus autant de moments à nous. Notre vie est devenue plus stressante. Cela n'empêche pas que, tous les dimanches, je me réjouis de retourner à la boutique le lendemain. Je me suis liée d'amitié avec les femmes du village et avec les maris qui parlent un peu anglais. Peu à peu, je commence à savoir qui est avec qui.

Je me suis prise d'affection pour Anna. Depuis quelques jours, son mari est tout le temps au magasin car il est en vacances. Contrairement à Lketinga, cela ne me dérange pas. Chaque fois que le mari d'Anna consomme une boisson gazeuse, il insiste pour qu'Anna la note.

Il est temps de racheter du sucre. Les sacs sont vides et nous avons beaucoup moins de clients. En plus, les vacances scolaires approchent et je peux profiter de mes voyages à Maralal pour aller chercher James. Lketinga reste au magasin ; il veut aider Anna car il nous reste encore une vingtaine de sacs de farine de maïs que nous devons vendre pour pouvoir rentrer dans nos comptes et payer le camion.

J'emmène l'homme qui nous avait aidés la dernière fois. Il travaille bien et pourra me monter les sacs lourds dans la Land Rover. Comme d'habitude, vingt autres personnes veulent venir. Etant donné qu'il y a des histoires chaque fois, je décide de demander une petite participation pour ne pas avoir à supporter toute seule les frais d'essence. De cette façon ne viendront que ceux qui ont réellement une bonne raison. En apprenant la nouvelle, les gens attroupés se dispersent rapidement ; bientôt, il ne reste que cinq personnes qui paient le prix requis. Pour une fois, la Land Rover n'est donc pas surchargée. Nous partons tôt le matin pour pouvoir rentrer le soir même. Parmi les passagers se trouve le garde-chasse, qui doit lui aussi payer cette fois-ci.

A Maralal, tout le monde descend et je continue jusqu'à l'école. Le *headmaster* m'informe que les cours ne finissent qu'à seize heures. Nous convenons que j'emmènerai trois ou quatre écoliers à Barsaloi. Dans l'intervalle, mon aide et moi achetons trois sacs de sucre et quelques fruits et légumes. Je ne peux pas charger davantage si je veux emmener les garçons. Il me reste deux heures dont je profite pour aller voir Sophia.

Elle est ravie de me voir. Contrairement à moi, elle a pris quelques kilos. Elle me prépare des spaghettis ; après tout ce temps pendant lequel j'ai vécu sans féculents, c'est un repas de fête. Pas étonnant qu'elle grossisse si rapidement ! Son ami rasta surgit puis disparaît avec quelques amis. Sophia se plaint qu'il ne la regarde presque plus depuis sa grossesse. Il ne veut pas travailler, mais il dépense l'argent de Sophia en allant boire des bières avec ses amis. Malgré le relatif confort dont elle jouit, je ne l'envie pas. Au contraire : l'exemple de Sophia me fait mesurer les efforts auxquels s'astreint Lketinga.

Je prends congé de Sophia en lui promettant de venir la voir chaque fois que je viendrai à Maralal. Je passe embarquer mon assistant et le garde-chasse à l'endroit convenu. Nous allons à l'école, où les trois garçons nous attendent déjà. James est très content qu'on vienne le chercher en voiture. Nous partons sur-le-champ pour être rentrés avant la nuit.

Sentiers dans la jungle

La voiture monte en serpentin la route rouge et poussiéreuse. Peu avant le double virage, le garde-chasse et moi rions en repensant à notre aventure avec les éléphants. A l'arrière, les garçons discutent en riant. Juste avant la descente très raide, je m'apprête à mettre la propulsion à quatre roues. Je freine, puis je freine encore une fois mais la voiture continue à avancer vers la « pente de la mort ». Terrifiée, je hurle : « *No brakes !* » En même temps, je ne peux tourner à droite, où, caché par les arbres, un précipice s'ouvre tout à côté du chemin. Je braque donc le volant à gauche sans réfléchir pendant que le garde-chasse essaie d'ouvrir la porte.

Comme par miracle, la voiture monte dans un grand fracas sur la roche qui ne fait qu'une trentaine de centimètres de haut à cet endroit-là. Si j'avais braqué un tout petit peu plus loin, je serais entrée de front dans le rocher. Je prie pour que la voiture soit arrêtée par les buissons. Le plateau ne fait que cinq ou six mètres de long, puis une pente raide descend dans la jungle.

Les garçons sont affolés et le visage du garde-chasse est livide. Enfin, la voiture s'immobilise à environ un mètre de la fin du plateau. Je tremble tellement que je suis incapable de descendre.

Comme nous ne bougeons pas à l'avant et que la porte arrière est fermée, les écoliers sortent par les fenêtres. Les genoux tremblants, je finis par descendre quand même pour inspecter les dégâts. A cet instant, la voiture commence à bouger légèrement. J'ai la présence d'esprit de ramasser la première pierre que je trouve et de la poser devant une roue. Les garçons découvrent que le câble du frein est cassé. Encore sous le choc, nous restons debout autour de la voiture, désemparés ; trois mètres à peine nous séparent de la pente de la mort.

Nous ne pouvons pas nous attarder dans la brousse, dit le garde-chasse, bien qu'il soit armé, cette fois. Dès que la nuit sera tombée, il va faire très froid. Continuer jusqu'à Barsaloi sans utiliser les freins est tout aussi impossible. Il ne nous reste qu'à retourner à Maralal. Je devrais pouvoir y arriver sans utiliser les freins ; au pire, je pourrais me servir de la propulsion à quatre roues. D'abord, il faut remettre la voiture dans l'autre sens sur cet étroit plateau. Nous ramassons de gros cailloux et je démarre doucement. Je ne peux pas avancer de plus de cinquante centimètres, et les garçons doivent arrêter la voiture en posant des cailloux devant chaque roue. Suit la même manœuvre en marche arrière, alors que je ne vois pratiquement rien. La sueur me dégouline sur le visage et je prie Dieu de nous aider. Après cet accident où nous avons échappé à la mort de justesse, je suis convaincue qu'Il existe. Au bout d'une heure de manœuvre, le deuxième miracle est accompli : la voiture est orientée dans l'autre sens.

Il fait déjà nuit dans la jungle quand nous pouvons enfin repartir, en première vitesse et en nous servant de la propulsion à quatre roues. Lorsque la route descend, la voiture prend beaucoup trop de vitesse ; quand nous sommes sur le plat, le moteur hurle affreusement mais je n'ose pas passer la seconde. Machinalement, j'appuie sur la pédale des freins dans les moments critiques. Après plus d'une heure, nous sommes soulagés d'arriver à Maralal. Ici, les gens traversent la rue en supposant que les quelques voitures qui passent vont freiner. Je ne peux que klaxonner, les gens sautent sur le bas-côté et s'écartent en protestant. Peu avant le garage, j'éteins le moteur et je laisse la voiture s'arrêter d'elle-même. Le chef somali est en train de fermer la boutique. Je lui explique mon problème et lui dis que je ne peux pas laisser la voiture pleine de marchandises dans la rue si elle n'est pas gardée. Il ouvre la porte en fer, et quelques hommes poussent la voiture à l'intérieur.

Nous allons tous ensemble boire du *chai* et, toujours sous le choc, nous discutons de la situation. Bien sûr, nous devons trouver un *lodging*. Le garde-chasse se renseigne de son côté, tandis que j'invite naturellement les garçons et mon assistant. Nous prenons deux chambres. Les garçons me proposent de se partager un lit à deux, ce qui m'arrange bien car j'ai envie d'être seule. Après le repas, je me retire. Je suis malade en pensant à mon mari. Il ne sait pas ce qui s'est passé et va sûrement s'inquiéter beaucoup.

Tôt le matin, je vais au garage. Les ouvriers sont en train de réparer notre voiture. Le chef somali ne comprend pas comment une panne pareille a pu se produire. Vers onze heures, la voiture est prête mais, cette fois-ci, je n'ose pas emprunter la route qui traverse la jungle. Je suis encore marquée par la peur : enceinte de quatre mois, je dois faire attention à moi. Nous prenons le détour par Baragoi, qui dure environ quatre heures et demie. Pendant le trajet, je pense à mon mari qui doit se faire du souci.

Nous avançons bien. Cette route, dont le seul piège est la pierraille, est beaucoup moins difficile que l'autre. Nous avons parcouru une bonne moitié du chemin lorsque, en traversant le lit d'un fleuve asséché, j'entends un sifflement qui m'est familier. Pour tout arranger, nous avons crevé ! Tout le monde descend, les garçons sortent la roue de secours de dessous les sacs de sucre. Mon assistant met en place le cric et, une demi-heure plus tard, la roue est changée. Pour une fois, je n'ai rien à faire, je suis assise en plein soleil et je fume une cigarette. Nous poursuivons notre voyage et nous arrivons à Barsaloi dans le courant de l'après-midi.

Nous nous garons à côté du magasin et je m'apprête à descendre quand mon mari vient vers moi avec un regard méchant. Debout devant la portière, il fait un mouvement de désapprobation : « *Corinne, what is wrong with you ? Why you come late ?* » Je commence à lui raconter mais il m'arrête d'un geste dédaigneux, sans même m'avoir écoutée, et me demande avec qui j'ai passé la nuit à Maralal. C'est à mon tour d'être furieuse. Nous avons échappé à la mort de justesse, et mon mari croit que je l'ai trompé ! Je n'aurais jamais cru qu'il réagirait ainsi.

Les garçons me viennent en aide et lui décrivent le voyage. Il rampe sous la voiture pour examiner le câble. Il ne se calme qu'en voyant des traces d'huile de freinage. Mais ma déception est profonde et je décide de me retirer dans ma hutte. Qu'ils se débrouillent sans moi, puisque James est là, maintenant ! Je salue furtivement la maman et Saguna, puis j'entre chez moi et me mets à pleurer d'épuisement et de déception.

En fin d'après-midi, je commence à avoir froid. Je n'y accorde pas grande importance et me prépare du *chai*. Lketinga vient en boire. Nous ne parlons pas beaucoup. Tard le soir, il part chercher les quelques chèvres qu'on n'a pas encore récupérées depuis notre mariage, dans un village très éloigné. Il me dit qu'il sera de retour dans deux jours. Il s'entoure les épaules de sa couverture rouge, attrape ses deux lances et quitte la *manyatta* sans un mot. Peu après, je l'entends parler avec la maman, puis tout est calme, à part des cris de bébé dans une hutte voisine.

Mon état s'aggrave. Dans la nuit, je suis saisie de peur. Serait-ce une nouvelle crise de malaria ? En fouillant, je trouve mes médicaments et je lis attentivement la notice. Si l'on craint d'être atteint de malaria, il faut prendre trois cachets à la fois mais, en cas de grossesse, il est conseillé de consulter un médecin. Mon Dieu, en aucun cas je ne veux perdre mon bébé ! Pourtant, le risque est important quand on fait une crise de malaria avant le sixième mois. Je décide de prendre les trois cachets et remets du bois dans le feu pour me réchauffer.

Le matin, je ne me réveille qu'en entendant des voix à l'extérieur. Je sors de la hutte, éblouie par la lumière crue du soleil. Il est presque huit heures et demie. La maman est assise devant sa hutte et me regarde en riant. « *Supa Corinne* », me lance-t-elle. Je réponds « *Supa mama* » et je m'enfonce dans la brousse pour faire mes besoins.

Je me sens éreintée et fatiguée. Quand je reviens à la hutte, quatre femmes demandent ce qui se passe avec la boutique. J'entends la voix de la maman dire : « *Corinne, tuka* » pour m'inciter à ouvrir la boutique. Je réponds : « *Ndjo, ja, later !* » Comme j'ai rapporté du sucre, la veille, tout le monde veut en acheter, ce qui est bien compréhensible. Une demi-heure plus tard, je me traîne jusqu'à la boutique.

Vingt personnes attendent mais Anna n'est pas parmi elles. J'ouvre le magasin et, tout de suite, les femmes commencent à jacasser. Chacune veut être servie en premier. Je sers machinalement. Que fait Anna ? Mon assistant n'est pas venu non plus et je ne sais pas où se trouvent les garçons. Pendant que je sers, j'ai tout à coup envie d'aller aux toilettes. J'attrape le papier hygiénique et fonce à la petite maison qui abrite les W.-C. J'ai la diarrhée. Le magasin est plein de monde. C'est une boîte ouverte qui sert de caisse ; elle est accessible à tous ceux qui vont derrière le comptoir. Je retourne au milieu des femmes qui continuent à jacasser. La diarrhée me force à quitter le magasin plusieurs fois.

Anna m'a laissée tomber, elle n'est pas venue. Jusque-là, je n'ai pas vu un seul visage connu, personne à qui j'aurais pu expliquer vaguement ma situation en anglais et à qui j'aurais pu demander de l'aide. Passé midi, je ne tiens presque plus sur mes jambes.

Enfin apparaît la femme du professeur. Je l'envoie chez la maman pour voir si les garçons sont à la maison. Peu après apparaît heureusement James avec le garçon qui avait partagé ma chambre dans le *lodging*, voilà quelque

206

temps. Ils se déclarent tout de suite prêts à s'occuper de la boutique pour que je puisse rentrer. La maman me jette un regard étonné et me demande ce qui se passe. Comment lui expliquer ? Je hausse les épaules : « *Maybe malaria.* » Elle me regarde d'un air effrayé et se touche le ventre. Je comprends ce qu'elle veut dire ; je me sens désemparée et triste. Elle vient dans ma *manyatta* et me prépare du thé noir car, d'après elle, le lait n'est pas bon pour moi. En attendant que l'eau bouille, elle n'arrête pas de parler à *Enkaï.* A sa façon, la maman prie pour moi. Avec ses longs seins et sa robe crasseuse, je l'aime vraiment beaucoup. A cet instant, je suis contente que mon mari ait une mère aussi gentille et prévenante, et je ne veux pas la décevoir.

Quand nos chèvres rentrent, le frère aîné vient me voir ; inquiet, il essaie d'engager une conversation en swahili. Mais, trop fatiguée, je m'endors tout le temps. Au milieu de la nuit, je me réveille baignée de sueur, j'entends des pas à côté de la hutte et le bruit de lances qu'on enfonce dans la terre. Mon cœur bat la chamade lorsque le grognement familier se fait entendre et que, peu après, une silhouette apparaît dans la hutte. Il fait tellement noir que je ne distingue rien. D'une voix pleine d'espoir, je dis : « *Darling ?* dans le noir. — *Yes, Corinne, no problem* », répond la voix de mon mari. Soulagée, je lui décris mon état et il se montre très inquiet. Comme je n'ai pas eu de frissons jusque-là, je garde l'espoir que, comme je viens de prendre des médicaments, mon état se normalise.

Je reste à la maison pendant que Lketinga et les garçons s'occupent de la boutique. Je récupère lentement et la diarrhée s'arrête au bout de trois jours. Après une semaine de repos, je commence à m'ennuyer et je vais travailler l'après-midi. Je trouve le magasin en mauvais état. Il n'a presque pas été nettoyé et tout est couvert de farine. Les étagères sont presque vides. Les quatre sacs de sucre sont vendus depuis longtemps, et il reste tout juste un sac et demi de maïs. Nous devrons donc faire un nouveau voyage à Maralal. Nous projetons d'y aller la semaine suivante, pour la fin des vacances scolaires ; ainsi, je pourrai emmener quelques-uns des garçons à Maralal.

C'est calme, dans la boutique. Dès qu'il n'y a plus les aliments de base, les clients ne viennent plus de loin. Je vais voir Anna chez elle. Lorsque j'arrive dans sa petite maison, je la trouve alitée. Je lui demande ce qu'elle a mais, d'abord, elle ne veut pas me répondre. Finalement, je réussis à lui soutirer qu'elle est enceinte, elle aussi. Elle en est seulement au troisième mois, mais elle a eu des saignements récemment et c'est pour cela qu'elle n'est pas venue au travail. Nous convenons qu'elle y retournera quand les garçons seront partis.

L'école va bientôt recommencer et nous partons pour Maralal. Cette fois-ci, le magasin restera fermé. Au bout de trois jours, nous pouvons envoyer le camion plein à Barsaloi ; notre assistant l'accompagne. Lketinga vient avec moi, et nous prenons la route à travers la jungle. Heureusement, tout se passe sans incident. Le camion devrait arriver peu avant la tombée de la nuit. Mais au lieu du véhicule surgissent deux guerriers qui nous informent que le camion s'est embourbé dans le dernier lit de fleuve avant Barsaloi. Nous franchissons cette petite distance avec notre voiture et nous examinons la situation. Dans le large lit asséché, la roue gauche s'est embourbée dans le sable peu avant d'atteindre la rive. A force de tourner à vide, elle s'est enfoncée dans le sable mouvant.

Il y a déjà pas mal de monde sur le lieu de l'accident ; certains ont commencé à poser des cailloux et des branches d'arbre sous la roue. A cause du lourd chargement, le camion penche de plus en plus d'un côté, et le chauffeur déclare qu'il n'y a pas d'autre solution que de décharger sur place. Sa proposition ne me ravit pas vraiment, et je voudrais demander conseil au père Giuliano. Celui-ci n'est pas enchanté de me voir arriver car il est déjà au courant de ce qui s'est passé. Il consent néanmoins à prendre sa voiture et à venir avec moi.

Il essaie d'utiliser un treuil mais notre Land Rover n'arrive pas à dégager le camion. Il ne nous reste plus qu'à transporter les cent sacs d'un quintal chacun avec nos voitures. Nous pouvons charger huit sacs à chaque voyage. Giuliano accomplit cinq voyages, puis il rentre à la Mission, excédé. Je fais encore sept voyages supplémentaires avant que nous ayons tout rentré dans la boutique. La nuit est tombée, entre-temps, je suis à bout de forces. Dans le magasin règne un chaos indescriptible mais nous fermons et décidons de ne ranger la marchandise que le lendemain matin.

Souvent, on nous propose l'achat de peaux de chèvre ou de vache. Jusque-là, j'ai toujours refusé, ce qui provoque le mécontentement des femmes qui sortent parfois de la boutique en maugréant et vont vendre leur marchandise aux Somalis. Mais, depuis quelque temps, les Somalis n'achètent plus que les peaux de ceux qui s'approvisionnent chez eux en maïs ou en sucre. Cela donne lieu à de longues discussions tous les jours. Je décide donc d'acheter moi aussi des peaux de bêtes et de les stocker dans l'arrière-boutique.

A peine deux jours plus tard, le malin petit *chief* vient nous voir et réclame la licence pour le commerce de peaux de bêtes. Evidemment, nous n'en avons pas car j'ignorais qu'il en fallait une. En plus, il dit qu'il pourrait fermer le magasin car il est interdit d'entreposer les peaux dans le même endroit que les aliments. Il faut une distance minimum de cinquante mètres entre les deux. Je reste sans voix en apprenant la nouvelle car les Somalis entreposent également leurs peaux dans la même pièce, mais le *chief* le nie tout simplement. Je devine maintenant qui nous l'a envoyé. Comme j'ai déjà accumulé plus de quatre-vingts peaux que je compte revendre lors de mon prochain passage à Maralal, je dois gagner du temps pour essayer de trouver un endroit qui ferme à clé. J'offre deux sodas au *chief* et je lui demande de m'accorder un délai jusqu'au lendemain.

Après de longues négociations, mon mari et le *chief* se mettent d'accord : nous sortirons les peaux du magasin. Mais qu'en faire ? Les peaux représentent tout de même pas mal d'argent. Je vais prendre conseil à la Mission. Roberto dit qu'il n'a pas de place non plus. Nous devons attendre Giuliano, qui passe nous voir, le soir, à moto. A ma grande joie, il nous propose une petite maison qui servait anciennement d'abri pour la pompe à eau ; Giuliano y entrepose de vieilles machines. Il n'y a pas beaucoup de place mais c'est mieux que rien, et la maison ferme à clé. J'ai résolu un problème de plus, et je commence à me rendre compte à quel point l'aide du père Giuliano est précieuse.

Le magasin fonctionne bien, et Anna vient ponctuellement. Elle va mieux. Un après-midi, il y a tout à coup une agitation folle dans la boutique. Un de nos petits voisins arrive en courant et, tout excité, va parler à Lketinga. Je demande : « *Darling, what happened ?* » Il me répond que deux chèvres de notre troupeau se sont perdues, et qu'il doit partir tout de suite à leur recherche avant que la nuit tombe et que les animaux sauvages les surprennent. Il s'apprête à saisir ses deux lances lorsque la domestique du professeur de brousse surgit dans la boutique, le visage livide. Elle aussi parle avec Lketinga ; je comprends seulement qu'il est question de notre voiture et de Maralal. Inquiète, je demande à Anna : « *What's the problem ?* » Elle me raconte avec beaucoup d'hésitation que la femme du professeur attend un bébé, qu'elle doit aller tout de suite à l'hôpital mais qu'il n'y a personne à la Mission.

La femme du professeur

Je dis vivement à mon mari : « *Darling, we have to go with her to Maralal* », mais il répond que ce n'est pas son problème et qu'il doit aller chercher ses chèvres. A cet instant, je ne le comprends pas ; furieuse, je lui demande si, à son avis, une vie humaine ne vaut pas plus cher que celle d'un animal. Mes arguments ne le convainquent pas. Ce n'est tout de même pas de sa femme à lui qu'il s'agit, me dit-il, et s'il attend deux heures de plus, ses chèvres vont être dévorées par les bêtes sauvages ; sur ces paroles, il quitte la boutique. Je reste sans voix, choquée que mon mari, qui a si bon cœur d'habitude, puisse se montrer aussi insensible.

Je dis à Anna que je vais aller voir la femme et que je déciderai après de ce qu'il conviendra de faire. Leur maison est à deux minutes du magasin. En entrant, j'ai un choc. Des morceaux de tissu tachés de sang traînent partout. La jeune femme, recroquevillée sur la terre battue, pousse des gémissements atroces. Je m'adresse à elle en anglais : elle est venue quelquefois à la boutique, je sais qu'elle le parle. En s'interrompant fréquemment, elle me raconte que les saignements ont déjà commencé il y a

210

deux jours mais que son mari l'a empêchée d'aller voir le médecin. Il est très jaloux et s'oppose aux examens médicaux. Comme il s'est absenté, elle voudrait en profiter pour aller en voir un.

Pour la première fois, elle me regarde, et je perçois de la peur au fond de ses yeux : « *Please, Corinne, help me, I am dying !* » Elle soulève sa jupe et je vois un petit bras bleu qui sort de son vagin. Je fais un effort pour rester calme et lui promets d'aller chercher tout de suite la Land Rover. Je sors de la maison en hâte. Je dis à Anna que je pars pour Maralal et lui demande de fermer le magasin si mon mari n'est pas rentré à dix-neuf heures.

Je cours jusqu'à notre *manyatta* en sentant à peine les épines qui me griffent les jambes. Des larmes me coulent sur le visage, tellement je suis furieuse contre mon mari. Pourvu que nous atteignions Maralal à temps ! A la maison, la maman, interrogative, me regarde sortir toutes les couvertures en laine, et même notre peau de vache, et les étaler à l'arrière de la Land Rover. Je n'ai pas le temps de lui expliquer. Chaque minute compte. Je démarre sur les chapeaux de roue, sans réfléchir. Un regard sur la Mission me prouve qu'il n'y a personne : les deux voitures sont parties. Je m'arrête devant la maison du professeur et, avec l'aide de la domestique, je porte la malade jusqu'à la voiture.

C'est d'autant plus difficile qu'elle ne tient plus debout. Nous l'allongeons doucement sur les deux couvertures qui la protègent tant bien que mal de la tôle froide, mais qui ne seront certainement pas suffisantes pour amortir les chocs. La domestique monte elle aussi dans la voiture et nous partons. Je m'arrête à la maison du médecin pour lui demander s'il ne peut pas nous accompagner. Mais il n'est pas là non plus ! Mais où sont-ils donc tous, pour une fois qu'on a besoin d'eux ? A défaut de médecin, nous embarquons quelqu'un de Maralal qui s'est proposé pour nous accompagner. Ce n'est pas un Samburu.

C'est une question de vie ou de mort, mais je ne peux pas rouler très vite, sinon la femme est trop secouée à l'arrière. A chaque cahot, elle pousse un cri de douleur. La jeune fille lui tient la tête et lui parle doucement. Je suis baignée de sueur et je dois m'essuyer le visage mouillé par les larmes. Ce professeur laisse mourir sa femme par jalousie ! Lui qui traduit la messe tous les dimanches à l'église, lui qui sait lire et écrire ! J'aurais du mal à y croire si je n'avais pas vu de mes propres yeux la réaction de mon mari. Apparemment, la vie d'une femme compte moins, pour lui, que celle d'une chèvre. Si la personne en détresse était un guerrier — celui que nous avons hébergé pendant un mois, par exemple —, la réaction de Lketinga serait sans doute différente. Dans le cas présent, il ne s'agit que d'une femme ; d'une femme qui n'est pas la sienne, qui plus est. Que se passerait-il s'il y avait des complications au cours de ma grossesse ?

Toutes ces pensées me passent par la tête pendant que j'avance lentement. Par moments, la femme perd conscience et les gémissements s'arrêtent. Nous arrivons au terrain d'éboulis, et je suis malade en pensant aux cahots que va subir la voiture. Même conduire lentement ne sert plus à rien. Je dis à la servante de tenir la femme le mieux possible. L'homme n'a pas encore ouvert la bouche. Je mets la propulsion à quatre roues, et la voiture commence à rouler sur les pierres énormes. La femme pousse des cris atroces. Quand nous sommes arrivés au bout du terrain, elle se calme immédiatement. Je traverse la jungle aussi vite que je peux. Peu avant la « pente de la mort », je réenclenche la propulsion à quatre roues. La voiture grimpe lentement. Au milieu de la pente, le moteur commence à toussoter. La voiture arrive tout juste en haut de la pente, en cahotant, puis s'arrête complètement, juste à côté du plateau où j'ai déjà été en panne une fois.

J'essaie désespérément de redémarrer, sans succès. Maintenant, l'homme à côté de moi se réveille. Nous descendons pour inspecter le moteur. J'enlève toutes les bougies, mais aucune n'est défectueuse. La batterie est pleine. Quel est le problème de cette fichue voiture ? J'agite tous les câbles, je regarde sous la voiture sans arriver à trouver la cause de la panne. Je réessaie plusieurs fois de démarrer, mais rien ne va plus. Même la lumière ne fonctionne plus.

La nuit se met à tomber et nous commençons à être attaqués par les frelons. J'ai peur, maintenant. A l'arrière de la voiture, la femme continue à gémir. Les couvertures sont pleines de sang. J'explique à l'homme, qui n'est pas de Barsaloi, que nous sommes perdus ici car cette route est très peu passante. La seule possibilité, c'est qu'il aille chercher de l'aide à Maralal. Je calcule qu'il mettra environ une heure et demie, à pied. Il refuse de partir seul et sans arme. Alors j'explose et le traite de tous les noms : il ne comprend pas que la situation est grave, plus il attend, plus il fera noir et froid. S'il part immédiatement, nous avons une petite chance d'être secourus. Enfin, il se met en route.

Nous n'aurons pas de secours avant deux heures. J'ouvre l'arrière de la voiture et j'essaie de parler avec la femme, mais elle a de nouveau perdu conscience. Il commence à faire froid et j'enfile ma veste. La femme se réveille et demande de l'eau. Elle a soif, ses lèvres sont gercées. Mon Dieu ! Dans la précipitation du départ, j'ai encore commis une énorme bêtise. Nous n'avons pas d'eau potable ! En fouillant dans la voiture, je trouve une bouteille de Coca vide et pars chercher de l'eau. Il doit bien y avoir de l'eau, par ici ; tout est tellement vert ! Au bout de cent mètres, j'entends un bruit d'eau, mais la densité de la végétation m'empêche de voir d'où cela vient. J'avance pas à pas dans la broussaille. Après deux mètres, la pente devient raide. En bas, il y a un petit ruisseau que je ne peux pas atteindre car je n'arriverais pas à remonter le mur rocheux et glissant. Je cours à la voiture chercher la corde dont on se sert pour hisser les bidons d'essence. La femme hurle de douleur. Je coupe un bout de la corde auquel j'attache la bouteille pour pouvoir la descendre jusqu'au ruisseau. Elle se remplit lentement. Quand je la pose enfin sur les lèvres de la femme, je me rends compte que son corps est brûlant. En même temps, des frissons la font claquer des dents. Elle boit toute la bouteille, et je retourne chercher de l'eau.

De retour à la voiture, j'entends des cris comme je n'en ai jamais entendu de ma vie. La jeune fille qui tient la femme est en larmes. Elle est encore très jeune, elle doit avoir treize ou quatorze ans. Je regarde le visage de la femme ; au fond de ses yeux, je perçois la peur de la mort. « Je meurs, je meurs, *Enkaï* ! balbutie-t-elle. *Please, Corinne, help me !* » Qu'est-ce que je dois faire ? Non seulement je n'ai jamais assisté à un accouchement, mais je suis moi-même enceinte pour la première fois. « *Please, take out this child, please, Corinne !* » Je soulève la robe de la femme et je revois la même image. Le petit bras bleu violacé est sorti jusqu'à l'épaule.

La pensée me traverse l'esprit que l'enfant est mort. Il est couché sur le côté et, sans césarienne, il ne pourra pas sortir. En larmes, j'explique à la femme que je ne peux pas l'aider mais qu'avec un peu de chance nous aurons de l'aide d'ici une heure. Je retire ma veste et la pose sur son corps tremblant. Mon Dieu, pourquoi nous laisses-Tu seules ? Qu'est-ce que j'ai fait pour que cette voiture nous lâche justement aujourd'hui ? Je ne comprends plus rien. Au bord du désespoir, je m'enfonce dans la brousse ; je ne peux plus supporter les cris perçants ; mais je reviens aussitôt.

Dans sa peur de mourir, la femme me demande mon couteau. Je réfléchis fébrilement à ce que je dois faire, et je décide de ne pas le lui donner. Soudain elle se redresse et s'accroupit. La jeune fille et moi la regardons avec effroi lutter contre la mort. Enfonçant ses deux mains dans son vagin, elle tourne le bras tout en tirant dessus et, au bout d'un certain temps, un enfant bleu-violet gît sur la couverture de laine. Aussitôt, elle retombe en arrière et reste immobile, épuisée.

Je me ressaisis la première, et j'enveloppe l'enfant mort ensanglanté, qui doit avoir à peu près sept mois, dans un *kanga*. Puis je redonne à boire à la femme. Elle est parcourue de frissons mais semble calme, maintenant. J'essaie de lui nettoyer les mains et de lui dire des paroles rassurantes, tout en tendant l'oreille vers la brousse. Quelque temps après, j'entends un léger bruit de moteur.

En apercevant peu après la lumière des phares à travers la broussaille, je me sens soulagée. Je tiens la lampe de poche en l'air pour qu'ils nous voient. C'est la Rover-Samu de l'hôpital. Trois hommes en descendent. Je leur explique ce qui s'est passé, et ils transportent la femme sur un brancard jusqu'à leur voiture, ainsi que la dépouille de l'enfant mort. La jeune fille monte avec eux. Le chauffeur de la Rover examine ma voiture. En tournant la clé, il sait tout de suite ce qui ne va pas. Il me montre le câble qui pend derrière le volant. Le fil d'allumage est arraché. En moins d'une minute, il l'a refixé, et la voiture redémarre.

Pendant que les autres retournent à Maralal, je

rebrousse chemin en direction de la maison. Epuisée et bouleversée, j'arrive dans notre *manyatta*. Mon mari veut savoir pourquoi je rentre si tard. J'essaie de lui raconter, et je me rends compte qu'il ne me croit pas. Sa réaction me désole, et je ne comprends pas pourquoi il a si peu confiance en moi. Ce n'est tout de même pas ma faute si la voiture tombe toujours en panne quand il n'est pas avec moi. Je refuse de discuter plus longtemps et je me couche.

Le lendemain matin, je vais travailler sans beaucoup d'enthousiasme. J'ai à peine ouvert le magasin lorsque le professeur vient me remercier longuement de mon aide, sans même me demander comment va sa femme. Quel hypocrite !

Peu après arrive le père Giuliano, désolé de ce que nous avons vécu, et le fait qu'il me dédommage généreusement n'est pas une consolation. Il a appris par un message radio que, vu les circonstances, la femme va relativement bien.

Le stress du magasin me fatigue, mais je ne veux pas le reconnaître. Depuis le jour du drame, je dors mal et je fais des rêves horribles. Le troisième matin après l'événement, je suis tellement KO que j'envoie Lketinga seul dans la boutique pour qu'il aide Anna. Je reste assise sous le grand arbre avec la maman. Dans l'après-midi, le médecin passe et m'explique que la femme du professeur est hors de danger, mais qu'elle doit rester encore quelques semaines à Maralal.

Il essaie de calmer ma conscience en me disant que, si les choses ont tourné ainsi, c'est parce que, en fait, la femme ne voulait pas de cet enfant. Elle a arrêté la voiture par sa seule force spirituelle, ajoute-t-il. En prenant congé, il me demande comment je vais. Je lui décris mon état de fatigue, que j'attribue aux récentes épreuves. Inquiet, il me met en garde contre une éventuelle crise de malaria : mes yeux sont légèrement jaunes.

Peur pour mon enfant

Ce soir-là, on tue un mouton. Comme je n'ai encore jamais mangé de viande de mouton ici, je suis curieuse d'y goûter. La maman prépare notre part du repas. Elle fait cuire plusieurs morceaux simplement à l'eau. Nous buvons des tasses entières de cette eau de cuisson grasse, assez insipide. La maman dit que c'est bon quand on est enceinte et qu'on doit prendre des forces. Apparemment, cela ne me réussit pas car, dans la nuit, je suis prise de diarrhées. J'ai tout juste le temps de réveiller mon mari, qui m'aide à ouvrir la haie d'épines et à parcourir une vingtaine de mètres, pas plus. Puis je me traîne jusqu'à notre *manyatta*. Lketinga est inquiet pour notre enfant et pour moi.

Le lendemain matin, cela recommence, puis je vomis. Malgré la grande chaleur, je frissonne. Maintenant, je constate moi aussi que j'ai les yeux jaunes, et j'envoie Lketinga à la Mission. J'ai peur pour l'enfant car je suis sûre que c'est le début d'une nouvelle crise de malaria. A peine dix minutes plus tard, j'entends la voiture de la Mission ; le père Giuliano entre dans notre hutte. Je lui explique que je suis enceinte de cinq mois. Il est étonné car il ne s'en était pas aperçu. Il propose tout de suite de m'emmener à Wamba, à l'hôpital de la Mission, car, autrement, je risque de faire une fausse couche. Je prends quelques affaires en vitesse, puis nous partons. Comme nous avons ouvert le magasin, Lketinga reste.

La voiture du père Giuliano est plus confortable que la mienne. Il roule à toute allure mais, heureusement, il connaît bien la route. Nous ne parlons pas beaucoup pendant les trois heures de voyage. A l'hôpital de la Mission, nous sommes attendus par deux bonnes sœurs blanches. Elles m'emmènent dans la salle d'examen, où je peux m'allonger sur un lit. Je suis surprise par la propreté et l'ordre qui règnent dans ce lieu. Pourtant je me sens impuissante et une profonde tristesse m'envahit. Quand Giuliano entre pour prendre congé, des larmes me montent aux yeux. Inquiet, il me demande ce que j'ai. Si je le savais ! J'ai peur pour mon enfant. En plus, j'ai laissé mon mari seul dans la boutique. Giuliano essaie de me calmer et me promet d'aller voir tous les jours à la boutique si tout se passe bien et de donner des nouvelles aux sœurs par radio. Sa sollicitude me touche tellement que je me remets à pleurer.

Il appelle une infirmière et on me fait une piqûre. Ensuite le médecin vient m'examiner. En apprenant que je suis enceinte de cinq mois, il se montre inquiet et me dit que je suis trop maigre et anémique. Par conséquent, l'enfant est beaucoup trop petit. Puis il donne son diagnostic : j'ai un début de malaria.

Je demande quelles en seront les conséquences pour mon enfant. D'un geste, il écarte mes angoisses. Il faut d'abord que je me repose, dit-il. Alors il n'arrivera rien à l'enfant. Si j'étais venue plus tard, mon anémie aurait provoqué une fausse couche. Mais il a bon espoir ; en tout cas, l'enfant vit. Ses mots me rendent tellement heureuse que je veux tout faire pour guérir le plus vite possible. On me met dans une chambre pour quatre à la maternité.

Dehors, des buissons rouges fleurissent ; l'hôpital n'a rien à voir avec celui de Maralal. Je suis contente d'avoir agi aussi vite. L'infirmière arrive et m'explique qu'on me fera deux piqûres par jour et des perfusions, indispensables pour éviter que le corps ne se déshydrate. C'est donc ainsi qu'on traite la malaria ! Je commence à comprendre que j'ai échappé de justesse à la mort, à l'hôpital de Maralal. Les bonnes sœurs s'occupent de moi avec beaucoup de gentillesse. Le troisième jour, on arrête enfin les perfusions. Quant aux piqûres, je dois les endurer deux jours de plus.

Les bonnes sœurs m'informent que tout va pour le mieux dans la boutique. Je me sens renaître, je suis impatiente de retourner à la maison et de retrouver mon mari. Le septième jour, il apparaît avec deux guerriers. Je suis très contente, mais je m'étonne quand même un peu qu'il ait abandonné le magasin. « *No problem, Corinne, my brother is there !* » répond-il en riant. Puis il me raconte qu'il a mis Anna à la porte parce qu'elle nous volait et qu'elle donnait parfois des aliments aux gens sans les faire payer. Je n'arrive pas à le croire et je lui demande, inquiète, qui m'aidera à l'avenir. Il me dit qu'il a engagé un garçon qui travaille sous le contrôle de son frère aîné et de lui-même.

217

Je dois me retenir de rire car je ne vois pas bien comment deux analphabètes peuvent contrôler un ancien écolier. Il ajoute que le magasin est presque vide, et qu'il est donc venu avec la Land Rover pour aller ensuite à Maralal et affréter un camion avec les deux guerriers qui l'accompagnent. Effarée, je lui demande : « Avec quel argent ? » Il me montre un sac plein de billets de banque. Il est allé chercher tout cet argent chez le père Giuliano, me dit-il. Fébrilement, je réfléchis à ce qu'il convient de faire. S'il va à Maralal avec les deux guerriers, il se fera plumer comme une oie. Les billets se trouvent en vrac dans un sac en plastique et il ne sait même pas combien il y en a.

Je n'ai pas achevé mes réflexions lorsque le médecin arrive pour sa visite quotidienne, et les guerriers sont priés de sortir. Le médecin me dit que la malaria est vaincue, en tout cas pour cette fois. Il me promet de me laisser sortir le lendemain, à condition que je ne travaille pas beaucoup et que je revienne à l'hôpital au plus tard trois semaines avant la date prévue pour l'accouchement. Je suis soulagée qu'il me laisse sortir et j'en informe Lketinga. Lui aussi est content et promet de venir me chercher le lendemain. Les trois hommes passent la nuit dans un *lodging* à Wamba.

Je prends le volant pour aller à Maralal et, comme toujours quand mon mari est là, il n'y a aucun problème. Nous réussissons à réserver un camion pour le lendemain. Au *lodging*, je compte l'argent que Lketinga a apporté. Effarée, je constate qu'il manque quelques milliers de shillings kenyans pour payer le chargement. J'interroge Lketinga, qui me répond évasivement qu'il en reste au magasin. Je n'ai d'autre choix que de retirer encore de l'argent à la banque, au lieu d'y déposer enfin les bénéfices. Mais je suis contente que nous retournions à Barsaloi aussi vite. Cela fait plus de dix jours que je suis partie de la maison.

Le camion, accompagné d'un guerrier, prend le détour tandis que Lketinga et moi passons par la jungle. Je suis heureuse d'être avec mon mari et je me sens bien physiquement, l'alimentation équilibrée de l'hôpital m'a été bénéfique.

La pente de la mort

En chemin, nous constatons que quelqu'un a emprunté cette route avant nous. Il y a des empreintes de pneu fraîches ; Lketinga les examine et pense qu'il doit s'agir de voitures étrangères. Nous franchissons la « pente de la mort » sans incident, et j'essaie de ne pas penser à l'horrible épisode du bébé mort-né.

Nous prenons le dernier virage avant les rochers, je freine sec. Deux vieilles Land Rover militaires sont garées au milieu de la route. Entre les voitures, plusieurs Blancs s'agitent et semblent très excités. Comme il est impossible de continuer, nous descendons voir. Il s'agit d'un groupe de jeunes Italiens accompagnés d'un Noir.

L'un des jeunes hommes est assis et sanglote en plein soleil ; deux jeunes femmes essaient de le calmer. Des larmes coulent sur leurs visages. Lketinga parle avec le Noir tandis que j'essaie de me souvenir des quelques bribes d'italien que je connais.

Ce que j'apprends me donne des frissons, malgré les 40 °C qu'il fait à l'ombre. Deux heures plus tôt, l'amie de l'homme éploré s'est enfoncée dans la brousse, à côté du rocher, pour faire ses besoins. Ils avaient arrêté les voitures à cet endroit, croyant que la route s'interrompait. La femme a fait à peine deux mètres et, devant leurs yeux, elle est tombée dans le précipice. Ils ont tous entendu un long cri, puis le bruit du choc. Depuis ils n'ont plus perçu le moindre signe de vie, malgré leurs appels et de vaines tentatives pour descendre dans le précipice.

Je frissonne car je sais que tout espoir est vain. De nouveau, l'homme crie le nom de son amie. Bouleversée, je vais voir mon mari. Lui aussi est troublé et m'explique que cette femme est morte, la paroi rocheuse faisant environ cent mètres de haut à cet endroit ; en bas se trouve un lit de fleuve asséché et caillouteux. Personne n'est jamais descendu dans le précipice de l'endroit où nous nous trouvons. Les Italiens semblent avoir essayé puisqu'il y a des cordes nouées par terre. Les deux jeunes femmes maintiennent l'homme terrifié qui est assis en plein soleil, trempé de sueur et tremblant. Sa tête est cramoisie. Je vais les voir et leur propose de se mettre sous les arbres. Mais l'homme continue à hurler, la bouche grande ouverte.

En regardant Lketinga, je vois qu'il réfléchit. Je lui demande ce qu'il a l'intention de faire. Il veut essayer de descendre dans le précipice avec son ami, et de remonter la femme. Terrifiée, je m'agrippe à lui et je crie : « *Darling, that's crazy, don't go, it is very dangerous !* » Lketinga repousse ma main.

Tout à coup, l'homme éploré surgit à côté de moi et m'insulte parce que je veux empêcher qu'on l'aide. Furieuse, je lui réponds que je vis ici, que Lketinga est mon mari, qu'il va être père dans trois mois et que je n'ai pas l'intention d'élever mon enfant sans père.

Mais, déjà, Lketinga et l'autre guerrier commencent la dangereuse descente, une cinquantaine de mètres plus loin. La dernière chose que je vois, ce sont leurs visages pétrifiés. Les Samburus évitent les morts ; ils évitent même d'en parler. Je m'assois à l'ombre et pleure en silence.

Une demi-heure passe sans que nous sachions ce qu'ils sont devenus. Ma peur devient insupportable. Un des Italiens va à l'endroit où ils ont commencé leur descente. Il revient tout excité et nous dit qu'il a vu les deux hommes de l'autre côté de la gorge, et qu'ils portaient une sorte de brancard.

Chez les Italiens, c'est l'hystérie. Mais ce n'est que vingt minutes plus tard que les deux guerriers sortent de la brousse, épuisés. Plusieurs personnes se précipitent pour les décharger du brancard, bricolé avec un *kanga* de Lketinga et deux longues branches d'arbre.

En voyant le visage des deux Massaïs, je comprends que la femme est morte. Je jette un regard sur elle, et je suis surprise de voir à quel point elle a l'air jeune et sereine. Sans l'odeur douceâtre que son corps dégage déjà trois heures après la mort, vu la température ambiante, on pourrait la croire endormie.

Mon mari parle brièvement avec l'accompagnateur noir du groupe, qui range les Land Rover sur le bas-côté. Lketinga prend la clé de notre voiture et s'empare du volant. Etant donné son état et la rigidité de ses expressions, il serait inutile que je m'y oppose. Nous continuons notre voyage à travers les éboulis, après avoir promis d'informer la Mission de l'accident. Dans la voiture règne un silence absolu. A la première rivière que nous rencontrons, les deux hommes descendent et se lavent pendant près d'une heure. C'est une sorte de rituel.

Enfin, nous repartons, les deux hommes recommencent à se parler. Nous arrivons à Barsaloi peu avant six heures. Plus de la moitié des marchandises a déjà été déchargée devant le magasin. Le guerrier qui a accompagné le camion et le frère de Lketinga surveillent les aides. J'ouvre le magasin, et je me retrouve devant un foutoir incroyable. Partout traînent de la farine de maïs et des cartons vides. Pendant que Lketinga range les marchandises, je vais voir le missionnaire. Il est étonné de ce que je lui apprends, bien qu'il ait déjà reçu un message radio confus. Il monte tout de suite dans sa Land Cruiser et part sur le lieu de l'accident.

Je rentre à la maison. Après toutes ces émotions, je ne pourrais pas supporter le stress qui m'attend au magasin. Naturellement, la maman veut savoir pourquoi le camion est arrivé avant nous, mais je ne peux pas très bien le lui expliquer. Je fais du *chai* et je me couche. Mes pensées ne cessent de tourner autour de l'accident. Je prends la résolution de ne plus emprunter cette route. Dans mon état, cela commence à devenir dangereux. Vers vingt-deux heures, Lketinga rentre avec deux guerriers. Ensemble, ils se préparent une casserole de purée de maïs, et leur conversation porte exclusivement sur l'horrible accident. Je finis par m'endormir.

Le lendemain matin, les premiers clients viennent nous chercher pour que nous ouvrions la boutique. Comme je suis curieuse de connaître le nouvel employé qui remplace Anna, j'y vais tôt. Mon mari me présente le garçon. Dès le premier instant, il m'est extrêmement antipathique ; non seulement il a une allure impossible mais, en plus, il ne donne pas l'impression d'être un acharné du travail. Je m'efforce néanmoins de ne pas laisser paraître mon a priori car, si je ne veux pas perdre mon enfant, il faut que je travaille moins. Le garçon travaille deux fois plus lentement qu'Anna ; la moitié des clients me demande de ses nouvelles.

Je voudrais maintenant que Lketinga me dise pourquoi

nous ne disposions pas d'une somme plus importante pour faire les courses à Maralal. D'un seul coup d'œil, j'ai vu que la valeur des marchandises qui restent en stock ne correspondait en aucun cas à la somme manquante. Lketinga sort un petit carnet et me montre fièrement les crédits accordés aux uns et aux autres. Il y a certaines personnes que je connais, d'autres dont je n'arrive même pas à déchiffrer les noms. Je commence à m'énerver parce que j'avais déclaré dès l'ouverture du magasin : « *No credit !* »

Le garçon se mêle à notre conversation, m'assure qu'il connaît ces gens, que cela ne pose aucun problème. Ces explications ne me convainquent pas. Il écoute mes arguments d'un air ennuyé, presque dédaigneux, ce qui me rend encore plus furieuse. Pour finir, mon mari dit que c'est une boutique samburu et qu'il doit aider les gens. De nouveau, je me retrouve dans le rôle de la Blanche cupide, alors que je ne fais que me battre pour ma survie. Mon argent en Suisse sera épuisé avant deux ans, et après ? Lketinga quitte la boutique, il ne supporte pas quand je deviens un peu plus énergique. Evidemment, les regards de toute l'assistance sont braqués sur nous dès que, en tant que femme, je me permets d'élever la voix.

Ce jour-là, il y a des discussions sans fin avec les clients qui comptaient avoir un crédit. Les plus obstinés attendent le retour de mon mari. Avec le nouvel employé, le travail ne me plaît pas autant qu'avec Anna. J'ose à peine aller aux toilettes, de peur d'être lésée. Comme mon mari ne réapparaît qu'en fin d'après-midi, j'ai travaillé plus, dès le premier jour, que je ne devrais. Mes jambes me font mal et, de nouveau, je n'ai rien mangé de toute la journée. A la maison, il n'y a plus ni eau ni bois. Nostalgique, je repense au service à l'hôpital : trois repas par jour sans avoir à faire la cuisine.

Comme mes jambes se fatiguent plus vite qu'avant, il faut trouver une solution. Un *chai* le matin et un repas le soir ne suffisent pas à me donner des forces. La maman trouve également que je dois manger plus, sinon l'enfant ne sera pas sain. Nous décidons de nous installer le plus vite possible dans l'arrière-boutique. Nous ne serons pas restés plus de quatre mois dans notre belle *manyatta*, mais nous la laisserons à la maman, qui est très contente de ce cadeau.

La prochaine fois que nous louerons un camion, nous nous ferons apporter un lit, une table et des chaises pour pouvoir déménager. Je me réjouis à l'idée de retrouver un lit : à force de dormir par terre, je commence à avoir mal au dos. Pourtant, pendant plus d'un an, cela ne m'a pas dérangée.

Depuis quelques jours, des nuages sont apparus dans le ciel qui, d'habitude, est toujours bleu. Tout le monde attend la pluie. Le pays est desséché. Depuis longtemps, la terre est crevassée et dure comme de la pierre. On apprend que des lions ont attaqué les troupeaux en pleine journée. Les enfants qui surveillent les troupeaux paniquent, abandonnent les chèvres et courent à la maison chercher de l'aide. Mon mari part souvent toute la journée avec notre troupeau, comme avant, et je n'ai d'autre choix que de m'occuper toute seule de la boutique et de contrôler notre employé en permanence.

La grande pluie

Après cinq jours de temps maussade, les premières gouttes de pluie commencent à tomber. Nous sommes un dimanche, notre jour de congé. Nous essayons en hâte de couvrir notre *manyatta* de bâches en plastique, ce qui est très difficile étant donné les violents coups de vent. La maman se démène auprès de sa hutte, et nous auprès de la nôtre. Maintenant, il pleut à torrents. Je n'ai jamais vu une telle averse de ma vie. En un minimum de temps, toute la région est inondée. Le vent fait pénétrer l'air humide dans les moindres recoins. Il faut que nous éteignions le feu à cause des étincelles qui s'envolent de tous les côtés. Je mets tous les vêtements un peu chauds sur moi. Au bout d'une heure, malgré les bâches en plastique, le toit de notre hutte commence à fuir en plusieurs endroits. Je n'ose imaginer l'inondation qu'il doit y avoir dans la hutte de la maman et de Saguna.

L'eau, qui pénètre d'abord près de l'entrée, s'avance à présent vers notre couche. A l'aide d'une tasse, je creuse un fossé pour permettre à l'eau de s'écouler. Le vent tire

223

tellement sur les bâches en plastique que je crains à tout instant qu'elles soient arrachées. Dehors, le bruit de l'eau est aussi fort que si nous étions au milieu d'un torrent. Maintenant, l'eau pénètre aussi sur les côtés. Je pose tous les objets en hauteur du mieux que je peux, et je range les couvertures dans le sac de voyage, à l'abri.

Au bout de deux heures, le sortilège prend brusquement fin. Nous sortons de la hutte et je ne reconnais plus rien. Certaines huttes n'ont presque plus de toit, des chèvres affolées courent dans tous les sens. Trempée, la maman est debout devant sa hutte inondée. Tremblotante et en larmes, Saguna est assise dans un coin. Je l'emmène chez nous et lui prête un de mes sweat-shirts encore secs. Partout, les gens sortent de leurs habitations. L'eau a creusé des ruisseaux qui descendent bruyamment vers le fleuve. Tout à coup, nous entendons un bruit d'explosion. Effrayée, je regarde Lketinga et lui demande d'où vient ce bruit. Emmitouflé dans sa couverture rouge, il me répond en riant que c'est l'eau qui descend de la montagne. On entend un grondement semblable au bruit d'une énorme chute d'eau.

Lketinga veut descendre avec moi au fleuve, mais la maman n'est pas d'accord. « C'est beaucoup trop dangereux », dit-elle sur un ton très ferme. Nous allons donc de l'autre côté, à l'endroit où le camion s'était embourbé. Ce fleuve-ci ne fait que vingt-cinq mètres de large, environ. L'autre doit en faire au moins trois fois plus. Lketinga s'est couvert la tête de sa couverture en laine ; moi, je porte pour la première fois à Barsaloi un jean, un pull-over et une veste. Les quelques personnes que nous croisons sont étonnées de me voir ainsi. Bien sûr, ils n'ont jamais vu de femme en pantalon. Je dois faire attention qu'il ne tombe pas car je ne peux pas fermer la fermeture Eclair à cause de mon petit ventre.

Le grondement est de plus en plus fort, on ne s'entend plus parler. Puis j'aperçois le torrent. C'est incroyable comme il s'est transformé ! La masse brune emporte tout sur son passage, entraîne buissons et pierres. La violence de la nature me coupe le souffle. Soudain, il me semble avoir entendu un cri. Je demande à Lketinga s'il l'a entendu lui aussi, mais non. Peu après, j'entends de nouveau un cri, très distinctement cette fois. Mon mari me le confirme. D'où vient-il ? Nous courons le long de la rive supérieure, en prenant garde à ne pas glisser.

Quelques mètres plus loin, nous voyons une chose horrible. Au milieu du fleuve, accrochés à un bloc de rochers, deux enfants sont pris dans l'eau jusqu'au cou. Lketinga n'hésite pas une seconde ; en avançant jusqu'au bord de l'eau, il leur crie quelques mots que je ne comprends pas. C'est épouvantable. L'eau, qui continue à monter, recouvre par moments les têtes des enfants. Les petites mains s'accrochent au rocher. Je sais que mon mari a peur de l'eau profonde et qu'il ne sait pas nager. S'il tombe, vu la force du torrent, il sera perdu. Mais je le comprends, et je suis fière qu'il ose porter de l'aide à ces enfants.

Il saisit un long bâton et se met à avancer en direction du rocher, en se battant contre les flots. Sans discontinuer, il crie quelque chose. Debout sur la rive, je prie Dieu de nous envoyer des anges gardiens. Lketinga a atteint le rocher, il met la petite fille sur son dos et rebrousse chemin. J'ai les yeux fixés sur le garçon qui reste accroché au rocher. Bientôt, sa tête sera sous l'eau. Je vais à la rencontre de mon mari et le décharge de la petite fille pour qu'il puisse y retourner immédiatement. La petite fille est lourde, et j'ai du mal à la porter jusqu'à la rive, qui est à deux mètres. Je la pose par terre et la couvre avec ma veste. La gamine est glacée. Mon chéri sauve aussi le petit garçon qui recrache beaucoup d'eau. Lketinga commence aussitôt à lui masser le corps, et j'en fais autant avec la petite fille. Lentement, ses membres rigides s'assouplissent. Mais le garçon est apathique et ne peut pas marcher. Lketinga le porte jusqu'à la maison ; je soutiens la fille. Je suis bouleversée à la pensée qu'ils ont échappé à la mort de justesse.

La maman n'est pas contente en apprenant ce qui s'est passé, et elle gronde les enfants. Il s'avère qu'ils étaient en train de se promener avec le troupeau et qu'ils s'apprêtaient à traverser le fleuve quand la crue les a surpris. Beaucoup de chèvres ont été emportées par l'eau, quelques-unes ont pu gagner la rive. Mon mari m'explique que la vague est plus haute que lui et qu'elle descend si brusquement et à une telle vitesse des montagnes que ceux qui se trouvent à ce moment-là au bord du fleuve n'ont aucune chance. Les enfants restent avec nous mais il n'y a pas de thé chaud car le bois est trempé.

Nous allons voir dans quel état est le magasin. La véranda est couverte d'une épaisse couche de boue mais, à l'intérieur, en dehors de deux flaques d'eau, tout est sec. Nous allons à la maison du *chai* mais il n'y a pas de thé non plus. On entend très fort le grondement du grand fleuve et, finalement, nous décidons quand même d'y descendre. Le fleuve est impressionnant. Roberto et Giuliano sont là eux aussi, et regardent la puissance de l'eau. Je raconte en quelques mots ce qui s'est produit sur l'autre fleuve, et Giuliano se dirige pour la première fois vers mon mari et le remercie en lui serrant la main.

En rentrant, nous passons au magasin prendre le petit réchaud et le charbon de bois. Ainsi nous pouvons au moins préparer du thé chaud pour tout le monde. La nuit, la hutte est inconfortable, tout est humide. Mais, dès le lendemain matin, le soleil brille de nouveau. Nous mettons les vêtements et les couvertures à sécher au soleil.

Un jour plus tard, le pays subit une nouvelle métamorphose, lente et silencieuse, celle-ci. De l'herbe se met à pousser partout et on peut pratiquement voir les fleurs sortir de la terre. Des milliers de petits papillons blancs virevoltent dans l'air comme des flocons de neige. C'est merveilleux de pouvoir assister à l'éveil de la vie dans ce paysage habituellement désertique. Au bout d'une semaine, tout Barsaloi est un océan de fleurs violettes.

Mais il existe aussi des inconvénients. Le soir surgissent d'innombrables moustiques. Bien sûr, nous dormons sous notre moustiquaire mais il y en a tellement que je suis obligée de brûler en plus une spirale antimoustiques.

Dix jours se sont écoulés depuis la grande pluie, et nous sommes toujours séparés du monde extérieur par les deux fleuves qui continuent à charrier beaucoup d'eau. On peut les traverser à pied mais il ne faut pas prendre de risque avec la voiture. Giuliano m'a mise en garde avec insistance. Plusieurs véhicules se sont déjà embourbés dans le fleuve, et l'on pouvait voir comment ils étaient engloutis peu à peu par les sables mouvants.

Nous laissons passer encore plusieurs jours avant d'oser entreprendre un voyage à Maralal. Nous prenons le détour car, dans la forêt, la route est glissante et mouillée. Cette fois-ci, nous n'obtenons pas de camion tout de suite, et nous devons attendre quatre jours à Maralal. Nous rendons visite à Sophia. Elle va bien. Son ventre est déjà tellement énorme qu'elle ne peut presque plus se baisser. Elle n'a pas eu de nouvelles de Jutta.

Mon mari et moi passons de longs moments près du *lodge* des touristes. En cette saison, il est fascinant d'observer les animaux sauvages autour de la mare. Nous avons tout notre temps. Le dernier jour, nous achetons un lit, un matelas, une table, quatre chaises et une petite armoire. Les meubles ne sont pas aussi beaux que ceux de Mombasa, et ils sont plus chers. Le chauffeur n'est pas très content de devoir en plus récupérer les meubles mais, comme c'est moi qui paie le camion, il doit s'exécuter. Au retour, nous roulons derrière lui et, au bout de six heures, nous arrivons à Barsaloi sans incident ; il n'a même pas fallu changer un pneu. Nous posons d'abord les meubles dans l'arrière-boutique, puis le déchargement habituel commence.

Nous quittons notre *manyatta*

Le lendemain, nous emménageons dans l'arrière-boutique. Il règne une chaleur lourde, et les fleurs ont disparu : les chèvres ont fait du bon travail. Je change plusieurs fois les meubles de place, sans arriver à créer une atmosphère chaleureuse comme celle qui régnait dans notre *manyatta*. En revanche, ce déménagement devrait me faciliter la vie et me permettre de prendre des repas réguliers, ce qui est nécessaire dans mon état. Quand le magasin est fermé, mon mari passe à la *manyatta* pour accueillir les bêtes. Pendant ce temps, je nous prépare une bonne potée à base de pommes de terre, de navets et de chou.

La première nuit, nous dormons très mal, bien que le lit soit confortable. Le toit en tôle n'arrête pas de craquer et nous empêche de trouver le sommeil. A sept heures du matin, quelqu'un frappe. Lketinga va voir ce que c'est ; devant la porte se trouve un petit garçon qui demande du sucre. Gentiment, Lketinga lui donne une livre de sucre et referme la boutique. La toilette du matin est maintenant simple, pour moi ; je peux me laver facilement dans une bassine. Les toilettes ne se trouvent qu'à cinquante mètres. La vie me paraît plus agréable, mais moins romantique.

De temps en temps, quand Lketinga et le garçon sont dans la boutique, je peux m'allonger un instant. Pendant une semaine, tout va très bien. J'ai trouvé une jeune fille qui va me chercher de l'eau à la Mission. C'est payant, mais je ne suis plus obligée de descendre au fleuve. En plus, l'eau est transparente et propre. Bientôt, tout le monde est au courant que nous habitons dans la boutique. Sans arrêt, des clients viennent mendier de l'eau potable. Dans les *manyattas*, la coutume veut qu'on donne de l'eau aux gens qui en demandent, si bien qu'à midi mes vingt litres d'eau sont pratiquement épuisés. Toute la journée, assis sur notre lit, des guerriers attendent Lketinga, autrement dit, du thé et de la nourriture. Tant que le magasin est rempli d'aliments, il ne peut pas rétorquer que nous n'avons plus rien.

Après ces visites, la chambre est en désordre. Partout traînent des casseroles crasseuses et des os rongés. De la bave brune colle aux murs. Ma couverture en laine et le matelas sont couverts de peinture rouge ocre qui vient des corps des guerriers. A plusieurs reprises, j'ai des discussions avec mon mari : je me sens exploitée. Tantôt, il se montre compréhensif et envoie les guerriers chez la maman, tantôt il prend position contre moi et disparaît avec eux. Pour lui aussi, cette situation est nouvelle et difficile à gérer. Il faut que nous trouvions un moyen de satisfaire les exigences de l'hospitalité sans être exploités.

Je me suis liée d'amitié avec la femme du vétérinaire et, de temps à autre, je suis invitée chez eux à prendre le thé. J'essaie de lui expliquer mon problème et, à mon grand étonnement, elle me comprend tout de suite. Elle dit que c'est en effet la coutume des gens qui vivent dans les *manyattas* mais qu' « en ville » on a considérablement limité ce droit à l'hospitalité. Il ne vaut plus que pour les membres de la famille et de très bons amis ; en aucun cas, il s'applique à tous les passants. Le soir, je raconte ces nouvelles données à Lketinga, et il promet de pratiquer à l'avenir une hospitalité sélective.

Dans les environs, trois mariages doivent avoir lieu dans les semaines qui suivent. Dans la plupart des cas, il s'agit d'hommes d'un certain âge épousant leur troisième ou quatrième femme. Ce sont toujours des jeunes filles ; plus tard, le malheur est souvent inscrit sur leur visage. Il n'est pas rare que la différence d'âge soit de trente ou quarante ans. Les plus heureuses des jeunes filles sont celles qui ont été choisies par un guerrier comme première épouse.

Notre sucre diminue vite car souvent la dot comprend un quintal de sucre, sans parler des kilos utilisés lors de la cérémonie. Vient inévitablement le jour où nos réserves de sucre sont épuisées, tandis qu'il nous reste de la farine de maïs en quantité. Deux guerriers qui veulent se marier dans quatre jours repartent bredouilles. Chez les Somalis, il n'y a plus de sucre depuis longtemps non plus. A contre-cœur, je décide d'aller à Maralal. Le vétérinaire m'accompagne, ce qui m'arrange. Nous prenons la route la plus longue. Le vétérinaire veut aller chercher son salaire, puis rentrer avec moi. Le sucre est vite acheté, ainsi que le *miraa* que j'ai promis à Lketinga.

Le vétérinaire se fait attendre. Il est presque quatre heures lorsqu'il apparaît enfin. Il propose de passer par la jungle. Je n'en ai pas envie car je n'ai plus emprunté cette route depuis la grande pluie. Mais le vétérinaire m'assure qu'elle est sèche maintenant. Nous partons donc. Nous traversons souvent d'assez grandes flaques d'eau mais, grâce aux quatre roues motrices, cela ne pose pas de problème. Arrivée à la « pente de la mort », je constate que la route a pas mal changé : l'eau a creusé d'énormes fossés. Nous descendons et parcourons le chemin à pied pour repérer les endroits où l'on peut passer. En dehors d'une crevasse d'au moins trente centimètres de large qui traverse la route, il me semble qu'avec un peu de chance, on devrait réussir.

Nous nous lançons. Je roule sur les plateaux surélevés en espérant ne pas glisser dans le fossé, auquel cas nous resterions embourbés. Nous y arrivons, et c'est le soulagement. Au moins, près des rochers, le terrain n'est pas glissant. La voiture passe en cahotant sur les pierres. Le plus dur est fait, il n'y a plus que vingt mètres de cailloux à traverser.

Soudain, un bruit de casserole sous la voiture. Je continue à rouler, puis j'arrête car le bruit s'amplifie. Nous descendons. On ne voit rien de l'extérieur. Je regarde sous la voiture et je découvre l'origine du bruit. D'un côté, tous les amortisseurs sauf deux sont cassés. Les parties détachées traînent par terre, d'où le bruit.

Me voilà de nouveau en panne avec cette fichue voiture ! Je m'en veux de m'être laissé convaincre de prendre cette route. Le vétérinaire propose de continuer à rouler ainsi. Pour moi, c'est hors de question. Je sors des cordes de la voiture et je vais chercher des morceaux de bois. Puis nous attachons toutes les pièces mal fixées. Pour finir, nous y glissons les morceaux de bois afin que les cordes ne soient pas déchirées par le frottement. Lentement, je continue à rouler jusqu'aux premières *manyattas*, où nous déchargeons quatre sacs sur cinq ; nous les stockons dans la première hutte venue. Le vétérinaire demande aux gens de ne pas ouvrir les sacs. Précautionneusement, nous continuons jusqu'à Barsaloi. Je suis tellement énervée à cause de cette maudite voiture que j'en ai mal au ventre.

Nous atteignons la boutique sans autre incident. Lketinga rampe tout de suite sous la voiture pour vérifier si nos descriptions sont justes. Il ne comprend pas pourquoi j'ai déchargé le sucre et me garantit qu'il aura disparu quand nous y retournerons. Je vais m'allonger dans notre chambre, je suis affreusement fatiguée.

Le lendemain matin, je vais chez le père Giuliano pour lui faire examiner ma voiture. Un peu agacé, il me dit qu'il n'est pas un garage, qu'il faudra la démonter à moitié pour pouvoir ressouder les pièces, et qu'il n'en a pas le temps maintenant. Je retourne à la maison avant qu'il puisse ajouter quoi que ce soit. Je me sens abandonnée par tous. Sans l'aide de Giuliano, je ne pourrai jamais ramener cette voiture à Maralal. Quand je raconte à Lketinga que Giuliano ne peut nous aider, il me répond qu'il savait depuis toujours que cet homme-là n'était pas bon. Je suis moins sévère que lui ; Giuliano nous a quand même déjà sortis d'affaire assez souvent.

Lketinga et le garçon servent dans la boutique ; je dors toute la matinée. Je ne me sens pas bien. A midi, il n'y a déjà plus de sucre, et j'ai de la peine à retenir mon mari, qui veut aller chercher les autres sacs avec la voiture défectueuse. En fin d'après-midi, Giuliano nous envoie son gardien pour nous dire de lui amener la voiture. Soulagée qu'il ait changé d'avis, je demande à Lketinga de s'en charger car je suis en train de faire la cuisine. A sept heures, lorsque nous fermons la boutique, Lketinga n'est toujours pas rentré. En revanche, deux guerriers que je ne connais pas attendent devant la porte de la maison. Quand Lketinga rentre enfin, j'ai déjà mangé. Il est allé chez la maman pour prendre soin des bêtes. En riant joyeusement, il me donne mes deux premiers œufs. Ma poule pond depuis hier. Maintenant, je peux varier encore plus mon alimentation. Je prépare du *chai* pour les guerriers et me retire sous ma moustiquaire, épuisée.

Les trois hommes mangent, boivent et discutent. Je m'endors par moments. Au milieu de la nuit, je me réveille, trempée de sueur et assoiffée. Mon mari n'est pas allongé près de moi. Je ne sais pas où se trouve la lampe de poche. Quand je me dégage de la couverture et de la moustiquaire pour chercher à tâtons le bidon d'eau, mon pied heurte un obstacle, par terre. Avant même que je puisse réfléchir à ce que cela peut bien être, j'entends un grognement. Pétrifiée, je demande : « *Darling ?* » A la lumière de la lampe de poche que je finis par trouver, je distingue trois personnes qui dorment. L'une d'elles est Lketinga. Discrètement, j'enjambe les corps jusqu'au bidon d'eau. De retour dans mon lit, mon cœur continue de battre la chamade. Avec ces inconnus dans la même pièce, je dors très mal. Le matin, j'ai tellement froid que je reste sous la couverture. Lketinga prépare du *chai* pour tout le monde, et je suis contente de boire quelque chose de chaud. Les trois hommes rient de bon cœur quand je leur raconte mon aventure nocturne.

Notre employé est aujourd'hui seul dans la boutique car Lketinga est allé à une cérémonie avec les deux autres guerriers. Je reste au lit. A midi, le père Roberto passe déposer les quatre sacs de sucre qui étaient restés en bas. Quand je vais dans la boutique pour le remercier, prise de vertige, je me recouche tout de suite. Je n'aime pas que le garçon soit tout seul dans le magasin, mais je me sens trop mal pour le surveiller. Une demi-heure après l'arrivée du sucre règne le chaos habituel. Je suis couchée mais, avec le bruit et le caquetage à côté, il est impossible de dormir. Le soir, nous fermons le magasin, et je me retrouve seule.

En fait, j'aurais envie d'aller chez la maman, mais j'ai froid, de nouveau. Comme je ne veux pas faire la cuisine pour moi toute seule, je me couche sous la moustiquaire. Les moustiques sont encore très nombreux et agressifs. Cette nuit-là, je suis prise de frissons de fièvre. Mes dents s'entrechoquent si bruyamment que je suppose qu'on l'entend jusqu'à la hutte voisine. Pourquoi Lketinga ne rentre-t-il pas ? La nuit me paraît interminable. Tantôt, j'ai horriblement froid, tantôt je transpire. Il faudrait que j'aille aux toilettes mais je n'ose sortir seule. Dans mon désarroi, j'utilise une boîte de conserve vide.

Au petit matin, quelqu'un frappe à la porte. Je demande qui est là car je ne suis pas disposée à vendre quoi que ce soit. J'entends la voix familière de mon chéri. Il se rend compte tout de suite que quelque chose ne va pas, mais je le rassure, je ne veux pas encore une fois déranger les missionnaires.

Tout excité, il me raconte la cérémonie de mariage de l'un des guerriers et me dit que, dans deux jours, un rallye-safari passera par notre village, et qu'il a déjà aperçu quelques voitures. Probablement, quelques-uns des pilotes vont venir aujourd'hui explorer la route de Barsaloi à Wamba. Je n'y crois pas trop mais, malgré mon état misérable, je me laisse volontiers gagner par l'excitation de Lketinga. Plus tard, il va voir si notre voiture est réparée, mais elle n'est pas encore prête.

Vers deux heures, j'entends un bruit d'enfer. Le temps que j'arrive à l'entrée de la boutique, je ne vois plus qu'un nuage de poussière qui se dissipe lentement. Le premier pilote est passé à l'essai. En un rien de temps, tout Barsaloi est posté le long de la route. Environ une demi-heure plus tard, une deuxième, puis une troisième voiture arrivent à toute allure. C'est curieux d'être rattrapé par la civilisation ici, dans cet endroit au bout du monde qui vit à une autre époque. Nous attendons longtemps mais, pour aujourd'hui, le sortilège est terminé. Ces voitures ont testé la route. Dans deux jours, trente voitures ou plus doivent traverser le village à toute vitesse. Bien que je sois alitée avec une forte fièvre, je trouve cet événement divertissant. Lketinga me prépare à manger mais j'ai mal au cœur rien qu'en voyant la nourriture.

Le jour du rallye, je vais très mal. Plusieurs fois, je perds conscience. Depuis plusieurs heures, je n'ai plus senti l'enfant dans mon ventre. Je suis prise de panique et, en pleurant, je dis à mon mari ce qui m'arrive. Effrayé, il quitte la maison pour revenir avec la maman. Elle me tâte le ventre tout en me parlant continuellement. Son visage est sombre. En larmes, je demande à Lketinga ce qu'a mon enfant. L'air désemparé, il est assis à côté de moi et ne parle qu'avec la maman. Finalement il m'explique que sa maman me croit victime d'une malédiction qui me rend malade. Quelqu'un veut ma mort et celle de notre bébé.

Ils me demandent avec quelles personnes âgées j'ai parlé ces derniers temps, dans la boutique, si les vieux Somalis sont venus, si un vieux m'a touché ou m'a craché dessus ou si quelqu'un m'a montré une langue noire. Les questions pleuvent et, de peur, je deviens presque hystérique. Une pensée me hante : que mon bébé puisse être mort !

La maman nous quitte et promet de revenir avec un bon remède. Je ne sais pas combien de temps je reste allongée en pleurant. Quand j'ouvre les yeux, je vois six à huit vieillards, hommes et femmes, réunis autour de moi. J'entends sans arrêt : « *Enkaï, Enkaï !* » Chacun des vieux me frotte le ventre et murmure quelques mots. Je me fiche de tout. La maman approche de mes lèvres un bol avec un liquide que je dois boire d'une traite. Le breuvage est tellement fort que cela me brûle. Au même moment, je sens des sursauts et des coups de pied dans le ventre, et je le touche, angoissée. Autour de moi, tout tourne. Je ne vois plus que des visages de vieux au-dessus de moi, je voudrais mourir. Je pense : « Mon enfant vivait encore mais, à présent, il est sûrement mort » puis je crie : « Vous avez tué mon enfant, chéri, *they have killed our baby !* » Je sens que mes dernières forces et ma volonté de survivre me quittent.

De nouveau, dix mains ou plus se posent sur mon ventre, le frottent et le pressent. En même temps, les vieux prient à haute voix ou chantent. Tout à coup, mon ventre se soulève un peu, et je sens un léger tressaillement à l'intérieur. Je n'ose y croire d'abord, mais cela se répète plusieurs fois. Les vieux semblent l'avoir senti également car ils baissent la voix. Quand je réalise que mon bébé vit, une forte volonté de vivre, que je croyais avoir perdue, m'envahit. « *Chéri, please, go to pater Giuliano and tell him about me. I want to go to the hospital !* »

Flying doctor

Peu après, Giuliano arrive. En m'apercevant, il a un choc. Il parle brièvement avec les vieux et me demande à quel mois de grossesse je suis. D'une voix faible, je réponds : « Au début du huitième. » Il essaie de joindre par radio un *flying doctor*. Puis il nous quitte et les vieux repartent eux aussi, sauf la maman. Je suis allongée sur le lit, trempée de sueur, et je prie pour l'enfant et pour moi. Pour rien au monde, je ne veux perdre ce bébé. Mon bonheur dépend de ce petit être.

Tout à coup, je perçois des bruits de moteur qui ne sont pas ceux d'une voiture mais d'un avion. Au milieu de la nuit, un avion atterrit dans la brousse ! Dehors, j'entends des voix. Lketinga sort et revient tout excité. Un avion ! Giuliano apparaît et me dit de n'emporter que le strict nécessaire et de faire vite car la piste n'est pas éclairée longtemps. Ils m'aident à sortir du lit. Lketinga ramasse quelques affaires pour moi, puis me porte jusqu'à l'avion.

Je suis sans voix en voyant l'éclairage, dehors. Avec son groupe électrogène, il a mis en marche un énorme projecteur. Des torches et des lampes à pétrole bordent la route des deux côtés, à l'endroit où elle ne présente pas de dénivelé. De grosses pierres blanches délimitent la piste plus loin. Le pilote, un Blanc, m'aide à monter dans l'avion. Il fait signe à mon mari de monter également. Lketinga reste à quelques pas, désemparé. Il voudrait venir, mais il n'arrive pas à surmonter sa peur.

Mon pauvre chéri ! Avant que la porte ne se ferme, je lui crie de rester là et de s'occuper du magasin. Nous décollons. C'est la première fois que je monte dans un avion aussi petit, mais je me sens en sécurité. Au bout de vingt minutes, environ, nous sommes au-dessus de l'hôpital de Wamba. Ici aussi, tout est éclairé, il y a même une vraie piste. Après l'atterrissage, j'aperçois deux infirmières qui m'attendent avec une chaise roulante. Je descends de l'avion avec difficulté en soutenant d'une main mon ventre, qui s'est beaucoup abaissé. Quand on me transporte jusqu'à l'hôpital, dans la chaise roulante, je prends de nouveau conscience de toute ma misère et, malgré les mots consolateurs des infirmières, je me remets à sangloter de plus belle. La femme médecin suisse m'attend à l'hôpital. Sur son visage, je lis aussi de l'inquiétude, mais elle me console et m'assure que tout ira bien maintenant.

Je suis allongée sur le siège gynécologique et j'attends le médecin chef. Je me rends compte que je suis très sale, et j'ai profondément honte. Il refuse d'écouter les excuses que je m'apprête à lui fournir quant à mon état de saleté et me dit qu'il y a des choses plus importantes pour l'instant. Il m'examine doucement, sans instruments, juste avec les mains ; pendue à ses lèvres, j'attends qu'il me dise comment va mon enfant.

Finalement, il me confirme que l'enfant vit. Mais pour un huitième mois de grossesse, il est beaucoup trop petit et trop faible, et nous devons tout faire pour éviter un accouchement prématuré car, déjà, l'enfant est placé très bas. Puis la femme médecin suisse revient et nous donne le résultat de ses analyses : je souffre d'une forte anémie et j'ai besoin d'une transfusion sanguine immédiate pour soigner mon grave accès de malaria. Le médecin m'explique à quel point il est difficile d'obtenir du sang. Ils ne possèdent que quelques rares réserves que je devrai remplacer par l'intermédiaire d'un donneur.

Je suis malade à l'idée de recevoir du sang étranger, ici, en Afrique, à l'ère du sida. Inquiète, je demande au médecin si le sang est contrôlé. Seulement en partie, me répond-il avec honnêteté ; d'ordinaire, les patients souffrant d'anémie doivent emmener un donneur de leur famille avant la perfusion. Ici, la plupart des gens meurent de la malaria ou de ses effets, à savoir l'anémie. La Mission reçoit très peu de sang collecté à l'étranger.

J'essaie de mettre de l'ordre dans mes pensées. Une idée ne quitte pas mon esprit : transfusion égale sida. J'ose prononcer quelques mots de protestation pour dire que je ne veux pas attraper cette maladie mortelle. Alors le médecin devient plus explicite et me dit d'une voix grave que je peux choisir entre ce sang-là et une mort certaine. Une infirmière africaine m'aide à me rasseoir dans la chaise roulante, et l'on m'emmène dans une chambre où se trouvent déjà trois autres femmes. L'infirmière m'aide à me déshabiller, puis elle me revêt de l'uniforme de l'hôpital.

Elle me refait d'abord une piqûre puis me met sous perfusion en me piquant dans le bras gauche. La femme médecin suisse entre avec un sachet de sang. Avec un sourire rassurant, elle me dit qu'elle a réussi à se procurer la dernière réserve de sang suisse correspondant à mon groupe sanguin. Elle m'assure que cela suffira jusqu'au lendemain et que la plupart des infirmières de la Mission sont prêtes à donner du sang pour moi, si leur groupe correspond au mien.

Je suis touchée par tant de sollicitude et je la remercie en essayant de retenir mes larmes. Quand elle m'enfonce la seringue dans le bras droit pour la transfusion sanguine, cela me fait horriblement mal car l'aiguille est très épaisse. Elle doit s'y prendre à plusieurs reprises avant que le sang salvateur coule dans mes veines. On m'attache les deux bras au lit pour éviter que je n'arrache les aiguilles dans mon sommeil. Je dois être triste à voir, et je suis contente que ma mère ne sache pas dans quel état misérable je me trouve. Même si tout se termine bien, je ne lui écrirai jamais ce que j'ai enduré. Je m'endors sur cette pensée.

A six heures du matin, on réveille les patients pour prendre leur température. Je suis toujours morte de fatigue car je n'ai pas dormi plus de quatre heures. A huit heures, on me fait à nouveau une piqûre et, vers midi, de nouvelles perfusions. J'ai de la chance : on me donne le sang des infirmières de l'hôpital. Au moins, je n'ai plus à m'inquiéter pour le sida.

L'examen normal de la grossesse a lieu dans l'après-midi. On me tâte et m'ausculte le ventre pour examiner le rythme cardiaque du bébé, on me prend le pouls. On ne peut pas faire plus, ici. Bien que je ne puisse toujours rien manger, car l'odeur de chou me donne la nausée, je vais beaucoup mieux à la fin de la deuxième journée. Grâce à une troisième perfusion sanguine, je me sens comme une fleur que l'on arrose enfin, après très longtemps, je sens la vie revenir dans mon corps. Quand la dernière perfusion sanguine est terminée, je me regarde pour la première fois depuis longtemps dans un petit miroir de poche. Je me reconnais à peine. Les yeux sont immenses, tout au fond des orbites, les os des pommettes sont saillants et le nez est long et pointu. Mes cheveux, devenus ternes et fins, collent au crâne. Et pourtant je me sens déjà beaucoup mieux, me dis-je avec effroi. Mais j'ai tout le temps été couchée, depuis trois jours, sans même quitter le lit une seule fois car je continue à recevoir une perfusion contre la malaria.

Les infirmières sont gentilles et passent aussi souvent qu'elles peuvent. Elles s'inquiètent parce que je ne mange toujours rien. L'une d'elles est particulièrement gentille, et je suis touchée par sa chaleur et sa bonté. Un jour, elle arrive avec un sandwich au fromage qu'elle a apporté de la Mission. Cela fait si longtemps que je n'ai pas mangé de fromage que j'arrive à l'avaler, en mangeant lentement. A partir de ce jour, je peux de nouveau absorber de la nourriture solide. Je suis contente : maintenant, ça va aller mieux. Mon mari est informé par radio que nous ne sommes plus en danger de mort, le bébé et moi.

Cela fait une semaine que je suis ici lorsque la femme médecin suisse me conseille, au cours d'un examen, de retourner en Suisse pour accoucher. Effrayée, je la regarde, et je lui demande pourquoi. Elle me répond que je suis trop faible et beaucoup trop maigre pour un huitième mois de grossesse. Si je ne peux pas bien me nourrir, ici, je risque fort de ne pas survivre à l'accouchement, à cause de la nouvelle perte de sang et de l'épreuve physique qu'il représente. Il n'y a pas d'appareils à oxygène ni de couveuse pour les bébés les plus faibles, ajoute-t-elle. En plus, on ne donne pas de médicaments contre la douleur, tout simplement parce qu'il n'y en a pas.

L'idée de partir en Suisse dans mon état m'angoisse. Je dis au médecin que je suis sûre de ne pas avoir assez de forces. Nous cherchons d'autres possibilités car, dans les semaines qui restent, je dois arriver au moins à soixante-dix kilos. Je ne peux pas rentrer à la maison ; ce serait trop dangereux à cause de la malaria. Alors je pense à Sophia, à Maralal. Elle a un bel appartement et cuisine très bien. Le médecin est d'accord avec cette solution, mais je ne pourrai quitter l'hôpital que dans quinze jours, au plus tôt.

Comme je dors moins dans la journée, le temps s'écoule lentement. Difficile de communiquer avec les autres femmes dans la chambre. Ce sont des femmes samburus qui ont déjà plusieurs enfants. Certaines se sont converties sous l'influence de la Mission, d'autres ont été emmenées ici parce qu'il y a eu des complications dans leur grossesse. Une fois par jour, l'après-midi, l'hôpital est ouvert aux visiteurs mais il n'y en a pas beaucoup à la maternité car les enfants sont l'affaire des femmes. Pendant ce temps, leurs maris s'amusent sans doute avec leurs autres épouses.

Je commence à me demander ce que fait mon chéri. Notre voiture est sûrement réparée à présent et, si elle ne l'est pas, il pourrait venir à pied en sept heures environ, ce qui n'est rien pour un Massaï. Bien sûr, les infirmières me transmettent presque quotidiennement son bonjour, qu'il donne au père Giuliano. Il est tout le temps dans la boutique pour aider le garçon. Le magasin est loin de mes préoccupations, en ce moment ; je ne veux pas m'embarrasser de soucis supplémentaires. Mais comment vais-je expliquer à Lketinga que je ne rentrerai plus à la maison jusqu'à la naissance de notre enfant ? Je vois déjà la tête méfiante qu'il fera.

Le huitième jour, il apparaît tout à coup dans l'embrasure de la porte. Il ne semble pas très sûr de lui mais, rayonnant, il s'assoit sur le bord du lit. « *Hello, Corinne, how are you and my baby ? Are you OK ?* » Puis il déballe de la viande grillée. Je suis touchée. Le père Giuliano est venu à la Mission en voiture, et Lketinga a pu en profiter. Nous ne pouvons pas échanger beaucoup de gestes tendres car les autres femmes nous observent et posent des questions à Lketinga. Mais je suis heureuse de le voir ; pour l'instant, je ne lui parle pas de mon intention de passer les semaines qui viennent à Maralal. Il promet de revenir dès que la voiture sera réparée. Giuliano passe me voir également, puis les deux hommes repartent.

Les jours suivants me paraissent encore plus longs. Les

seuls divertissements sont fournis par le passage des infirmières et les visites du médecin. De temps en temps, quelqu'un me prête un journal. La deuxième semaine, je me promène un peu dans l'hôpital. La vision de ces êtres souvent gravement malades me pèse beaucoup. J'adore aller voir les nouveau-nés dans leurs petits lits, et la pensée que je vais bientôt avoir un enfant me réjouit beaucoup. Je souhaite de tout cœur que ce soit une petite fille saine. Elle sera sûrement très belle, avec le père qu'elle a. Mais il y a des jours où j'ai peur que mon enfant ne soit pas normal, à cause de tous les médicaments que je prends.

Lketinga revient me voir à la fin de la deuxième semaine. Quand il me demande d'un air inquiet quand je vais enfin rentrer à la maison, je n'ai pas d'autre choix que de lui parler de mon projet de m'installer chez Sophia. Son visage s'assombrit aussitôt, et il me demande avec insistance : « *Corinne, why do you not come home ? Why you will stay in Maralal and not with Mama ? You are OK now and you get our baby in the house of Mama !* » Il rejette toutes mes explications. A la fin, il me lance : « *Now I know, maybe you have a boy-friend in Maralal !* »

Cette phrase est pire pour moi que s'il m'avait frappée au visage. J'ai l'impression de tomber dans un trou profond, et je fonds en larmes. Pour lui, c'est la preuve que ses soupçons sont justifiés. Enervé, il fait les cent pas dans la pièce tout en répétant continuellement : « *I'm not crazy, Corinne, I'm really not crazy, I know the ladies !* »

Soudain une infirmière blanche fait irruption dans la pièce. Effarée, elle me regarde puis jette un coup d'œil à mon mari et demande ce qui s'est passé. En pleurant, j'essaie de le lui expliquer. Elle parle avec Lketinga sans succès, puis elle va chercher le médecin qui le sermonne sur un ton énergique. A contrecœur, Lketinga finit par donner son accord, mais je ne ressens aucune joie sur le moment. Il m'a trop blessée. Il quitte l'hôpital et je ne sais même pas si je le reverrai ici ou seulement à Maralal.

L'infirmière repasse me voir et nous discutons. La disposition d'esprit de mon mari l'inquiète beaucoup, et elle me conseille elle aussi d'accoucher en Suisse pour que l'enfant ait ma nationalité. Ici, l'enfant sera la propriété de la famille de mon mari, et je ne pourrai rien faire sans l'accord du père, me dit-elle. D'un geste fatigué, j'écarte cette possibilité : je ne me sens pas en état d'entreprendre ce voyage. De toute façon, mon mari ne donnerait pas l'autorisation écrite dont j'aurais besoin, en tant qu'épouse d'un Kenyan, pour quitter le pays cinq semaines avant l'accouchement. En plus, je suis convaincue, au fond de moi-même, qu'il deviendra plus calme et plus gai quand l'enfant sera né.

La troisième semaine, je n'ai pas de ses nouvelles. Un peu déçue, je quitte l'hôpital quand l'occasion se présente de me faire emmener à Maralal par un des missionnaires. Les infirmières me font des adieux chaleureux et me promettent d'informer mon mari, par l'intermédiaire du père Giuliano, que je suis maintenant à Maralal.

Sophia

Je trouve Sophia chez elle, elle est très contente de ma visite. Quand je lui explique ma situation, elle me dit qu'il n'y a pas de problème pour les repas mais que je ne peux pas dormir chez eux parce que la pièce du fond est aménagée en salle de gym pour son ami. Je suis un peu désemparée, et nous réfléchissons à un endroit où je pourrais aller. Au moins, son ami veut bien se mettre à la recherche d'un logement pour moi. Après plusieurs heures, il revient et déclare qu'il m'a trouvé une chambre, tout à côté ; la pièce ressemble aux chambres des *lodgings*, mais le lit est plus grand et plus beau. En dehors du lit, il n'y a rien. Quand nous la visitons, nous sommes tout de suite entourés de quelques femmes et d'enfants. Je la prends.

Les jours se suivent lentement. Seuls les repas sont un véritable plaisir. La cuisine de Sophia est fantastique, et je grossis à vue d'œil. Mais les nuits sont atroces. De la musique et des bruits de voix m'incommodent jusque tard dans la nuit. La pièce est tellement mal isolée que l'on pourrait croire que l'on vit dans la même chambre que ses voisins. Tous les soirs, j'ai un mal fou à m'endormir.

Parfois, je pourrais me mettre moi-même à crier, tant ce bruit m'exaspère, mais je ne veux pas perdre ce logement.

Le matin, je me lave dans la chambre. Pour me changer un peu les idées, je lave aussi mes vêtements tous les deux jours. Comme Sophia se dispute beaucoup avec son ami, je me retire souvent après le repas. Mon ventre grossit continuellement, et j'en suis très fière.

Je suis à Maralal depuis une semaine, mon mari n'est pas venu me voir une seule fois. Cela me rend triste. En revanche, j'ai rencontré James en compagnie d'autres garçons du village. De temps en temps, Sali, l'ami de Sophia, amène des collègues qui mangent avec nous, puis nous jouons aux cartes, ce qui est toujours très amusant.

Un jour, nous sommes assis dans l'appartement et nous jouons. La plupart du temps, nous laissons la porte ouverte pour avoir plus de lumière. Soudain, mon mari surgit dans l'embrasure de la porte, lances à la main. Avant même que je puisse le saluer, il me demande qui est cet autre homme. Tout le monde éclate de rire, sauf moi. Sophia lui fait signe d'entrer, mais il reste dans l'embrasure de la porte et me demande d'une voix cinglante : « *Corinne, is this your boy-friend ?* » Son comportement me fait honte. Sophia essaie de détendre la situation, mais mon mari se retourne et quitte la maison. Lentement, je sors de ma torpeur et je sens la colère m'envahir. Je suis enceinte de neuf mois, je revois mon mari pour la première fois depuis deux semaines et demie, et il m'accuse d'avoir un amant !

Sali part à sa recherche pendant que Sophia essaie de me calmer. Comme il ne se passe rien, je vais dans ma chambre et j'attends. Un peu plus tard, Lketinga arrive. Il a bu et mâche du *miraa*. Allongée sur le lit, très tendue, je réfléchis à l'avenir. Enfin, après plus d'une heure, il finit par s'excuser : « *Corinne, my wife, no problem. Long time I have not seen you and the baby, so I become crazy. Please, Corinne, now I am OK, no problem !* » J'essaie de sourire et de lui pardonner. La nuit du lendemain, il rentre à Barsaloi. Les quinze jours qui viennent, je ne le vois plus, mais on me transmet son bonjour.

Enfin arrive le jour où Sophia et moi partons à l'hôpital. Sophia est à environ une semaine, moi à quinze jours de l'accouchement. A cause du mauvais état des routes, on nous a conseillé de partir à l'avance. Nous sommes tout excitées en montant dans le car. L'ami de Sophia nous accompagne. A l'hôpital, on nous donne une chambre pour nous toutes seules, c'est merveilleux. Les infirmières sont soulagées quand elles me pèsent et constatent que j'ai atteint les soixante-dix kilos. Maintenant, il n'y a plus qu'à patienter. Presque quotidiennement, je tricote quelque chose pour mon enfant pendant que Sophia passe toute la journée à lire des livres sur la grossesse et l'accouchement. Je préfère me laisser surprendre et ne rien savoir de tout cela. Sali nous apporte de la bonne nourriture du village.

Le temps s'écoule très lentement. Tous les jours, des enfants naissent. Le plus souvent, nous entendons les cris des femmes jusque dans notre chambre. Sophia est de plus en plus nerveuse. Normalement, cela devrait être bientôt son tour. Lors de l'examen quotidien, on constate que mon utérus s'est déjà un peu ouvert, et on m'ordonne de rester couchée dorénavant. Mais je n'ai guère le temps de suivre ces consignes car, dès que le médecin a quitté notre chambre, je perds les eaux. Heureusement surprise, je regarde Sophia : « *I think my baby is coming !* » D'abord, elle ne veut pas y croire, il me reste encore une bonne semaine. Elle fait revenir le médecin qui, voyant ce qui s'est passé, me confirme d'un air grave que je vais accoucher cette nuit.

Napiraï

Sophia est désespérée : toujours rien pour elle. A huit heures du soir, je commence à avoir les premières douleurs. A partir de là, on m'examine toutes les demi-heures. Vers minuit, les douleurs sont insupportables. J'ai tellement mal que j'en vomis. Enfin, on m'emmène dans la salle de travail. C'est la salle où l'on m'avait examinée sur le siège gynécologique. La femme médecin et deux infirmières noires me parlent mais, curieusement, je ne comprends plus l'anglais. Entre les douleurs, je regarde fixement les trois femmes sans enregistrer autre chose que leurs bouches qui s'ouvrent et se ferment. Je panique, je ne sais pas si je fais tout comme il faut. Je me répète continuellement : respirer, il faut bien respirer. Puis on m'attache les jambes. Je me sens démunie et sans forces. Juste au moment où je veux crier que je n'en peux plus, l'une des infirmières me pose une main sur la bouche. Terrifiée, je regarde le médecin. A ce moment-là, j'entends qu'elle voit déjà la tête du bébé. Les prochaines douleurs devraient le faire sortir. Je rassemble mes dernières forces pour presser, et je sens une sorte d'explosion dans mon bas-ventre. Ma petite fille est née. Il est une heure quinze. C'est une petite fille saine qui pèse 2 960 grammes. Je suis aux anges. Elle est aussi belle que son père, et nous allons l'appeler Napiraï.

Le médecin n'a pas encore terminé de me recoudre lorsque la porte s'ouvre : c'est Sophia, qui se jette dans mes bras et m'embrasse. Elle a suivi l'accouchement par la fenêtre. On me montre encore une fois mon bébé, puis on l'emmène avec les autres nouveau-nés. Je suis contente car, pour l'instant, je suis trop faible pour le soulever. Je n'arrive même pas à tenir la tasse de thé qu'on me tend. Je voudrais simplement dormir. On me ramène dans la chambre en chaise roulante et on me donne un somnifère.

A cinq heures, je suis réveillée par d'horribles douleurs entre les jambes ; je réveille Sophia, qui se lève tout de suite pour aller chercher une infirmière de garde. On me donne des médicaments contre la douleur. A huit heures, je me traîne jusqu'à la salle des bébés pour voir ma petite fille. Je suis soulagée en l'apercevant, mais elle crie de faim. Il faut que je l'allaite, mais cela pose quelques problèmes. Aucune goutte ne sort de mes seins, pourtant devenus énormes. Aspirer ne sert à rien non plus. En fin d'après-midi, je n'en peux plus. Mes seins sont durs comme de la pierre et douloureux, et Napiraï hurle sans interruption. Une infirmière noire me somme durement de faire un peu plus d'efforts pour que les glandes mammaires s'ouvrent ; autrement, cela risque de s'infecter. J'essaie tout ce que je peux, en endurant des douleurs atroces. Ce n'est que lorsque deux femmes samburus viennent me « traire » pendant près d'une demi-heure que le premier lait commence à couler. Maintenant, cela n'arrête plus. Il en sort tellement que mon bébé ne peut pas boire. Ce n'est qu'au cours de l'après-midi que j'y arrive pour la première fois.

Sophia a des douleurs depuis plusieurs heures, mais l'enfant ne veut pas sortir. Elle pleure, crie et demande qu'on lui fasse une césarienne, ce que le médecin refuse en disant que rien ne le justifie. Je n'ai jamais vu Sophia comme cela. Le médecin commence à en avoir assez, il la menace de ne pas s'occuper de son accouchement si elle ne se maîtrise pas. La conversation a lieu en italien car lui aussi est italien. Son accouchement est très difficile et dure trente-six heures. Elle aussi donne naissance à une petite fille.

Ce soir-là, juste après la fin de l'heure de la visite, mon chéri arrive. Il a appris le matin même la naissance de notre fille, et il s'est tout de suite mis en route pour Wamba à pied. Il a particulièrement soigné les peintures sur son corps et sa coiffure, et il me salue joyeusement. Il a apporté de la viande et une très belle robe pour moi. Tout de suite, il demande à voir Napiraï, mais les infirmières refusent et lui suggèrent de revenir le lendemain. Bien qu'il soit déçu, il me lance des regards fiers et heureux, ce qui me redonne de l'espoir. Quand on le met à la porte, il décide de passer la nuit à Wamba et de revenir le lendemain matin dès que l'hôpital sera ouvert aux visiteurs. Chargé de petits cadeaux, il entre dans la chambre juste au moment où je suis en train d'allaiter Napiraï. Ravi, il prend sa fille dans ses bras et la porte à la lumière du soleil. Elle le regarde, pleine de curiosité. Lketinga ne veut plus la lâcher. Cela fait longtemps que je ne l'ai vu aussi gai. Je suis émue, et je sais que tout ira bien, maintenant.

Les premiers jours avec le bébé sont épuisants. Je suis encore assez faible, je ne pèse pas assez et la plaie me fait très mal en position assise. La nuit, ma petite fille me réveille deux ou trois fois, soit pour être allaitée, soit pour être changée. Quand elle dort enfin, c'est le bébé de Sophia qui se met à crier. Ici, on utilise des couches en tissu et on lave les bébés dans de petites bassines. Je ne sais pas encore très bien m'y prendre pour changer les couches. Je ne lui mets pas les petits vêtements que j'ai tricotés, de peur de lui faire mal aux bras ou aux jambes. Alors elle reste toute nue, juste avec des couches, allongée sur une couverture de bébé. En nous regardant, mon mari constate avec satisfaction : « *She is looking like me !* »

Il vient nous voir tous les jours, mais il commence à être impatient et à vouloir rentrer à la maison avec sa petite famille. Malheureusement je suis encore trop faible et j'ai un peu peur de me retrouver seule avec le bébé. Laver les couches, faire la cuisine, ramasser du bois et, peut-être, aider de nouveau au magasin me semble presque impossible. Le magasin est fermé depuis trois semaines car il ne reste plus que de la farine de maïs ; et puis le garçon ne semblait plus fiable, d'après ce que me dit Lketinga. En plus, il ne peut pas m'emmener en voiture : il est venu à pied, notre voiture est de nouveau en panne. Cette fois-ci, c'est le changement de vitesse qui ne fonctionne plus, a constaté Giuliano. Il faut donc que Lketinga rentre d'abord à la maison pour aller chercher la Land Rover, si toutefois elle est réparée.

Cela me donne la possibilité de prendre un peu plus d'assurance avec mon bébé. La femme médecin se montre soulagée que je reste encore quelque temps. Sophia quitte l'hôpital le cinquième jour après son accouchement pour rentrer à Maralal. Trois jours plus tard, mon mari revient avec la voiture réparée : sans le père Giuliano, nous serions perdus. Maintenant, j'ai moi aussi envie de quitter Wamba car, depuis que Sophia est partie, j'ai dû partager la chambre successivement avec deux mères samburus. La première, une femme émaciée, vieillie avant l'âge, qui avait accouché ici prématurément de son dixième enfant, est morte la nuit même, de faiblesse et d'anémie. Il n'a pas été possible, en si peu de temps, d'informer sa famille et de trouver un donneur de sang. Les émotions de cette nuit m'ont pris beaucoup d'énergie et je n'ai plus qu'une envie : partir.

Pendant que je règle l'hôpital, le jeune papa, debout près de la réception, tient fièrement sa fille dans les bras. J'ai du mal à y croire : les vingt-deux jours d'hôpital, y compris l'accouchement, ne coûtent que 80 francs suisses. Le *flying doctor* est un peu plus cher ; j'en ai pour 800 francs suisses. Mais que sont 800 francs, par rapport à nos deux vies !

Je conduis pour la première fois depuis longtemps, tandis que mon mari tient Napiraï. Or, déjà au bout de cent mètres, le bébé hurle à cause du bruit de la voiture. Lketinga chante pour la calmer, mais sans succès. Alors il

245

prend le volant, et je serre Napiraï contre ma poitrine du mieux que je peux. Nous voudrions arriver à Maralal avant le soir : il faudrait acheter des couches, quelques petits vêtements et des couvertures de bébé. Je dois aussi faire des achats de nourriture car il n'y a plus rien à Barsaloi depuis des semaines. Nous n'avons d'autre choix que de louer une chambre au *lodging*. Pour trouver une douzaine de couches, je dois traverser tout Maralal pendant que Lketinga garde notre fille.

La première nuit hors de l'hôpital n'est pas très agréable. Comme les nuits sont très froides à Maralal, j'ai du mal à changer Napiraï. J'ai froid et la petite aussi. En plus, je n'ai pas encore pris l'habitude d'allaiter dans l'obscurité. Le matin, je suis fatiguée et j'ai attrapé un rhume. J'ai utilisé déjà la moitié des couches, je les lave le matin même. Vers midi, la voiture est remplie de nourriture, nous partons. Il est clair que nous allons emprunter le détour, mais mon mari constate qu'il pleut, dans les montagnes, en direction de Baragoi. Il y a donc un danger que le niveau des rivières augmente et que nous nous retrouvions bloqués. Nous décidons de repasser par Wamba pour approcher Barsaloi par l'autre côté. Comme Lketinga commence à bien maîtriser la voiture, nous nous relayons au volant. De temps en temps, il roule trop vite quand il y a de grands trous dans la route, le reste du temps, il conduit bien. Napiraï n'apprécie pas du tout la voiture. Elle pleure en permanence et, dès que l'auto s'immobilise, elle se calme, si bien que nous faisons plusieurs pauses.

Retour à trois

En chemin, Lketinga fait monter deux guerriers et, après plus de cinq heures de route, nous atteignons le grand fleuve Wamba, connu pour les sables mouvants qui se forment dès qu'il y a un peu d'eau. Voilà des années, la Mission a perdu une voiture à cet endroit. Effrayée, je m'arrête en haut de la pente raide qui descend jusqu'au fleuve. Nous distinguons de l'eau. Inquiets, les Massaïs descendent. Le fleuve ne charrie pas beaucoup d'eau, peut-être deux à trois centimètres et, par endroits, on aperçoit des bancs de sable qui sont à sec. Mais le père Giuliano m'a mise en garde avec insistance et m'a dit de ne pas traverser si j'aperçois un tant soit peu d'eau dans le fleuve. Celui-ci mesure tout de même cent cinquante mètres de large. Déçue, je me dis que nous n'avons sans doute pas d'autre solution que de retourner à Wamba. L'un des guerriers s'est déjà enfoncé dans le sable jusqu'aux genoux. L'autre, à peine un mètre plus loin, continue à marcher sans problème. Lketinga essaie de passer, lui aussi. Il n'arrête pas de s'enfoncer dans le sable. Je ne suis pas rassurée et je ne veux pas prendre de risque. Je descends pour lui en parler, mais il revient à la voiture, décidé à tenter l'aventure ; il me prend Napiraï et me demande de passer à plein régime entre les deux guerriers. J'essaie désespérément de l'en dissuader, mais il refuse de m'écouter. Il veut rentrer à la maison à tout prix, en voiture ou à pied. Or je ne peux pas retourner à Wamba seule avec le bébé.

Le niveau d'eau monte très lentement. Je refuse de me mettre au volant. Furieux, Lketinga me rend Napiraï, puis il se met lui-même au volant et s'apprête à démarrer. Il me demande la clé. Je ne l'ai pas, et je suppose qu'elle doit être en place puisque le moteur marche. « *No, Corinne, please give me the key, you have driven the car, now you taken it that we go back to Wamba !* » dit-il d'une voix agacée, et ses yeux brillent méchamment. Je vais regarder moi-même dans la voiture. Comme pour me narguer, le moteur marche sans que la clé d'allumage soit insérée ! Je cherche fiévreusement par terre et sur les sièges mais la clé, l'unique clé, a disparu.

Lketinga dit que c'est ma faute. Furieux, il se met au volant et fonce dans la rivière en se servant de la propulsion à quatre roues. Son comportement est tellement déraisonnable que je n'arrive plus à me maîtriser, et je fonds en larmes. Napiraï hurle, elle aussi. La voiture entre dans le fleuve. Sur quelques mètres, tout va bien, mais, plus ça va, plus la voiture ralentit, et les roues arrière s'enfoncent lentement, à cause du lourd chargement. Quelques mètres devant un banc de sable à sec, la voiture menace de s'immobiliser, les roues tournent dans le vide. Je prie, je pleure et je maudis tout. Les deux guerriers s'avancent, soulèvent la voiture et la poussent jusqu'à ce qu'elle finisse par progresser de deux mètres et rejoindre le banc de sable ; les roues ont prise, de nouveau. Elle traverse rapidement l'autre moitié du fleuve. Mon mari a réussi ce tour de force. Mais je ne suis pas fière pour autant. Il a pris trop de risques, c'était imprudent. En plus, la clé n'a toujours pas été retrouvée.

L'un des guerriers revient et m'aide à traverser. Plusieurs fois, je m'enfonce jusqu'aux genoux. L'air fier et sauvage, Lketinga se tient près de l'auto et me dit de lui donner la clé maintenant. Indignée, je crie : « *I don't have it !* » Je fouille une nouvelle fois partout : sans succès. Lketinga fait un mouvement incrédule de la tête et se met à chercher lui-même. En quelques secondes, il trouve la clé qui, d'après lui, était coincée entre le siège et le dossier. Je ne comprends pas comment cela a pu arriver. Pour lui, il est clair que j'ai caché la clé pour l'empêcher de traverser le fleuve. Nous continuons notre chemin en silence.

Il fait déjà nuit lorsque nous arrivons à Barsaloi. Naturellement, nous allons d'abord voir la maman dans sa *manyatta*. Mon Dieu, comme elle est contente ! Elle prend tout de suite Napiraï et la bénit en lui crachant sur la plante des pieds, les paumes et le front tout en priant *Enkaï*. Elle s'adresse aussi à moi, mais je ne comprends rien. La fumée me gêne, et Napiraï tousse, elle aussi. Mais nous passons la première nuit chez la maman.

Le matin, quelques personnes demandent à voir mon bébé, mais la maman déclare que, les premières semaines, il ne faut pas montrer l'enfant à quiconque. Comme je ne comprends pas, je demande : « Pourquoi ? Elle est si belle ! » Mécontent, Lketinga me reprend : il ne faut pas dire qu'elle est belle, cela porte malheur, et il ne faut pas que des étrangers la voient parce qu'ils pourraient lui jeter un sort. En Suisse, on montre fièrement ses enfants ; ici, je dois cacher ma fille et, si je sors, je dois lui couvrir la tête d'un *kanga*. J'ai beaucoup de mal à m'adapter à cette coutume.

Cela fait trois jours que je reste dans l'obscurité de la *manyatta* tandis que la maman surveille l'entrée. Mon mari prépare une fête pour la naissance de sa fille. On tue un bœuf pour l'occasion. Plusieurs vieux viennent manger de la viande et, en échange, ils bénissent notre enfant. Moi, j'ai droit aux meilleurs morceaux pour reprendre des forces.

La nuit, quelques guerriers dansent avec mon mari en son honneur. Naturellement, plus tard, il faut leur donner à manger. La maman m'a préparé une décoction malodorante, censée me protéger de nouvelles maladies. Je suis invitée à tout boire et, pendant ce temps, tout le monde me regarde et prie pour moi. Déjà la première gorgée me donne mal au cœur. Discrètement, j'en verse une bonne partie par terre.

Le vétérinaire et sa femme viennent également à la fête, ce qui me fait plaisir. J'apprends que la maison à côté de la leur vient de se libérer, et je suis très contente à l'idée d'avoir une nouvelle habitation avec deux pièces et des toilettes à l'intérieur. Le lendemain, nous déménageons de l'arrière-boutique, pleine de courants d'air, vers notre nouveau logement, qui se trouve à environ cent cinquante mètres de là. D'abord, je dois tout nettoyer à fond pendant que la maman garde notre fille devant la maison. Elle cache le bébé si habilement dans son *kanga* qu'on le voit à peine.

Souvent, des gens viennent à la boutique pour acheter quelque chose, mais les étagères sont vides, et tout semble abandonné. Le livre de crédit est presque plein. De nouveau, l'argent qui est rentré ne suffira pas à payer un camion de marchandises, mais, pour l'instant, je ne peux ni ne veux travailler. Alors le magasin reste fermé.

Tous les jours, je suis occupée jusqu'à midi à laver les couches de la veille. Très vite, les articulations de mes mains sont à vif. Cela ne peut continuer ainsi. Je me mets à la recherche d'une jeune fille qui puisse m'aider au ménage et surtout s'occuper du linge afin que j'aie plus de temps à consacrer à Napiraï et à la préparation des repas. Lketinga me trouve une ancienne écolière. Pour l'équivalent de 30 francs suisses par mois, elle est prête à aller chercher de l'eau et à s'occuper de la lessive. Maintenant, je peux enfin profiter pleinement de ma petite fille. Elle est très jolie, gaie, et ne pleure presque jamais. Mon mari passe lui aussi beaucoup de temps avec elle, allongé sous l'arbre devant notre maison.

Peu à peu, je commence à maîtriser le déroulement de la journée. La jeune fille travaille très lentement, et j'ai du mal à établir un contact avec elle. Notre lessive diminue rapidement. Nos réserves de riz et de sucre également. Napiraï pleure tout de suite quand elle a mouillé ses couches, et je constate qu'elle est toute rouge et irritée entre les jambes. Je commence alors à en avoir un peu assez, et je parle à la jeune fille de ce qui ne va pas, en lui expliquant qu'elle doit rincer les couches jusqu'à ce qu'il ne reste plus de lessive. Elle a l'air de s'en moquer et me dit qu'elle n'est pas assez payée pour aller chercher de l'eau plus d'une fois par jour. Agacée, je la renvoie chez elle. Je préfère m'occuper de la lessive moi-même.

Faim

A force d'avoir faim, les gens s'impatientent. Les magasins sont vides depuis plus d'un mois et, tous les jours, des personnes viennent nous voir et nous demandent quand nous allons rouvrir. Pour l'instant, je ne vois pas comment je pourrais retravailler. Il faudrait que j'aille à Maralal pour affréter un camion. Avec notre voiture, j'aurais trop peur de rester coincée quelque part. Le changement de vitesse n'a été réparé que de manière provisoire, la serrure de la clé de contact est abîmée, et il y a beaucoup d'autres réparations à faire.

Un jour, le petit *chief* vient nous voir et se lamente à propos de la famine. Il sait qu'il nous reste quelques sacs de farine de maïs dans la boutique, et il nous demande de les vendre. A contrecœur, je vais compter les sacs. Mon mari vient avec moi. Mais, en ouvrant le premier sac, je suis au bord de la nausée : de gros asticots blancs grouillent sur le dessus, ainsi que de petits cafards noirs. Nous ouvrons les autres sacs et, partout, c'est le même spectacle. Le *chief* creuse un peu et constate que c'est surtout la couche supérieure qui est touchée. Mais je refuse de donner cette marchandise gâtée aux gens.

Entre-temps, la rumeur selon laquelle nous possédons encore de la farine de maïs a fait le tour du village. De plus en plus de femmes arrivent dans la boutique et se disent prêtes à l'acheter, même dans l'état où elle est.

250

Nous discutons de la situation et je propose de tout donner. Le *chief* s'y oppose car cela risquerait de provoquer des scènes de violence, et il me suggère de tout vendre à prix réduit. Il y a maintenant au moins cinquante personnes devant le magasin qui me tendent leurs sacs ouverts. Mais je suis incapable d'enfoncer la main dans les sacs de farine, le grouillement des asticots me dégoûte trop. En plus, je tiens Napiraï dans les bras. Je vais voir si le frère aîné de Lketinga se trouve chez la maman. Il est prêt à m'accompagner. Je laisse Napiraï chez sa grand-mère. Nous arrivons juste à temps. Le *chief* essaie d'empêcher les gens de prendre d'assaut la boutique tandis que Lketinga s'occupe de la vente. Chaque personne peut acheter au maximum 3 kilos de farine. Je pose les poids d'un kilo sur la balance et j'encaisse. Nous travaillons comme des fous, et nous sommes contents que le *chief* maintienne à peu près l'ordre. Vers vingt heures, toute la farine est vendue et nous sommes épuisés. Mais il y a de nouveau un peu d'argent dans la caisse.

A la fin de cette journée, je suis quand même très préoccupée par cette vente et par le caractère indispensable de notre magasin. Mais je n'ai pas beaucoup de temps pour réfléchir : je dois aller voir mon bébé. Inquiète, je cours dans le noir vers les *manyattas*. Ma fille n'a pas été allaitée depuis plus de six heures, et je m'attends à la trouver dans tous ses états. En m'approchant de la *manyatta*, je ne perçois pourtant aucun cri de bébé, seulement la voix de la maman qui chante. J'entre et je vois avec surprise ma petite fille sucer le long sein noir de la maman. J'en reste pantoise. La maman me tend mon bébé nu en riant. En entendant ma voix, Napiraï commence à pleurer, puis, aussitôt, sa petite bouche se referme sur mon téton. Je n'en reviens pas que la maman ait réussi à la faire patienter aussi longtemps avec sa poitrine vide.

Peu après apparaît mon mari, et je lui raconte ce qui s'est passé. Il rit et me dit que c'est normal ici. Quand elle était encore un petit bébé, Saguna a été elle aussi emmenée chez la maman, selon la coutume. La mère reçoit la première fille de ses fils, et plus tard, celle-ci l'assistera dans les tâches ménagères. Elle l'élève pratiquement depuis la naissance avec sa poitrine et du lait de vache. Je regarde ma fille. Bien qu'elle soit couverte de crasse et qu'elle sente la fumée à plein nez, je suis très contente et je suis absolument sûre que je ne laisserai jamais mon enfant à personne.

Nous buvons du *chai* chez la maman, puis nous rentrons dans notre maison. Fièrement, Lketinga porte Napiraï. Le *chief* nous attend devant la porte. Evidemment, je dois lui préparer de nouveau du *chai*, même si je n'en ai aucune envie. Tout à coup, Lketinga se lève, va chercher 200 shillings dans la boîte où nous conservons notre argent, et les remet au *chief*. Je ne sais pas pourquoi il lui donne cet argent, mais je ne dis rien. Après qu'il nous a quittés, j'apprends qu'il a exigé cette somme en échange de son « service de sécurité » dans le magasin. Je suis agacée car on s'est fait avoir encore une fois par ce type. C'est lui qui voulait absolument que nous vendions ce qui nous restait de marchandises et, en tant que *chief*, c'était son devoir de veiller à l'ordre, l'Etat le paie pour cela. J'essaie de faire comprendre tout cela à Lketinga sans le heurter, et je suis contente de voir qu'il est contrarié, lui aussi, et que, pour une fois, il est d'accord avec moi.

La boutique reste fermée. Le garçon qui nous avait aidés passe souvent à la maison. Il ne se donne pas la peine de parler avec moi, ce qui ne me gêne pas outre mesure. Mais je comprends qu'il demande quelque chose à Lketinga. A ma question, mon mari me signifie que cela n'a pas d'importance, que le garçon réclame seulement sa dernière paie, qu'il lui a déjà donnée. Je ne m'en mêle pas car j'étais à Maralal et à l'hôpital, à l'époque, et je ne suis au courant de rien.

Notre vie se déroule au calme, et Napiraï devient un bébé bien potelé. Je n'ai toujours pas le droit de la montrer à des étrangers. Chaque fois que quelqu'un s'approche, Lketinga la cache sous la couverture, ce qu'elle n'apprécie pas du tout.

Un jour — nous revenons du fleuve et nous dirigeons vers la maison du *chai* —, un vieux s'approche de Lketinga. On discute. Mon mari me dit de l'attendre, et il marche jusqu'à la « guérite de police ». Là-bas, je reconnais le vrai *chief*, le garde-chasse et le garçon qui a travaillé dans la boutique. Placée à quelque distance, j'observe la discussion d'un œil inquiet. Napiraï dort dans un *kanga*, accrochée à moi. Comme, plus d'un quart d'heure après,

Lketinga n'est toujours pas revenu, je me dirige lentement vers les hommes.

Quelque chose ne tourne pas rond, d'après l'expression de mon mari. Il est furieux et, alors que le ton monte entre les hommes, le garçon se tient un peu à l'écart en prenant une allure décontractée. J'entends plusieurs fois les mots « *duka* » et « *shop* ». Comme je sais que le *chief* parle anglais, je lui demande de quoi il s'agit. Il ne me répond pas, mais tout le monde se serre la main, Lketinga leur tourne le dos et s'en va, l'air découragé. En trois pas, je l'ai rejoint, je le saisis par l'épaule et lui demande ce qui s'est passé. Abattu, il se tourne vers moi et me dit qu'il doit donner encore cinq chèvres au garçon pour son travail dans la boutique ; autrement, le père menace de porter plainte. Il ne veut pas aller en prison, dit-il. Je ne comprends pas ce qu'il me raconte.

Je demande avec insistance à mon mari si le garçon a bien reçu sa paie tous les mois. « *Yes, Corinne, I don't know why they want five goats, but I don't want to go again in prison, I'm a good man. The father of this boy is a big man !* » Je ne doute pas que Lketinga ait payé le garçon. Le menacer de prison pour rien est la dernière chose que je peux supporter, d'autant que tout est entièrement la faute de ce garçon. Furieuse, je fonce sur lui et je crie : « *What do you want from me ? — From you, nothing, only from your husband* », me répond-il en me souriant benoîtement. Alors je n'y tiens plus et me mets à lui donner des coups de pied et à le frapper aveuglément. Il tente d'esquiver mes coups, mais je l'attrape par la chemise et le tire vers moi tout en le couvrant d'injures en allemand et en lui crachant dessus.

Les hommes qui nous entourent me retiennent, et Napiraï pousse des hurlements. Maintenant, Lketinga arrive et me dit d'un air fâché : « *Corinne, you are crazy, go home ! — I'm not crazy, really not crazy, but if you give five goats to this boy, I don't open again this shop !* » Le garçon est retenu par son père ; autrement, il me sauterait dessus. Furieuse, je me libère et je cours à la maison, en emmenant Napiraï, qui est toujours en train de hurler. Je ne comprends pas pourquoi mon mari s'est laissé intimider de cette façon-là, et je ne comprends pas non plus le *chief*. A partir de maintenant, je me ferai payer le moindre coup de main. Plus personne ne montera dans notre voiture sans avoir payé au préalable. Tous les yeux sont fixés sur moi lorsque je passe à toute allure, mais cela m'est égal. J'ai conscience d'avoir gravement humilié le garçon et son père car, ici, les femmes ne frappent pas les hommes ; ce serait plutôt l'inverse.

Je suis rentrée depuis peu de temps lorsque Lketinga arrive avec le *chief*. Ils me demandent tout de suite pourquoi j'ai fait ça. Mon mari est troublé et terrifié, ce qui me met de nouveau en colère. Je pose le livre de crédit devant le *chief* sur la table, afin qu'il voie combien de milliers de shillings nous n'avons pas récupérés et que nous ne récupérerons probablement jamais, à cause de ce garçon. En plus, il nous doit lui-même plus de 300 shillings. Et ce type-là exige de nous cinq chèvres, c'est-à-dire l'équivalent de six mois de salaire ! Maintenant, le *chief* commence à comprendre, et il s'excuse d'avoir rendu un mauvais jugement. Mais nous devons trouver un moyen de nous mettre d'accord avec le vieux car Lketinga a d'ores et déjà accepté le jugement par serrement de main.

La politesse exige que je prépare du thé pour le *chief*. J'allume le charbon de bois dans notre petit réchaud et je le mets à l'extérieur pour que la brise ravive la braise et l'amène à chauffer plus vite. C'est une nuit sans nuages. Juste au moment où je m'apprête à rentrer dans la maison, j'aperçois à quelques mètres de moi une silhouette portant un objet brillant. Je sens immédiatement le danger et je me précipite dans la maison pour informer mon mari. Il sort, et je le suis de près. Le *chief* reste à l'intérieur. J'entends Lketinga demander qui est là. Peu après, je reconnais la voix et la silhouette du garçon qui tient une machette à la main. Sèchement, je lui demande ce qu'il vient faire par ici. Il me répond qu'il est venu régler ses comptes avec la « *mzungu* ». Je me précipite dans la maison et je demande au *chief* s'il a bien tout entendu. Il hoche la tête, puis il sort de la maison à son tour.

Le garçon prend peur et tente de se sauver, mais Lketinga l'attrape et lui ôte des mains la dangereuse machette. Je jette un regard triomphant au *chief* et lui dis qu'il vient d'être témoin d'une tentative de meurtre. Il doit arrêter le malfaiteur ; je propose qu'on aille tous ensemble à Maralal le lendemain. Je ne veux plus voir ce crétin dans les parages ; c'est un vrai danger public. Le garçon essaie de minimiser la chose, mais j'insiste pour qu'il soit arrêté. Le *chief* l'emmène. Mon mari s'en va lui aussi et, pour la première fois, je ferme la porte de la maison à clé.

Peu de temps après, on frappe à la porte. Je prends la précaution de demander qui est là ; c'est le vétérinaire, je lui ouvre. Il a entendu du bruit et me demande ce qui s'est passé. Je lui offre du thé et lui raconte l'incident. Il me conforte dans mon intention de faire arrêter le garçon et me propose son aide. De toute façon, il n'a jamais compris pourquoi nous avons embauché ce fou qui a déjà fait pas mal de bêtises, toujours réparées par son père. Pendant que nous parlons, mon mari rentre. Surpris, il regarde d'abord le vétérinaire, puis moi. Le vétérinaire commence à discuter avec lui. Je prends congé et me retire sous la moustiquaire où dort déjà ma petite Napiraï.

L'incident me préoccupe beaucoup, et j'ai du mal à m'endormir. Plus tard, Lketinga vient se coucher, et il essaie de me faire l'amour. Je ne ressens aucun désir et, en plus, Napiraï est avec nous. Nous n'avons pas fait l'amour depuis longtemps, cela lui manque. Nous faisons donc une tentative, mais cela me fait horriblement mal. La douleur me rend furieuse : je le repousse et lui demande un peu de patience car j'ai accouché il y a seulement cinq semaines. Lketinga ne comprend pas mon refus et, dans son énervement, il insinue que j'ai déjà couché avec le vétérinaire. C'est la goutte d'eau qui fait déborder le vase. J'éclate en sanglots ; je me sens incapable de discuter avec lui. Tout ce que je parviens à lui dire, c'est qu'il ne peut pas dormir dans le lit cette nuit-là : après le reproche qu'il m'a fait et tout ce qui s'est produit dans la journée, je ne peux supporter sa présence. Alors il s'installe dans l'autre pièce. Cette nuit-là, je donne deux ou trois fois le sein à Napiraï et lui change ses couches.

Vers six heures du matin — Napiraï commence justement à se manifester de nouveau —, on frappe à la porte. C'est sûrement le *chief* mais, après notre dispute d'hier soir, je ne suis plus d'humeur à partir pour Maralal aujourd'hui. Lketinga ouvre : c'est le père du garçon, accompagné du *chief*. J'ai peine à regarder les deux hommes. Le *chief* me transmet les excuses du garçon et de son père, et m'explique que, si je renonçais à vouloir aller à Maralal, le père serait prêt à nous donner cinq chèvres. Je réponds que cela ne met pas ma vie hors de danger, que le garçon pourra recommencer demain ou après-demain tandis que, jugé à Maralal, il disparaîtra en prison pendant deux ou trois ans.

Le *chief* transmet mes réserves au vieux. Celui-ci promet d'envoyer le garçon chez des parents pendant quelque temps. Sur ma demande, il me garantit que son fils ne s'approchera plus jamais à moins de cent cinquante mètres de notre maison. Après que le *chief* m'a confirmé cet arrangement par écrit, je suis d'accord. Lketinga part avec le vieux récupérer les chèvres avant que celles-ci ne soient menées au pâturage.

Je suis contente qu'il s'en aille. Vers midi, je vais à la Mission pour montrer ma fille aux missionnaires. Le père Giuliano ne l'a pas revue depuis Wamba, et le père Roberto ne l'a encore jamais admirée. Tous deux sont ravis de ma visite. Le père Giuliano trouve sincèrement jolie ma petite fille, qui regarde son visage blanc avec curiosité. Quand il apprend que mon mari est en vadrouille, il m'invite à déjeuner. Il y a des pâtes fraîches faites maison et de la salade. Cela fait une éternité que je n'ai pas mangé de salade ! Je me sens comme au pays de cocagne. Pendant le repas, Giuliano me raconte qu'il va bientôt passer au moins trois mois de vacances en Italie. Je suis contente pour lui mais, en même temps, je suis un peu inquiète à l'idée de rester ici sans lui. Combien de fois a-t-il été pour moi un ange venu me sauver dans la détresse !

Nous avons à peine terminé notre repas que surgit mon mari. La situation est immédiatement tendue : « *Corinne, why do you eat here and not wait for me at home ?* » Il prend Napiraï et s'en va. Je remercie rapidement les missionnaires et cours rejoindre Lketinga et le bébé. Napiraï pleure. De retour à la maison, il me donne l'enfant et demande : « *What do you have made with my baby, now she cries only when she comes to me !* » Au lieu de répondre, je lui demande pourquoi il est déjà rentré. Il a un petit rire sardonique : « *Because I know you go to other men if I'm not here !* » Exaspérée par ses éternels reproches, je le traite de fou. Il s'écrie : « *What do you tell me ? I'm crazy ? You tell your husband he is crazy ? I don't want see you again !* » Il attrape ses lances et quitte la maison. Je reste là, pétrifiée, sans comprendre pourquoi il me soupçonne sans arrêt d'avoir des histoires avec d'autres hommes. Simplement parce que nous n'avons pas fait l'amour depuis quelque temps ? Mais est-ce ma faute si j'ai été malade, et si j'ai dû rester à Maralal pendant longtemps ? De toute façon, les Samburus ne font pas l'amour pendant la grossesse.

Notre amour a déjà pris quelques coups ; cela ne peut continuer ainsi. Dans mon désespoir, je prends Napiraï et je vais voir la maman. J'essaie de lui décrire la situation du mieux que je peux. Pendant que je parle, des larmes me coulent sur le visage. Elle ne dit pas grand-chose et m'explique simplement qu'il est normal que les hommes soient jaloux et que le mieux, c'est de ne pas les écouter. Ce conseil ne m'aide pas beaucoup, et je sanglote de plus belle. Alors elle me gronde et me dit que je n'ai aucune raison de pleurer parce que mon mari ne m'a jamais frappée. Il n'y a donc pas de consolation à attendre de ce côté-là non plus et, toute triste, je rentre chez moi.

En fin d'après-midi, la voisine, la femme du vétérinaire, me rend visite. Apparemment, notre dispute ne lui a pas échappé. Nous préparons du *chai* puis, après quelques hésitations, nous commençons à discuter. Les guerriers sont très jaloux, dit-elle, mais il ne faut jamais que je traite mon mari de fou, c'est dangereux.

Quand elle s'en va, je me sens très seule, avec Napiraï. Je n'ai rien mangé depuis la veille à midi, mais au moins j'ai du lait en abondance pour mon bébé. Cette nuit-là, mon mari ne rentre pas. Je commence à m'inquiéter : m'aurait-il vraiment quittée ? Le lendemain matin, je me sens mal et j'ai de la peine à me lever. Vers midi, la voisine revient me voir. Comme elle se rend compte que je ne vais pas bien, elle garde Napiraï et lave toutes les couches. Puis elle va chercher de la viande et, avec la dernière ration de riz, me prépare un repas. Je suis touchée par tant de sollicitude. Pour la première fois ici, une amitié se crée sans que ce soit moi, la *mzungu*, qui donne ; cette amie vient m'aider sans que je lui aie rien demandé. Courageusement, je vide mon assiette. La voisine ne touche à rien parce qu'elle a déjà mangé. Après avoir fini tout ce qu'il y avait à faire, elle rentre pour mettre de l'ordre chez elle.

Le soir, lorsqu'il revient sans me saluer, Lketinga inspecte toutes les pièces de la maison. J'essaie d'avoir un comportement normal et je lui propose un repas que, par chance, il accepte. C'est un signe qui indique qu'il va rester à la maison. Contente, je reprends espoir. Mais les choses vont tourner autrement.

Quarantaine

Vers neuf heures du soir, je commence à avoir de terribles crampes à l'estomac. Couchée sur le lit, je ramène mes genoux jusqu'au menton pour que la douleur soit supportable. Je ne peux allaiter Napiraï dans cet état. Elle est avec son papa, et elle pleure. Cette fois-ci, il se montre patient et, la tenant dans ses bras, il marche pendant des heures de long en large en chantonnant. Elle se calme quelques instants, puis se remet à pleurer. Vers minuit, je me sens tellement mal que je dois vomir. Tout ce que j'ai mangé remonte sans avoir été digéré. Je ne peux plus m'arrêter. A la fin, je ne vomis plus qu'un liquide jaune. J'ai sali le sol mais je me sens trop mal pour tout nettoyer. J'ai froid et je suis sûre d'avoir beaucoup de fièvre.

Lketinga se fait du souci et, bien qu'il soit déjà très tard, il va chercher la voisine. Peu après, elle vient me voir. Comme si cela allait de soi, elle nettoie toute la saleté que j'ai laissée. Inquiète, elle me demande si j'ai une nouvelle crise de malaria. Je n'en sais rien, mais j'espère ne pas être obligée de retourner tout de suite à l'hôpital. Les douleurs à l'estomac s'estompent peu à peu, et je peux de nouveau allonger les jambes et allaiter Napiraï.

La voisine rentre chez elle, et mon mari s'allonge à côté de mon lit sur un deuxième matelas. Le matin, je me sens relativement bien et je bois le *chai* que Lketinga a préparé. Mais, à peine une demi-heure plus tard, le thé rejaillit de ma bouche comme une fontaine sans que je puisse l'empêcher. En même temps, je recommence à avoir des douleurs à l'estomac si violentes que je dois m'accroupir et serrer les cuisses contre mon torse. Après quelque temps, mon estomac se calme et je commence à laver le bébé et les couches. Très vite, je suis épuisée, bien que je ne souffre ni de fièvre ni de douleur pour l'instant. Je n'ai pas non plus de frissons, typiques des crises de malaria. Je doute donc que ce soit cela, et je pense plutôt à une indigestion.

Dans les deux jours qui suivent, toutes les tentatives pour manger ou boire quelque chose échouent. Les crampes à l'estomac durent plus longtemps et sont de plus en plus violentes. Mes seins diminuent à vue d'œil car je ne peux plus retenir de nourriture. Le quatrième jour, exténuée, je ne peux plus me lever. Mon amie vient me voir tous les jours et m'aide le mieux possible, mais elle ne peut pas allaiter à ma place.

Aujourd'hui, Lketinga est allé chercher la maman. Elle m'examine et appuie sur mon estomac, ce qui me fait horriblement mal. Puis, en désignant mes yeux, elle remarque qu'ils sont jaunes et que mon visage a une drôle de couleur également. Elle veut savoir ce que j'ai mangé. Mais, en dehors de l'eau, je ne garde plus rien depuis des jours. Napiraï pleure parce qu'elle veut que je lui donne le sein, mais je ne peux plus la tenir car je n'arrive plus à me redresser toute seule. La maman la tient contre ma maigre poitrine. Je doute d'avoir encore suffisamment de lait et je m'inquiète de ce que ma petite fille va bien pouvoir prendre comme nourriture. Comme la maman ne sait pas non plus que penser de cette maladie, nous décidons de partir à l'hôpital de Wamba.

Lketinga conduit, tandis que mon amie tient Napiraï. Je suis trop faible pour la tenir moi-même. Naturellement, une fois de plus, nous crevons en route. C'est à désespérer, je n'en peux plus de cette voiture. Avec difficulté, je m'assois à l'ombre et j'allaite Napiraï pendant que les deux autres changent le pneu. En fin d'après-midi, nous arrivons à Wamba. Je me traîne jusqu'à la réception et demande le médecin suisse. Plus d'une heure après apparaît le médecin italien. Il me demande quels sont les symptômes et me fait une prise de sang. Quelque temps après, il nous apprend qu'il ne s'agit pas d'une crise de malaria. Pour en savoir plus, il faut attendre le lendemain. Napiraï reste avec moi tandis que mon mari et mon amie rentrent à Barsaloi, soulagés de me savoir entre de bonnes mains.

On nous met de nouveau à la maternité pour que Napiraï puisse dormir à côté de moi, dans un lit d'enfant. Comme elle n'a pas l'habitude de s'endormir sans moi, elle pleure tout le temps, jusqu'à ce qu'une infirmière la mette dans mon lit. Elle s'endort tout de suite en suçant mon sein. Au petit matin apparaît enfin le médecin suisse. Elle n'est pas très contente de me revoir avec mon enfant dans ce triste état.

Après avoir fait quelques examens, elle établit son diagnostic : c'est une hépatite ! Tout d'abord, je ne comprends pas ce que c'est. Elle m'explique qu'il s'agit d'une jaunisse, plus exactement d'une infection du foie qui, en plus, est contagieuse. Mon foie n'accepte plus aucune nourriture. La moindre absorption de graisse me cause des douleurs. A partir de maintenant, je dois observer un régime strict, j'ai besoin de calme absolu et d'isolement. En retenant mes larmes, je demande combien de temps cela prendra. La femme médecin nous jette un regard compatissant, puis elle dit : « Au moins six semaines ! Alors la maladie sera loin d'être guérie complètement, mais elle ne sera plus contagieuse. » Il faut aussi examiner Napiraï. Je l'ai probablement déjà contaminée ! Je sanglote. Le gentil médecin essaie de me consoler en me disant que rien ne prouve encore que Napiraï soit infectée. Mon mari devra lui aussi se faire examiner au plus vite.

Après ces nouvelles accablantes, j'ai la tête qui bourdonne. Deux infirmières noires arrivent avec une chaise roulante et on m'installe avec toutes mes affaires dans une nouvelle aile de l'hôpital. On me donne une chambre avec toilettes qui dispose d'un mur vitré mais qui n'a pas de porte. On ne peut ouvrir de l'intérieur. Cette partie de l'hôpital est récente et la chambre a un aspect avenant, mais je m'y sens déjà prisonnière.

On emporte nos affaires pour les désinfecter, et je reçois l'uniforme de l'hôpital. Puis on examine Napiraï. Evidemment, elle hurle pendant la prise de sang. J'ai infiniment pitié d'elle : elle est encore si petite, elle a tout juste six semaines, et elle doit déjà souffrir autant ! On me met sous perfusion et on m'apporte une bonbonne d'eau enrichie d'une livre de sucre. Je dois boire beaucoup d'eau sucrée, c'est le meilleur moyen pour que mon foie se remette. Et j'ai besoin de calme, de calme absolu. C'est tout ce qu'on peut faire pour moi. On emporte mon bébé. Désespérée, je pleure jusqu'à ce que je m'endorme.

Quand je me réveille, le soleil est haut dans le ciel, mais je ne sais pas quelle heure il est. Le silence qui règne dans la pièce me terrifie. On n'entend absolument rien et, si je veux établir un contact avec l'extérieur, je dois sonner. Derrière la vitre apparaît alors une infirmière noire qui me parle à travers une petite ouverture. Je voudrais savoir comment va Napiraï. Elle dit qu'elle va aller chercher le médecin. Des minutes passent qui, dans ce silence, me semblent une éternité. Puis le médecin pénètre dans ma chambre. Inquiète, je lui demande si je ne risque pas de la contaminer. Elle me rassure en souriant : « Quand on a eu une hépatite une fois, on ne l'attrape plus ! » En fait, elle a contracté la maladie voilà des années.

Enfin, j'apprends une bonne nouvelle : Napiraï est en parfaite santé. Seulement, elle ne veut pas boire de lait de vache ni de lait en poudre. D'une voix tremblante, je demande si je pourrai encore la prendre dans mes bras pendant ces six semaines. La médecin m'explique que si, d'ici demain, elle continue à refuser toute autre nourriture, il faudra que je l'allaite, bien que le risque de contamination soit très important. De toute façon, c'est un miracle qu'elle n'ait pas encore attrapé la maladie.

Vers cinq heures, on m'apporte mon premier repas, du riz au chou cuit à l'eau et une tomate. Je mange lentement. Cette fois-ci, je garde le peu de nourriture que je prends, mais la douleur revient, quoique moins violente. On me montre deux fois Napiraï à travers la vitre. Ma petite fille pleure, et son petit ventre est tout creux.

Le lendemain à midi, les infirmières, à bout de nerfs, m'amènent mon petit bébé couleur café. Un profond sentiment de bonheur m'envahit comme je n'en avais plus ressenti depuis longtemps. Avidement, elle cherche mon sein et se calme en tétant. En regardant ma petite Napiraï, je me rends compte que j'ai besoin d'elle si je veux trouver le calme et la volonté nécessaires pour supporter cet isolement. Pendant qu'elle tète, elle me regarde fixement avec ses grands yeux sombres, et je dois me retenir pour ne pas

261

trop la serrer contre moi. Plus tard, quand le médecin passe me voir, elle dit : « Je vois que vous avez besoin l'une de l'autre pour retrouver et garder la santé ! » Enfin, j'arrive à sourire et je lui promets de faire des efforts pour guérir.

Tous les jours, je me force à boire trois litres d'eau très sucrée qui me donnent la nausée. Comme j'ai droit à du sel maintenant, les repas ont meilleur goût. Au petit déjeuner, on m'apporte du thé et des sortes de biscottes avec une tomate ou un fruit. Au déjeuner et au dîner, toujours la même chose : du riz avec ou sans chou cuit à l'eau. Tous les trois jours, on me fait une prise de sang et un examen d'urine. Après une semaine, je me sens déjà mieux, bien que je sois encore très faible.

Quinze jours plus tard, c'est un nouveau choc. En examinant mon urine, on a constaté que mes reins ne fonctionnent plus bien. J'avais certes remarqué des douleurs dans le dos, mais je les avais mises sur le compte de l'alitement prolongé. Maintenant, on supprime le sel des repas qui, de toute façon, étaient déjà bien fades, et on m'accroche un sachet pour l'urine, ce qui est très douloureux. Je dois noter combien je bois par jour et l'infirmière mesure à l'aide du sachet quelle quantité j'évacue. J'avais enfin retrouvé la force de faire quelques pas, et voilà que je suis de nouveau immobilisée ! Au moins, Napiraï est avec moi. Sans elle, j'aurais sûrement perdu le goût de vivre. Elle doit sentir que je ne vais pas bien car, depuis qu'elle est avec moi, elle ne pleure plus.

Deux jours après m'avoir emmenée à l'hôpital, mon mari était revenu se faire examiner, et on avait constaté qu'il n'avait pas été contaminé. Cela fait dix jours, maintenant, qu'il ne s'est pas montré. Je n'étais sans doute pas très jolie à voir, la dernière fois, et nous n'avons pu nous parler. Il est resté derrière la vitre, l'air triste, et il est reparti au bout d'une demi-heure. De temps en temps, il me transmet son bonjour. On me dit que nous lui manquons beaucoup et que, pour faire passer le temps, il se promène avec notre troupeau. Depuis que la nouvelle s'est répandue à Wamba qu'une *mzungu* se trouve à l'hôpital, des inconnus viennent régulièrement se planter devant la vitre pour nous regarder avec de grands yeux, mon bébé et moi. Parfois, il y a jusqu'à dix personnes. Cela me gêne beaucoup et je me cache sous le drap.

Les journées passent lentement. Soit je joue avec Napiraï, soit je lis le journal. Maintenant, je suis ici depuis deux semaines et demie, et je n'ai pas senti un rayon de soleil ni respiré d'air frais. Le bruit des grillons et le gazouillis des oiseaux me manquent beaucoup également. Je commence à être dépressive. Je réfléchis à ma vie, et je sens que ce qui me manque le plus, c'est Barsaloi et ses habitants.

Une fois de plus, l'heure des visites approche et je me cache sous le drap lorsqu'une infirmière vient me dire qu'il y a de la visite pour moi. Je risque un coup d'œil et, derrière la vitre, j'aperçois mon mari accompagné d'un autre guerrier. Il nous adresse un grand sourire joyeux, à Napiraï et à moi. De le voir là, si gai et si beau, me remplit immédiatement de joie, comme je n'en ai plus éprouvé depuis longtemps. J'aimerais aller vers lui, le toucher et lui dire : « *Darling, no problem, everything becomes OK.* » Au lieu de cela, je tiens Napiraï de façon que son père puisse la voir de face et je lui montre son papa. Joyeusement, elle gigote et agite ses petites jambes et ses petits bras grassouillets. Lorsque des étrangers essaient de jeter un coup d'œil à travers la vitre, je vois que mon mari leur parle d'une voix intimidante, et ils déguerpissent. Cela me fait rire, et lui rit aussi en discutant avec son ami. Son visage peint brille au soleil. Ah, je l'aime toujours, malgré tout ! L'heure des visites est terminée, et nous nous adressons des signes de la main. Avoir vu mon mari me donne la force dont j'ai besoin pour me reprendre psychiquement.

Après la troisième semaine, on m'enlève le sachet d'urine car mon état s'est beaucoup amélioré. Enfin, je peux vraiment me laver et même me doucher. Au moment de la visite, le médecin est étonné de voir comme je me suis faite jolie. Je me suis attaché les cheveux avec un ruban rouge en une queue de cheval et j'ai mis du rouge à lèvres. Je me sens renaître. Je suis heureuse quand elle m'annonce que, la semaine prochaine, je pourrai sortir un quart d'heure. Je compte les jours.

A la fin de la quatrième semaine, on m'autorise à quitter ma cage avec ma fille attachée sur le dos. J'en ai presque le souffle coupé, en sortant, puis je respire avidement l'air des tropiques. Le chant des oiseaux me paraît extrêmement beau et les buissons rouges dégagent des effluves délicieux. Tous mes sens sont exacerbés après ce mois d'isolement total. Je pourrais pousser des cris de joie.

Comme je ne dois pas m'éloigner de la nouvelle aile de l'hôpital, je fais quelques pas le long des autres chambres vitrées. Ce que je vois derrière ces vitres est abominable. Presque tous les enfants ont des malformations. Parfois, il y a jusqu'à quatre petits lits dans une seule chambre. Je vois des têtes et des corps difformes, des enfants qui ont le dos ouvert, d'autres à qui il manque une jambe ou un bras, ou qui ont un pied bot. Devant la troisième vitre, j'ai un choc : un tout petit corps de bébé soutient une énorme tête qui semble sur le point d'éclater. Le bébé est immobile, seules les lèvres bougent ; probablement pleure-t-il. Je ne peux plus supporter cette vision et je retourne dans ma chambre. Je suis bouleversée car je n'ai jamais vu des malformations pareilles. Je me rends compte de la chance que j'ai avec mon enfant.

Quand le médecin revient me voir, je lui demande pourquoi ces enfants sont encore en vie. Elle m'explique que ceci est un hôpital de la Mission et que l'on n'y pratique pas l'euthanasie. La plupart de ces enfants ont été abandonnés devant les portes de l'hôpital, et ils attendent ici leur mort. J'en suis encore malade et je me demande si je vais pouvoir dormir calmement, sans faire de cauchemar. Le médecin me propose de marcher plutôt derrière l'hôpital, le lendemain, de façon à m'épargner cette vision. En effet, il y a là un pré avec de beaux arbres, et nous avons le droit de rester dehors une demi-heure par jour. Je me promène avec Napiraï dans la verdure tout en chantant à haute voix. Cela a l'air de lui plaire car, de temps en temps, elle émet des petits bruits, elle aussi.

Mais, bientôt, la curiosité me ramène vers les enfants handicapés. Comme je sais maintenant à quoi m'attendre, leur vision me choque moins. Quelques-uns s'aperçoivent qu'on les regarde. En rentrant dans ma chambre, je passe devant la chambre à quatre petits lits dont la porte est ouverte. L'infirmière noire qui s'occupe de changer les couches me sourit et me fait signe d'entrer. En hésitant, je m'avance jusque dans l'embrasure de la porte. Elle me montre les différentes réactions des enfants quand elle parle ou rit avec eux. Je suis étonnée de voir que ces enfants peuvent réagir très joyeusement. Cela me touche et, en même temps, j'ai honte d'avoir pu douter que ces créatures aient droit à l'existence. Ils ressentent de la douleur et de la joie, de la faim et de la soif.

A partir de ce moment-là, je passe tous les jours devant les différentes portes et je chante les trois chansons dont je me souviens depuis l'école. Je suis impressionnée de voir que, au bout de quelque temps seulement, les bébés manifestent de la joie en me reconnaissant ou en entendant ma voix. Même le bébé hydrocéphale arrête de gémir quand je lui chante une chanson. Enfin, j'ai trouvé une mission qui me permet de communiquer ma joie de vivre retrouvée.

Un jour, je promène Napiraï au soleil avec un siège à bébé sur lequel on a monté des roues. Elle rit joyeusement chaque fois que les roues crissent et que la voiture cahote. Elle est maintenant le centre d'intérêt des infirmières. Toutes veulent promener la petite fille café au lait. Patiemment, elle laisse faire tout le monde et elle a même l'air d'y prendre du plaisir. Tout à coup surgissent devant moi mon mari et son frère James. Lketinga se précipite immédiatement sur Napiraï et la prend dans ses bras, puis il vient me saluer. Je suis très contente de cette visite inattendue.

Cependant, Napiraï semble avoir quelques problèmes avec le visage peint et les longs cheveux rouges de son père car, aussitôt, elle se met à pleurer. James va tout de suite la voir et lui parle doucement. Lui aussi est séduit par notre enfant. Lketinga réessaie de la calmer en chantant, mais sans succès : elle veut aller chez sa maman. Puis James la prend et, tout de suite, elle se calme. Pour le consoler, je serre Lketinga dans mes bras et j'essaie de lui expliquer que Napiraï doit se réhabituer à lui parce que cela fait maintenant plus de cinq semaines que nous sommes ici. D'un air désespéré, il me demande quand nous allons enfin rentrer. Je lui promets de demander au médecin le soir même, et je lui dis de revenir à la prochaine heure de visite.

Lors de la visite médicale de l'après-midi, je me renseigne auprès du médecin ; celui-ci m'assure que je pourrai quitter l'hôpital d'ici une semaine à condition de ne pas travailler et d'observer un régime. Ce n'est que dans trois ou quatre mois que j'aurai le droit de manger à nouveau un tout petit peu de graisse. Je crois avoir mal entendu. Je suis censée continuer ce régime à base de riz ou de pâtes cuites à l'eau pendant trois ou quatre mois encore ! J'ai envie de viande et de lait. Le soir, Lketinga et James reviennent. Ils m'apportent de la viande maigre cuite à l'eau. Je n'arrive pas à résister ; très lentement et en mâchant longuement, je mange quelques morceaux et, à contrecœur, je leur rends le reste. Nous convenons qu'ils viendront me chercher dans une semaine.

Dans la nuit, je suis prise de violentes douleurs à l'estomac. Mes entrailles brûlent comme si les parois de mon estomac étaient dévorées par le feu. Au bout d'une demi-heure, je n'y tiens plus et je sonne l'infirmière. Voyant que je me tords de douleur, elle appelle le médecin. Il me regarde sévèrement, puis il me demande ce que j'ai mangé. J'ai honte en avouant que j'ai avalé environ cinq petits morceaux de viande maigre. Il se met en colère et me traite d'idiote, puis il me demande pourquoi je suis venue à l'hôpital si je ne suis pas les consignes qu'on me donne. Il en a assez de jouer les sauveteurs, me dit-il, d'autant plus qu'il n'y a pas que moi dont il doit s'occuper !

A ce moment-là, la femme médecin entre dans la chambre ; sans elle, le sermon aurait sans doute continué. Je suis très choquée par l'accès de colère du médecin italien car, jusqu'ici, il avait toujours été très gentil. Napiraï pleure, et moi aussi. Il quitte la chambre ; la femme médecin me calme et s'excuse pour son confrère, qui, d'après elle, est surmené. Cela fait des années qu'il n'a pas eu de vacances et qu'il se bat tous les jours, la plupart du temps en vain, pour sauver des vies humaines. Pliée en deux par la douleur, je m'excuse et je me sens comme une grande criminelle. Le médecin s'en va et je passe une nuit très pénible.

J'ai hâte de pouvoir partir. Enfin, le jour de ma sortie arrive. Nous avons déjà pris congé des infirmières, Napiraï et moi, et nous attendons Lketinga. Il arrive peu après midi, accompagné de James, mais il n'est pas rayonnant comme je m'y étais attendue. Il a eu des problèmes avec la voiture en venant. L'embrayage ne fonctionne pas bien, de nouveau. A plusieurs reprises, il n'a pas pu changer de vitesses et, maintenant, la voiture se trouve au garage de la Mission, à Wamba.

Nairobi

James prend Napiraï et Lketinga porte mon sac. Enfin je suis libre de nouveau ! A la réception, je paie mon séjour, puis nous allons à la Mission. Couché sous la Land Rover, un mécanicien manipule différentes pièces. Barbouillé d'huile, il sort de sous la voiture et dit que l'embrayage a fait son temps. Nous ne pourrons plus utiliser la deuxième vitesse.

« Ça suffit maintenant », me dis-je à ce moment-là. Avec mon bébé et ma santé tout juste retrouvée, je ne veux plus prendre de risque. Je propose donc à mon mari d'aller d'abord à Maralal, puis à Nairobi pour acheter une nouvelle voiture. James est tout de suite enthousiaste à l'idée de visiter Nairobi. Nous arrivons à Maralal avant la tombée de la nuit. Pendant tout le trajet, il y a eu des craquements dans l'engrenage, mais nous arrivons jusqu'au *lodging* sans problème. Nous garons la voiture là-bas puis, à cinq, nous prenons le car pour Nairobi.

James a insisté pour que nous emmenions un ami à lui car il ne veut pas loger seul dans une chambre à Nairobi. Dans nos bagages se trouvent 12 000 francs suisses, c'est-à-dire tout ce que nous possédons pour l'instant, en prenant à la fois les rentrées de la boutique et l'argent que j'avais à la banque. Il n'existe pas de marchands de voitures d'occasion, au Kenya, où l'on puisse simplement choisir sur place, je ne vois pas encore très bien comment nous en trouverons une. C'est une marchandise rare.

Nous atteignons la ville vers seize heures et passons le reste de la journée à chercher un *lodging* pour tout le monde. L'Igbol est complet. Nous essayons un endroit moins cher car je suppose que nous nous attarderons une ou deux nuits. Nous avons de la chance : il reste encore deux chambres. Il faut d'abord que je lave Napiraï et que

267

je change ses couches. Il y a un lavabo dans lequel je peux libérer ma petite fille de la poussière et de la crasse qui la recouvrent. Evidemment, la moitié des couches est déjà sale, mais il n'y a pas la possibilité de les nettoyer. Après avoir mangé quelque chose, nous nous endormons de bonne heure.

Le lendemain matin, nous nous demandons par où commencer. Je cherche dans l'annuaire des marchands de voitures d'occasion, mais sans succès. Alors j'arrête un chauffeur de taxi et je lui pose la question. Tout de suite, il veut savoir si nous avons de l'argent sur nous. J'ai la prudence de dire non car je voudrais d'abord trouver une auto qui me convienne. Il promet de se renseigner et nous demande de revenir au même endroit le lendemain à la même heure. Nous sommes d'accord, mais je refuse de passer la journée sans rien faire. Je demande donc à trois autres chauffeurs de taxi, mais ils ne font que nous regarder bizarrement. Nous n'avons d'autre choix que d'attendre et de retourner à la station de taxis le lendemain.

Le chauffeur nous attend et nous dit qu'il connaît quelqu'un qui a une Land Rover. Nous traversons la moitié de la ville et nous arrêtons devant une petite boutique. Je parle avec le propriétaire africain. En effet, il a trois voitures à vendre, mais aucun quatre-quatre. De toute façon, nous ne pouvons pas les voir mais, au cas où nous serions intéressés, il propose d'appeler les propriétaires actuels pour leur demander de venir nous voir avec la voiture. Il nous assure que nous ne trouverons nulle part une voiture d'occasion. Déçue, je décline sa proposition car il nous faut absolument un quatre-quatre. Je lui demande d'une voix désespérée s'il ne connaît vraiment personne d'autre. Il passe quelques coups de fil, puis il donne une adresse au chauffeur de taxi.

Nous changeons de quartier et, en plein centre-ville, nous nous arrêtons devant un magasin. Un Indien avec un turban nous salue, surpris, et demandent si nous sommes les personnes qui cherchent une voiture. Je réponds : « *Yes.* » Il nous prie d'entrer dans son bureau et commence par nous proposer du thé, puis nous explique qu'il a deux voitures d'occasion en ce moment.

La première, une Land Rover, est beaucoup trop chère ; je perds à nouveau tout espoir. Ensuite il nous parle d'une

Datsun qui a cinq ans, avec une cabine double, mise en vente à 14 000 francs. Ce prix dépasse largement mes moyens et, en plus, je ne sais même pas à quoi ressemble cette voiture. L'Indien m'explique à quel point il est difficile de trouver une auto. Nous finissons par partir.

Nous sommes à peine ressortis qu'il nous rattrape pour nous demander de revenir le lendemain afin qu'il puisse nous montrer la voiture, sans aucun engagement de notre part. Nous prenons rendez-vous, bien que je ne sois pas prête à dépenser autant d'argent.

De nouveau, nous devons patienter le reste de la journée. J'achète des couches, celles que j'ai apportées sont toutes sales et commencent à s'entasser dans notre chambre d'hôtel, ce qui n'améliore pas vraiment la qualité de l'air.

Nous retournons voir l'Indien, bien que je n'aie pas l'intention de m'engager. Il nous salue joyeusement et nous montre la Datsun. D'emblée, je suis prête à tout essayer pour l'avoir. Elle a l'air en bon état et confortable. L'Indien me propose de faire un petit tour d'essai, ce que je refuse parce que la conduite à gauche sur trois voies me terrifie et que j'ai peur de perdre le contrôle. Alors nous mettons simplement en route le moteur. Tout le monde est enthousiasmé ; j'ai simplement quelques réserves par rapport au prix. Nous nous rendons dans le bureau de l'Indien. Quand je lui parle de ma Land Rover qui est restée à Maralal, il se déclare prêt à me la racheter 2 000 francs suisses, ce qui est une bonne affaire. J'hésite quand même parce que ces 12 000 francs sont tout ce que nous avons sur nous, et il faut encore que nous rentrions à la maison. Je suis sur le point de lui dire que je vais y réfléchir lorsqu'il me propose de nous faire raccompagner à Maralal par un chauffeur qui pourrait revenir avec la Land Rover. Il faudrait que je lui donne 10 000 francs maintenant et que je remette au chauffeur un chèque du montant de la somme restante. Je suis surprise par sa confiance et par son offre généreuse : Maralal se trouve tout de même à 450 kilomètres d'ici.

Je n'hésite pas plus longtemps car cela résout aussi le problème de la conduite dans Nairobi. Mon mari et les garçons sont ravis en voyant que je suis sur le point d'acheter la Datsun. Nous signons un vrai contrat et je paie. L'Indien nous fait remarquer que nous sommes très courageux de nous promener dans Nairobi avec autant d'argent liquide sur nous. Il ajoute qu'il tiendra la voiture à notre disposition le lendemain soir, le temps de mettre la carte grise à mon nom. Cela signifie deux nuits supplémentaires à Nairobi ! Mais je tiens bon : nous avons réussi notre coup, et nous allons rentrer avec une voiture fantastique.

Comme prévu, le chauffeur vient nous chercher le surlendemain matin dans notre *lodging*. Je lui demande de me montrer les papiers et, en effet, ils sont à mon nom. Nous chargeons nos bagages, dont quelques kilos de couches sales. Dans cette belle auto silencieuse avec chauffeur, nous nous sentons comme des rois. Même Napiraï semble prendre plaisir au trajet. En fin d'après-midi, nous arrivons à Maralal. Le chauffeur n'en revient pas de se trouver dans un endroit aussi perdu. A Maralal, la Datsun ne passe pas inaperçue. Nous la garons dans le *lodging* derrière la Land Rover. J'explique au chauffeur, qui est aussi mécanicien, quels sont les problèmes. « *It's OK* », répond-il simplement, puis il va se coucher. Le lendemain, je lui donne le chèque et il s'en va.

Nous passons une deuxième nuit à Maralal, ce qui nous permet d'aller rendre visite à Sophia. Elle et sa fille Anika vont bien. Elle était étonnée de ne plus me voir. Quand je lui raconte que j'ai attrapé une hépatite, elle est inquiète. Nous échangeons brièvement quelques nouvelles. Comme la chatte de Sophia vient de mettre bas trois chatons, je lui demande de m'en réserver un, puis nous nous mettons en route.

Nous passons par Baragoi, et nous arrivons à Barsaloi avec presque une heure d'avance par rapport au temps que nous mettions avec la vieille Land Rover. La maman est très contente de nous voir. Comme elle ne savait pas que nous étions partis à Nairobi, elle s'est fait beaucoup de souci. A peine sommes-nous arrivés que les premiers admirateurs entourent déjà notre voiture. J'ai écrit à ma mère, depuis Maralal, pour lui demander de me virer de l'argent de mon compte en Suisse.

Après avoir bu du *chai*, nous rentrons à la maison. Dans l'après-midi, je rends visite au père Giuliano et je lui raconte fièrement mon achat. Il me félicite et me propose de me dédommager largement si je transporte de temps en temps des écoliers ou des malades à Maralal. Ainsi, j'aurai au moins quelques rentrées assurées.

Nous profitons de la vie : tout va bien. Je dois toujours suivre un régime, ce qui est difficile à Barsaloi. Les écoliers resteront encore quelques jours, puis ce sera la fin des vacances. Pendant que Napiraï reste chez sa grand-mère, la « *gogo* », je les emmène à Maralal. Pendant le trajet, James et moi discutons de l'éventualité de ne rouvrir la boutique que dans trois mois, quand il aura terminé l'école. Alors il nous aidera volontiers.

Je fais une petite visite à Sophia, qui me raconte qu'elle part dans quinze jours en Italie pour montrer sa fille à ses parents. Je suis contente pour elle et, en même temps, cela me donne un peu le mal du pays. Comme j'aimerais pouvoir montrer ma fille, moi aussi ! En plus, les premières photos que j'avais prises sont ratées, quelqu'un a exposé le film à la lumière. Je choisis un petit chat tigré roux et blanc que j'emporte dans une boîte. Le trajet se passe sans le moindre problème et, bien que je prenne le détour, je suis de retour avant la tombée de la nuit. La maman a nourri Napiraï toute la journée avec du lait de vache, à l'aide d'une petite cuiller. Pourtant, dès que la petite me voit, elle réclame le sein et ne se calme que lorsqu'elle a obtenu ce qu'elle voulait.

Mon mari a été occupé toute la journée. Une épidémie de peste chez les vaches s'est déclarée à Sitedi et, tous les jours, des animaux meurent. Il rentre tard dans la nuit, complètement abattu. Deux de nos vaches sont mortes et trois autres n'arrivent plus à se lever. Je demande s'il n'y a pas un remède contre ce mal. Il acquiesce, mais celui-ci ne servira plus qu'aux animaux qui n'ont pas encore attrapé la maladie, les animaux infectés vont tous mourir. Les médicaments sont chers ; on ne les trouve qu'à Maralal, et encore, avec beaucoup de chance. Il va voir le vétérinaire et discute avec lui. Le lendemain, nous retournons à Maralal en emmenant le vétérinaire et Napiraï. Contre beaucoup d'argent, nous obtenons le vaccin ainsi qu'une seringue pour vacciner les animaux qui sont encore en bonne santé. Il faut leur faire des piqûres pendant cinq jours consécutifs. Lketinga doit rester pendant ce temps à Sitedi.

Repos en Suisse

Après trois jours, je me sens seule, bien que Napiraï et moi rendions visite à tour de rôle à la maman et à ma nouvelle amie. La vie n'en est pas moins monotone. Prendre mes repas seule ne me plaît pas tellement non plus. Ma famille me manque et je projette de partir bientôt un mois en Suisse. En outre, il serait beaucoup plus simple, là-bas, de suivre un régime. Mais Lketinga ne sera pas facile à convaincre, même si les médecins m'ont chaudement recommandé ces vacances quand j'ai quitté l'hôpital. D'heure en heure, l'idée de pouvoir bientôt me reposer en Suisse me donne des ailes, et j'attends mon mari avec impatience.

Je suis dans la cuisine en train de me préparer un repas par terre, sous la fenêtre ouverte, lorsque la porte s'ouvre. Lketinga entre. Il ne me salue même pas, mais il regarde tout de suite par la fenêtre et me demande d'un air méfiant qui vient de filer par là. Après cinq jours d'attente et de solitude, ses soupçons sont comme un coup de poing pour moi, mais j'essaie de me maîtriser car je voudrais discuter avec lui de mes projets de voyage. Alors je lance d'une voix décontractée : « *Nobody, why do you ask me this ?* » Sans me répondre, il va dans la chambre pour fouiller la couverture et le matelas. J'ai honte qu'il soit aussi méfiant, et toute ma joie de le retrouver s'évanouit. Il n'arrête pas de me demander qui m'a rendu visite. Il y a bien des guerriers qui sont venus à deux reprises, mais je ne les ai même pas fait entrer.

Enfin, il adresse quelques mots à sa fille et il la sort de son petit lit-panier que j'ai acheté lors de mon dernier passage à Maralal. Dans la journée, elle dort dans ce petit lit portatif dehors sous l'arbre, pendant que je lave les vêtements et les couches. Lketinga la prend dans ses bras et s'en va en direction des *manyattas*. Je suppose qu'il va chez la maman. Mon repas est prêt ; sans appétit, j'y enfonce ma fourchette. Je n'arrête pas de m'interroger sur les raisons de cette méfiance.

Quand, deux heures plus tard, mon mari n'est toujours pas rentré, je vais moi aussi voir la maman. Elle est assise sous l'arbre avec d'autres femmes, et Napiraï dort à côté d'elle sur une peau de vache. Lketinga est allongé dans la *manyatta*. Je m'assois à côté de la maman et elle me pose une question dont je ne comprends que la moitié. Apparemment, elle est persuadée elle aussi que j'ai un amant. Lketinga a dû lui raconter des histoires à dormir debout. En riant, elle me fait des clins d'œil complices tout en disant que c'est dangereux. Déçue, je lui dis que je n'ai que Lketinga, je prends ma fille et je rentre à la maison.

Dans ces circonstances, j'ai du mal à parler de mon projet de voyage en Suisse, alors que je prends de plus en plus conscience que j'ai besoin de ces vacances. Mais, pour l'instant, je garde cela pour moi en attendant que le calme soit revenu.

De temps en temps, j'essaie de manger un tout petit peu de viande mais je suis immédiatement punie par des douleurs à l'estomac. Alors je continue à me nourrir de maïs, de riz ou de pommes de terre. Comme je fais un régime sans graisse et que j'allaite tous les jours, je maigris de plus en plus. Je dois attacher mes jupes avec des ceintures pour ne pas les perdre. Napiraï a maintenant plus de trois mois, et nous devons l'emmener à l'hôpital de Wamba pour la faire vacciner et faire pratiquer un examen général. Avec la nouvelle voiture, ce petit voyage est une distraction bienvenue. Lketinga nous accompagne, mais il veut que je le laisse conduire.

Cette idée ne m'enchante pas. Pourtant, comme je ne peux prendre la voiture seule avec Napiraï et que j'ai besoin de lui, je lui passe la clé après quelques hésitations. Chaque fois qu'il se trompe de vitesse, je sursaute. Il conduit lentement, presque trop lentement, me semble-t-il. Tout à coup, je sens une odeur bizarre, et je constate qu'il n'a pas enlevé le frein à main. Il est horriblement gêné, le frein à main ne fonctionne plus bien, ce qui me contrarie parce que nous avons déjà eu beaucoup d'ennuis avec la Land Rover à cause du frein à main qui ne marchait pas. Lketinga ne veut plus conduire maintenant ; déprimé, il est assis à côté de moi et il tient Napiraï. Je suis désolée pour lui, et je le calme en lui disant que nous allons faire réparer le frein.

A l'hôpital, nous devons attendre près de deux heures avant d'être reçus. La femme médecin suisse m'examine et dit que je suis beaucoup trop maigre et que je n'ai pas assez de réserves. Si je ne veux pas revenir bientôt à l'hôpital comme patiente, je dois faire un séjour d'au moins deux mois en Suisse. Je lui explique que j'ai déjà formé ce projet, mais que je ne sais pas comment le faire comprendre à mon mari. Elle va chercher son confrère, qui m'encourage vivement lui aussi à aller en Europe le plus vite possible. Il me dit que je suis sous-alimentée et que Napiraï me prend mes dernières forces. Elle est éclatante de santé.

Je prie le médecin de bien vouloir parler avec Lketinga. Mon mari tombe des nues en apprenant que je dois partir aussi longtemps. Après d'assez longues négociations, il accepte que je parte pendant cinq semaines. Le médecin me donne un certificat pour que j'obtienne plus vite les papiers dont j'ai besoin pour emmener Napiraï. Elle reçoit ses vaccins, et nous rentrons à Barsaloi. Lketinga est triste ; il n'arrête pas de me demander : « *Corinne, why you are always sick ? Why you go with my baby so far ? I don't know where is Switzerland. What shall I make without you such a long time ?* » Cela me fend le cœur de voir à quel point cette séparation lui pèse. La maman est triste aussi en apprenant que je vais partir en Suisse. Mais je lui promets de revenir en bonne santé et avec de nouvelles forces, pour que nous puissions rouvrir le magasin.

Nous partons deux jours plus tard. Le père Giuliano nous emmène à Maralal. Je laisse la voiture à la Mission. Lketinga nous accompagne à Nairobi, Napiraï et moi. C'est encore une fois un long voyage, et il faut changer plusieurs fois le bébé pendant le trajet. Je ne prends pas beaucoup de bagages avec moi.

A Nairobi, nous descendons dans un *lodging* et nous commençons par aller au consulat allemand afin de demander des papiers pour Napiraï. Les problèmes commencent à l'entrée. Ils ne veulent pas laisser entrer Lketinga avec ses vêtements samburus. Il faut que je montre les documents qui prouvent que cet homme est mon mari pour qu'il soit autorisé à entrer avec moi. Tout de suite, Lketinga redevient nerveux et méfiant.

A l'intérieur du consulat, beaucoup de monde attend. Je commence par remplir la demande de papiers d'identité mais, déjà en mettant le nom, je sais qu'il y aura des problèmes. J'écris « Leparmorijo-Hofmann, Napiraï », mais mon mari ne veut pas accepter le nom d'Hofmann et dit que sa fille est une Leparmorijo. Aussi calmement que possible, j'essaie de lui expliquer que c'est le seul moyen d'avoir un passeport et que, sans papiers, Napiraï ne peut pas partir avec moi. Suit une discussion interminable ; les autres personnes qui attendent nous regardent avec curiosité. J'arrive malgré tout à persuader Lketinga de signer la demande.

Il faut attendre. Finalement, on m'appelle et on me prie d'entrer dans un bureau. Mon mari veut venir avec moi, mais on le retient. Mon cœur bat très fort car je m'attends à la prochaine crise et, en effet, celle-ci ne se fait pas attendre. Avant d'entrer dans le bureau, je vois Lketinga jouer des coudes et avancer jusqu'au guichet pour se disputer vivement avec l'employé.

Le consul allemand m'informe qu'ils peuvent établir une carte d'identité, mais seulement au nom de « Hofmann, Napiraï » car notre certificat de mariage n'est pas encore légalisé et je suis mariée seulement selon la loi kenyane, et non d'après la loi allemande. Lorsqu'il me dit que mon mari devra de nouveau signer une demande sans son nom, je réponds qu'il ne comprendra jamais pourquoi, et je lui montre mes attestations médicales. Mais il ne peut rien pour moi.

Quand je reviens dans le couloir, je trouve Lketinga assis sur une chaise et Napiraï pleurant dans ses bras ; il me regarde méchamment et me lance : « *What is wrong with you ? Why you go there without me ? I'm your husband !* » Très gênée par son comportement, je remplis encore une fois le même formulaire sans le nom de Leparmorijo. Alors il se lève et déclare qu'il ne signera plus rien.

Je lui lance un regard dur et je réponds entre les dents que, s'il ne signe pas maintenant, j'emmènerai de toute façon Napiraï en Suisse un jour et ne reviendrai plus jamais. Il faut qu'il comprenne enfin qu'il s'agit de ma santé ! Ce n'est qu'après que le guichetier lui a assuré à plusieurs reprises que Napiraï n'en reste pas moins sa fille qu'il finit par signer. Je retourne voir le consul. Méfiant, il me demande si tout est en ordre, et je lui explique qu'il est difficile pour un guerrier de comprendre toute cette bureaucratie.

Il me remet la carte d'identité de Napiraï et me souhaite bonne chance. Lorsque je lui demande si nous pouvons quitter le pays maintenant, il m'explique que les autorités kenyanes doivent m'accorder un tampon de sortie et d'entrée, et que j'ai également besoin de l'autorisation du père pour cela. Je prévois déjà le prochain drame. De mauvaise humeur, nous quittons le consulat et allons dans l'immeuble Nyayo. De nouveau, nous devons remplir des formulaires et attendre.

Napiraï pleure et ne se calme pas, même quand j'essaie de lui donner le sein. Une fois de plus, nous attirons beaucoup les regards, et l'allure de mon mari provoque pas mal de commentaires. Enfin, on nous appelle. Dédaigneusement, la femme derrière la vitre demande à mon mari pourquoi Napiraï a une carte d'identité allemande si elle est née au Kenya. Alors tout recommence depuis le début et, furieuse, je m'efforce de retenir mes larmes. J'explique à cette femme arrogante que mon mari ne possède pas de passeport, bien qu'il en ait fait la demande déjà deux ans auparavant, et que notre fille ne peut donc pas figurer sur ses papiers. J'ajoute que ma mauvaise santé me contraint à un séjour de repos en Suisse. La question suivante me coupe le souffle : pourquoi ne laissez-vous pas le bébé chez son père ? Indignée, je réponds qu'il me paraît normal d'emmener un enfant de trois mois. En plus, ma mère a quand même le droit de voir sa petite-fille, elle aussi ! Enfin, la femme applique le tampon sur la carte d'identité. Mon passeport est tamponné également. Epuisée et soulagée, je ramasse tous les papiers et me précipite dehors.

Maintenant, je dois acheter un billet d'avion. Cette fois-ci, je peux prouver d'où vient l'argent. Je présente les papiers d'identité et nous réservons un vol pour deux jours plus tard. L'employée n'est pas longue à revenir avec les billets à nos noms. Elle me les présente tout en lisant à haute voix « Hofmann, Napiraï » et « Hofmann, Corinne ». Excédé, Lketinga me redemande pourquoi nous nous sommes mariés puisque je ne suis pas sa femme et que, probablement, l'enfant ne lui appartient pas non plus. Maintenant, je suis à bout de nerfs. En pleurant de honte, je prends les billets sur moi et nous quittons l'agence pour rentrer dans le *lodging*.

276

Petit à petit, mon mari se calme. Profondément troublé et triste, il est assis sur le lit et, d'une certaine façon, je le comprends. Pour lui, le nom de famille est le cadeau suprême qu'on peut faire à sa femme et à ses enfants, et je ne l'accepte pas. Il doit avoir l'impression que je ne veux pas que nous formions une famille. Je le prends par la main et le rassure en lui disant qu'il n'a pas besoin de s'inquiéter et que nous allons revenir. Je lui promets d'envoyer un télégramme à la Mission pour qu'il sache le jour de notre arrivée. Il m'explique qu'il se sent seul sans nous, mais que, d'un autre côté, il aimerait bien que sa femme retrouve la santé. A notre retour, il tient à venir nous chercher à l'aéroport. Cette proposition me remplit de joie parce que je sais qu'il doit faire un énorme effort sur lui-même pour entreprendre ce voyage. A la fin, il me dit qu'il veut maintenant quitter Nairobi ; cette attente ne fait que le rendre plus malheureux encore. Je comprends cela, et nous l'accompagnons à l'arrêt du car. Pendant que nous attendons le départ du car, il me redemande d'un air inquiet : « *Corinne, my wife, you are sure, you and Napiraï come back to Kenya ?* » Je lui réponds en riant : « *Yes, I'm sure.* » Puis le car démarre.

Je n'ai pu prévenir ma mère de mon arrivée que l'avant-veille. Bien sûr, elle a été surprise de mon appel, mais elle est ravie de voir enfin sa petite-fille. J'aimerais que nous soyons jolies, ma fille et moi, mais les toilettes et les douches se trouvent à l'autre bout du couloir, et il est difficile de laisser ma petite fille turbulente seule dans la chambre. Quand je vais aux toilettes, je n'ai pas d'autre solution que de l'emmener avec moi, à moins qu'elle soit en train de dormir. Mais je peux difficilement l'emmener dans la douche. Alors je vais à la réception et je demande à la femme qui est là si elle peut garder mon bébé un quart d'heure pour que je puisse me doucher. Elle le ferait volontiers mais, pour l'instant, il y a une coupure d'eau dans la moitié de la ville. Peut-être y aura-t-il de l'eau ce soir, me dit-elle.

A six heures, la situation n'a toujours pas changé. Cela commence même à sentir mauvais partout. Comme je ne veux pas attendre davantage, car je dois être à dix heures à l'aéroport, je vais acheter plusieurs litres d'eau minérale

277

dans une boutique et les rapporte dans ma chambre. Je lave d'abord Napiraï, puis je me lave les cheveux et je fais une toilette de chat.

Un taxi nous emmène à l'aéroport. Nous n'avons pas beaucoup de bagages bien que les températures en Europe, fin novembre, soient sans doute hivernales. Les hôtesses de l'air s'occupent bien de nous et s'arrêtent souvent près de ma petite fille pour faire un brin de causette. On me donne un lit de bébé pour elle et, peu après, elle dort. Je suis gagnée par le sommeil à mon tour. Quand on me réveille, c'est déjà l'heure du petit déjeuner. L'idée de me retrouver bientôt sur le sol suisse me rend nerveuse.

Des visages blancs

J'accroche mon bébé dans mon dos, et nous passons sans problème le contrôle des passeports. Puis j'aperçois ma mère et Hanspeter, son mari. Les retrouvailles sont très joyeuses. Napiraï regarde les visages blancs avec intérêt.

Pendant le trajet en voiture pour rejoindre la campagne au-dessus de Berne, je vois dans le regard de ma mère que mon état l'inquiète. A la maison, nous prenons d'abord un bain — enfin un bain chaud ! Ma mère a acheté une petite bassine pour Napiraï, elle lui fait prendre son bain. Après dix minutes environ dans l'eau chaude, tout mon corps commence à me gratter. Les écorchures que j'avais aux jambes et aux bras sont devenues des plaies ouvertes et purulentes. Ces blessures ont été provoquées par mes bijoux massaïs et, dans le climat humide là-bas, elles cicatrisent mal. En sortant de la baignoire, je m'aperçois que mon corps est couvert de taches rouges. Napiraï pleure dans les bras de sa grand-mère. Elle a aussi des boutons rouges partout, qui grattent horriblement. Comme ma mère craint que ce soit contagieux, nous prenons rendez-vous chez un dermatologue pour le lendemain.

Le médecin est étonné par le diagnostic : nous avons la gale. En Suisse, c'est une maladie rare, causée par des parasites qui se mettent sous la peau et bougent en cas de

278

grande chaleur ; c'est ce qui provoque les démangeaisons. Bien sûr, le médecin se demande où nous avons bien pu attraper cette maladie. Je lui raconte que je vis en Afrique. Quand, en plus, il découvre mes plaies dont certaines sont profondes d'un centimètre, il me propose de faire le test du sida. J'en ai le souffle coupé, mais je suis prête. Il me donne plusieurs bouteilles avec un liquide que je dois appliquer trois fois par jour contre la gale et me dit de le rappeler dans trois jours pour avoir les résultats du test. Ces journées d'attente sont pires que tout ce qui a précédé.

La première, je dors beaucoup et me couche tôt avec Napiraï. Le deuxième soir, le téléphone sonne ; c'est le médecin qui demande à me parler personnellement. Mon cœur bat très fort quand je prends l'écouteur d'où va sortir l'information qui décidera de mon avenir. Le médecin s'excuse d'appeler le soir, mais il voulait abréger mon attente ; il me dit que les résultats sont négatifs. Je suis incapable de dire autre chose que « Merci ! » mais je me sens renaître, et une grande force m'envahit. Maintenant, je sais que je vais réussir à surmonter les séquelles de l'hépatite. Tous les jours, j'augmente un peu ma consommation de graisse, et je mange tout ce que ma mère prépare pour me faire plaisir.

Le temps passe lentement, malgré tout, je ne me sens pas chez moi, ici. Nous faisons beaucoup de balades à pied, nous allons voir ma belle-sœur, Jelly, et nous nous promenons avec Napiraï dans les premières neiges. La vie ici lui plaît beaucoup ; la seule chose qu'elle n'aime pas, c'est le nombre de vêtements qu'il faut mettre et enlever tout le temps.

Après deux semaines et demie, je décide de ne pas rester au-delà de Noël. Mais le premier vol que je réussis à avoir part le 5 janvier 1990. Du coup, je serai quand même loin de chez moi pendant presque six semaines. Les adieux sont douloureux ; de nouveau, je ne pourrai compter que sur moi-même. Je repars avec près de quarante kilos de bagages. J'ai acheté ou cousu quelque chose pour tout le monde. Ma famille m'a fait de nombreux présents, et j'emporte les cadeaux de Noël de Napiraï, en plus. Mon frère a acheté pour elle un siège de bébé qui se porte sur le dos.

Tout va-t-il s'arranger ?

Lorsque nous atterrissons à Nairobi, je suis très tendue, je ne sais pas si Lketinga m'attend à l'aéroport. S'il n'est pas là, je ne saurai comment porter à la fois Napiraï et mes bagages ; la recherche d'un *lodging* au milieu de la nuit sera difficile. Nous prenons congé des hôtesses de l'air et nous rendons au contrôle des passeports. A peine arrivée de l'autre côté, j'aperçois mon chéri, James et son ami. Ma joie est immense. Mon mari s'est orné de très belles peintures et ses longs cheveux ont été coiffés spécialement. Il est emmitouflé dans la couverture rouge. Joyeusement, il nous prend dans ses bras. Nous partons aussitôt dans le *lodging* où ils ont déjà réservé deux chambres. Napiraï a de nouveau quelques problèmes avec les visages noirs ; elle pleure, et Lketinga, inquiet, se demande si elle le reconnaît.

Dans le *lodging*, ils veulent tout de suite voir les cadeaux, mais je ne déballe que les montres car nous voulons repartir dès le lendemain ; j'ai fait les bagages très astucieusement. Les garçons se retirent dans leur chambre et nous allons nous coucher. Cette nuit-là, nous faisons l'amour, cela ne me fait plus mal. Je suis heureuse et j'espère que tout ira bien, maintenant.

Sur le chemin de la maison, on discute beaucoup, et j'apprends qu'on va bientôt construire une vraie école à Barsaloi. Un avion a emmené des Indiens de Nairobi qui ont habité quelques jours à la Mission. Ils projettent de construire l'école de l'autre côté du grand fleuve. Beaucoup d'ouvriers kikuyus viendront de Nairobi. Personne ne sait quand les travaux commenceront. Je raconte mes vacances en Suisse, et je mentionne bien sûr l'épisode de la gale car mon mari doit suivre un traitement s'il ne veut pas nous contaminer à nouveau.

Lketinga est venu en voiture jusqu'à Nyahururu, et il s'est garé à la Mission. Je suis épatée par son courage. Nous atteignons Maralal sans problème, même si les distances me paraissent de nouveau immenses. Le lendemain, nous arrivons à Barsaloi. La maman est heureuse de nous retrouver et elle remercie *Enkaï* que nous soyons ressorties saines et sauves de l'« oiseau de fer », c'està-dire de l'avion.

A la Mission, on est aussi heureux de me revoir. Je demande ce qu'il en est de ce projet d'école, et le père Giuliano me confirme ce que m'ont raconté les garçons. Les travaux commenceront ces jours-ci. Quelques personnes sont déjà arrivées pour construire des baraquements qui serviront de logement aux ouvriers. Les matériaux arrivent par camions entiers via Nanyuki-Wamba. Je n'en reviens pas qu'un tel projet soit réalisé dans cet endroit perdu. Le père Giuliano m'explique que le gouvernement voudrait sédentariser les Massaïs. L'emplacement n'est pas mauvais, le fleuve charrie toujours de l'eau et il y a suffisamment de sable pour qu'on puisse le mélanger avec du ciment et fabriquer des pierres. Le gouvernement l'a choisi en raison de la Mission moderne qui se trouve ici. Nous passons quelques jours merveilleux pendant lesquels nous nous promenons souvent de l'autre côté du fleuve pour observer la suite des événements.

Mon chat a beaucoup grandi. Lketinga a tenu parole et lui a donné à manger mais, visiblement, il n'a eu que de la viande car il est sauvage comme un tigre. Ce n'est que lorsqu'il se couche avec Napiraï dans son petit lit qu'il ronronne comme un gentil chat domestique.

Après deux bonnes semaines arrivent les ouvriers kikuyus. Le premier dimanche, on peut rencontrer la plupart d'entre eux à l'église car la messe est la seule distraction pour ces gens de la ville. Les Somalis ont fortement augmenté leurs prix, ce qui donne lieu à de grandes discussions et à une réunion à laquelle participent les vieux et le petit *chief*. Lketinga et moi y participons aussi, et on me demande souvent quand la boutique samburu rouvrira. Quelques-uns des ouvriers sont présents et veulent savoir si je ne peux pas leur fournir de la bière et des sodas. Ils m'assurent qu'ils me paieront bien car ils gagnent beaucoup d'argent sans avoir l'occasion de le dépenser. En tant que musulmans, les Somalis ne vendent pas de bière.

Le soir aussi, des ouvriers viennent nous voir fréquemment, et je commence à réfléchir à une possibilité de regagner un peu d'argent. J'ai l'idée d'ouvrir une sorte de discothèque avec de la musique kikuyu. En même temps, nous pourrions griller de la viande et vendre de la bière et des sodas. Je discute de tout cela avec Lketinga et le vétérinaire chez qui mon mari passe pas mal de temps. Tous deux sont enthousiastes, et le vétérinaire suggère de proposer aussi du *miraa* car la demande est très forte. Nous décidons de lancer le projet à la fin du mois. Je nettoie la boutique et rédige des tracts publicitaires que nous accrochons à différents endroits et que nous remettons aux ouvriers.

L'impact est énorme. Le premier jour déjà, quelques personnes viennent nous demander pourquoi nous ne commençons pas dès le week-end. Mais le délai est trop juste, d'autant plus qu'on ne trouve pas toujours de bière à Maralal. Nous y faisons notre tour habituel, nous achetons douze caisses de bière et des sodas. Mon mari se fournit en *miraa*. La voiture est pleine à craquer, ce qui ralentit le voyage du retour.

De retour à Barsaloi, nous entassons les marchandises dans la boutique car nous avons l'intention d'installer la piste de danse dans notre ancien appartement, au fond. Peu après, les premiers clients arrivent pour acheter de la bière. Je reste ferme parce que, autrement, nous n'aurons plus rien pour la soirée du lendemain. Le petit *chief* veut savoir si j'ai une licence pour la discothèque. Je n'en ai pas, bien sûr, et je lui demande si c'est vraiment nécessaire. Lketinga discute avec lui. Le *chief* propose de s'occuper du service d'ordre, contre un dédommagement, bien sûr. En échange d'un peu d'argent et de bière, il renonce à exiger une licence.

C'est aujourd'hui que doit avoir lieu la soirée dansante, et nous sommes très curieux de voir ce que cela donnera. Le garçon qui nous aide maintenant au magasin s'y connaît en électronique. Il prend la batterie de la voiture et la branche sur le magnétophone : la sono est prête. Entre-temps, on a abattu une chèvre. Deux garçons sont chargés de la vider et de la découper. Beaucoup de volontaires nous aident ; seul Lketinga est plus occupé à déléguer qu'à s'investir personnellement. A sept heures et demie, tout est prêt. Il y a de la musique, la viande est en train de griller, et les gens attendent près de la porte arrière. Lketinga encaisse le droit d'entrée que nous demandons aux hommes. Pour les femmes, l'accès est libre, mais elles restent dehors et jettent seulement un coup d'œil depuis la porte, de temps en temps, en pouffant de rire. En une demi-heure, la boutique est pleine. A plusieurs reprises, des ouvriers viennent se présenter et me félicitent de mon idée. Même le maître d'œuvre vient me remercier de mes efforts. Les gens ont mérité une distraction, me dit-il. Pour beaucoup d'entre eux, c'est le premier chantier vraiment loin de tout.

Je suis ravie de me retrouver au milieu de tous ces gens joyeux dont la plupart parlent anglais. Quelques Samburus du village sont venus, et même quelques vieux qui prennent place sur des caisses renversées et, emmitouflés dans leurs couvertures en laine, regardent les Kikuyus danser. Ils sont ébahis. Moi-même, je ne danse pas, bien que Napiraï soit entre de bonnes mains, chez la maman. Certains veulent danser avec moi mais un regard en direction de Lketinga me fait comprendre qu'il vaut mieux y renoncer. Il reste au fond de la pièce à boire de la bière en cachette et à mâcher du *miraa*. D'ailleurs, ce sont les réserves de *miraa* qui sont épuisées en premier.

Vers vingt-trois heures, quelqu'un baisse la musique et quelques hommes font un petit discours pour nous remercier, et en particulier pour me remercier, moi, la *mzungu*. Une heure plus tard, la dernière bière est vendue. Nous avons aussi vendu la chèvre débitée en morceaux d'un kilo. Les gens sont de bonne humeur et l'ambiance reste bonne jusqu'à quatre heures du matin, puis nous rentrons enfin chez nous. Je fais un détour pour aller chercher Napiraï chez la maman, et je rejoins la maison, épuisée.

Le lendemain, en comptant notre recette, je suis contente de constater que les bénéfices sont beaucoup plus importants que ceux du magasin. Mais ma joie se gâte lorsque le père Giuliano arrive à toute allure sur sa moto et me demande ce que c'était que ce « vacarme de cochon » la nuit dernière. Je suis dans mes petits souliers en lui racontant notre idée de créer une discothèque. Cela ne le gêne pas, à condition que ces soirées n'aient pas lieu plus de deux fois par mois, mais il veut que le calme soit respecté après minuit pour pouvoir dormir. Comme je ne veux pas l'incommoder, il faudra que je respecte ses exigences.

Méfiance

Bientôt, des ouvriers montent le chemin du fleuve pour savoir s'il n'y a pas de la bière à vendre quelque part. Je réponds que non. Mon mari apparaît et demande aux trois hommes ce qu'ils veulent. Je le lui explique ; Lketinga se dirige vers les hommes et leur dit qu'à l'avenir ils n'auront qu'à lui demander à lui s'ils désirent quelque chose, parce que c'est lui, l'homme, qui décide de ce qu'il faut faire. Surpris par l'irritation de Lketinga, les trois hommes repartent sans comprendre. Quand je lui demande pourquoi il leur a parlé sur ce ton, il me répond par un petit rire méchant : « *I know why these people come here, not for beer, I know ! If they want beer, why they don't ask me ?* » Je pensais bien qu'il y aurait tôt ou tard une scène de jalousie, bien que je n'aie parlé avec personne plus de cinq minutes pendant la soirée ! Je ravale la colère que je sens monter en moi ; l'idée que les trois hommes vont raconter cette scène partout est déjà suffisamment agaçante, juste au moment où tout Barsaloi parle de notre discothèque.

A partir de ce jour, Lketinga ne cesse de m'observer avec méfiance. De temps en temps, il prend la Datsun et va rendre visite à son demi-frère de Sitedi ou à d'autres parents. Bien sûr, je pourrais l'accompagner, mais je n'aime pas rester avec Napiraï près des vaches, dans les *manyattas* infestées de mouches. Le temps passe, et je guette le jour où James aura enfin terminé l'école. Nous avons besoin d'argent pour pouvoir acheter des vivres et de l'essence. Avec tous les étrangers qui sont là, nous pourrions gagner beaucoup.

Lketinga est tout le temps par monts et par vaux car beaucoup d'hommes de sa génération se marient en ce moment. Tous les jours, des guerriers viennent le voir pour lui parler d'un mariage qui aura lieu je ne sais où. La plupart du temps, il se joint à eux et, en général, j'ignore s'il sera de retour dans trois jours ou davantage.

Quand le père Giuliano me demande si je peux aller chercher les écoliers, l'année scolaire se terminant, je suis naturellement d'accord. Bien que mon mari ne soit pas là, je me mets en route, laissant Napiraï chez la maman. James me salue joyeusement et me demande ce qu'il en est de notre discothèque. La nouvelle est donc arrivée jusque-là. J'ai cinq garçons à ramener. Nous faisons des courses, et je passe rapidement voir Sophia. Elle est rentrée d'Italie mais veut se réinstaller sur la côte le plus vite possible. Elle trouve que la vie avec sa petite fille, Anika, est trop difficile ici, et sans avenir. Cette nouvelle me fait de la peine car, désormais, je n'aurai plus personne à aller voir à Maralal. Nous avons quand même traversé pas mal de moments difficiles ensemble, Sophia et moi. Mais je la comprends et, en même temps, je l'envie. Comme j'aimerais aller voir la mer, moi aussi ! Son déménagement doit avoir lieu bientôt, nous nous disons au revoir, et Sophia promet de me communiquer sa nouvelle adresse ultérieurement.

Nous sommes de retour à la maison peu après huit heures. Mon mari n'est pas là, et je prépare à manger pour les garçons qui vont d'abord boire du *chai* chez la maman. La soirée se passe dans la bonne humeur, nous nous racontons beaucoup de choses. Napiraï aime beaucoup son oncle James. Ils ne se lassent pas de m'interroger sur la discothèque, et ils m'écoutent avec des yeux brillants. Ils voudraient bien assister à ça, eux aussi. En principe, la prochaine soirée était prévue pour le surlendemain mais, comme Lketinga n'est pas là, elle va tomber à l'eau. C'est le week-end où les ouvriers reçoivent leur paie, et on n'arrête pas de me demander d'organiser une soirée discothèque. Il ne me reste qu'un jour pour les préparatifs. Sans Lketinga, je n'ose pas me lancer dans cette entreprise, mais les garçons déploient toute leur force de persuasion et me promettent de tout organiser ; je n'aurai qu'à acheter la bière et les sodas.

Comme je n'ai pas envie de retourner à Maralal, j'emmène James à Baragoi. C'est la première fois que je vais dans ce village turkana. Le bourg est presque aussi grand que Wamba et il y a effectivement un marchand de bière et de sodas en gros, même s'il est un peu plus cher que les magasins de Maralal. Trois heures et demie plus tard, nous sommes de retour à Barsaloi. Un des garçons rédige des tracts qu'il accroche ensuite avec ses copains dans différents endroits du village. Tous attendent avec impatience la soirée disco. On n'a pas pu se procurer de viande car aucune chèvre n'a été mise en vente aujourd'hui. Je n'ai pas osé aller chercher l'une des nôtres, bien que certaines d'entre elles m'appartiennent. Lorsque j'emmène Napiraï chez la maman, je me rends compte qu'elle n'est pas aussi contente que d'habitude, sans doute parce que Lketinga n'est pas là. Mais il faut bien que je me débrouille pour gagner de l'argent, puisque nous en vivons tous.

La discothèque est de nouveau un grand succès. Il y a encore plus de monde que la première fois ; les écoliers sont là eux aussi. Trois jeunes filles ont osé entrer. Avec les garçons et sans mon mari, l'atmosphère est beaucoup plus décontractée. Un jeune Somali passe même boire un Fanta. Cela me fait plaisir parce que Lketinga parle parfois très mal des Somalis. J'ai l'impression de faire partie d'une communauté et, cette fois-ci, je peux discuter avec beaucoup de monde. Les garçons se relaient à la vente des boissons. L'ambiance est fantastique, tout le monde danse sur la joyeuse musique kikuyu. Beaucoup ont apporté des cassettes. Moi aussi, je danse, pour la première fois depuis plus de deux ans, et je me sens détendue.

Malheureusement, après minuit, nous devons baisser la musique, mais l'ambiance reste bonne. Nous fermons vers deux heures du matin et je me précipite vers les *manyattas*, munie d'une lampe de poche, pour aller chercher Napiraï. J'ai du mal à trouver l'entrée de l'enclos épineux. Une fois à l'intérieur de l'enclos, je manque d'avoir une attaque : les lances de Lketinga sont enfoncées dans le sol devant la *manyatta* ! Mon cœur bat la chamade lorsque j'entre dans la hutte. A son grognement, je m'aperçois tout de suite qu'il est énervé. Napiraï dort nue à côté de la maman. Je salue Lketinga et je lui demande pourquoi il n'est pas venu à la soirée. Dans un premier temps, je n'obtiens pas de réponse puis, tout à coup, il explose. Il a l'air sauvage, et il m'insulte horriblement. Je peux dire ce que je veux, il ne me croit pas. La maman essaie de le calmer en lui disant que tout Barsaloi entend ses hurlements. Napiraï pleure. Lorsqu'il me traite de pute et qu'il me reproche de m'envoyer en l'air avec des Kikuyus et même avec les écoliers, j'enveloppe ma petite Napiraï dans une couverture et, désespérée, je rentre à la maison en courant. Je commence à avoir peur de mon propre mari.

Peu de temps après, il ouvre brusquement la porte, puis me tire du lit et exige que je lui donne les noms de tous ceux avec qui j'ai couché. Maintenant il en est sûr : Napiraï n'est pas sa fille. Je lui ai raconté qu'elle était née plus tôt à cause de ma maladie, mais ce n'était pas vrai, dit-il. En réalité, j'étais enceinte de quelqu'un d'autre. A chaque phrase qu'il me lance, mon amour, qui a déjà reçu pas mal de coups, s'amoindrit. Je ne comprends plus Lketinga. Finalement, il quitte la maison après avoir crié qu'il ne reviendrait plus et qu'il va se trouver une meilleure femme. Sur l'instant, cela m'est complètement égal, du moment que le calme revient à la maison.

Le lendemain matin, j'ose à peine sortir de chez moi, avec mes yeux bouffis par les larmes. Beaucoup ont entendu notre dispute. Vers dix heures, la maman vient me voir avec Saguna et me demande où se trouve Lketinga. Je n'en sais rien. Puis James arrive avec son copain. Lui non plus ne comprend pas toute cette histoire. D'après lui, c'est lié au fait que son frère ne soit jamais allé à l'école : ces guerriers ne comprennent rien au business, me dit-il. James me traduit ce que la maman pense de tout cela. Elle veut parler avec Lketinga et lui dire qu'il ne doit plus être aussi méchant car elle est sûre qu'il reviendra. Elle me dit d'arrêter de pleurer et de ne pas écouter ce que Lketinga dit parce que tous les hommes sont comme lui ; c'est pourquoi il vaut mieux qu'ils aient plusieurs femmes. James la contredit sur ce point mais, en fin de compte, tout cela ne m'avance pas beaucoup. Même le père Giuliano m'envoie le gardien de la Mission pour savoir ce qui se passe. Je suis horriblement gênée. Lketinga ne réapparaît qu'en fin d'après-midi, et nous nous parlons à peine. Le quotidien reprend ses droits et personne ne mentionne l'incident. Une semaine plus tard, Lketinga repart à une cérémonie de mariage.

La jeune fille chargée d'aller me chercher de l'eau me laisse tomber de plus en plus souvent, si bien que je dois

287

descendre au fleuve en voiture pour rapporter deux bidons d'eau, pendant que les garçons gardent Napiraï. Un jour, au moment de redémarrer, l'embrayage n'accroche plus. Déprimée par cette première panne, deux mois seulement après l'achat de la voiture, je vais jusqu'à la Mission à pied car je ne peux pas laisser la voiture au bord du fleuve. Giuliano n'est pas enchanté, mais il vient quand même jeter un coup d'œil. Il constate qu'en effet l'embrayage ne fonctionne plus. Il est désolé : cette fois-ci, il ne peut pas m'aider. Avec de la chance, je trouverai les pièces qu'il faut changer à Nairobi, me dit-il, mais lui n'a pas l'intention d'y aller ce mois-ci. Je fonds en larmes car je ne vois pas comment je pourrais rapporter de la nourriture pour Napiraï et pour moi, sans voiture. Je commence à en avoir assez de ces éternels problèmes.

Il remorque la voiture jusque devant notre maison, et il me dit qu'il va essayer de commander les pièces à Nairobi par téléphone. Comme les Indiens doivent venir ces jours-ci en avion, ils pourraient éventuellement apporter les pièces. Mais il ne peut rien me promettre pour l'instant.

Quatre jours plus tard, il arrive sur sa moto et m'informe que l'avion doit atterrir le jour même, à onze heures. Les Indiens viennent contrôler l'avancée des travaux de l'école. Giuliano ne sait pas s'ils apportent les pièces qu'il leur a demandées.

L'avion arrive en effet vers midi. Avec sa Land Cruiser, le père Giuliano va chercher les deux Indiens sur la piste d'atterrissage improvisée, et les trois hommes descendent au fleuve. En suivant leur voiture des yeux, je vois qu'ils continuent probablement vers Wamba. Ne sachant pas ce qui se passe, je décide d'aller jusqu'au chantier après avoir emmené Napiraï chez la maman.

Les deux Indiens me regardent d'un air surpris. Ils me saluent poliment par une poignée de main et m'offrent un Coca. Puis ils me demandent si je travaille à la Mission. Je réponds par la négative, et je leur explique que je suis la femme d'un Samburu. Ils me regardent avec plus de curiosité encore et veulent savoir comment il est possible de vivre dans la brousse, en tant que Blanche. Ils ont entendu dire que les ouvriers ont de grands problèmes d'approvisionnement. Je leur parle de ma voiture, qui est malheureusement en panne. Avec compassion, ils me demandent si l'embrayage qu'ils devaient apporter était pour moi, et non pour la Mission. Je confirme et, anéantie, j'entends qu'ils n'ont pas pu apporter les pièces parce qu'il existe différents modèles et qu'il faut avoir les pièces démontées en main pour savoir lequel est le bon. Ma déception est grande, ce qui n'échappe pas aux deux Indiens. L'un d'eux me demande où est garée ma voiture. Puis il charge le mécanicien qui les accompagne d'y jeter un coup d'œil et de démonter les pièces en question. L'avion doit redécoller une heure après.

Le mécanicien travaille vite et, après seulement vingt minutes, je sais que les disques de l'embrayage et la boîte de vitesse sont inutilisables. Il emballe les lourdes pièces qu'il a démontées, et nous repartons. L'un des Indiens examine les pièces et me dit qu'il devrait être possible de trouver les mêmes à Nairobi, mais que cela va coûter assez cher. Les deux hommes se concertent brièvement, puis ils me demandent si je veux qu'ils m'emmènent en avion. Surprise, je bredouille que mon mari n'est pas là et que, en plus, j'ai un bébé de six mois à la maison. Pas de problème, disent-ils : je peux emmener l'enfant, il y a de la place pour nous deux.

Tout d'abord, j'hésite, je dis que je ne connais pas bien Nairobi. « *No problem* », dit l'un des Indiens. Le mécanicien connaît tous les marchands de pièces détachées, et il viendra me chercher le lendemain matin à mon hôtel pour essayer de trouver des pièces d'occasion avec moi. En tant que Blanche, les prix seraient de toute façon excessifs, ajoute-t-il.

Je reste pantoise devant l'extrême serviabilité de ces hommes pour qui je suis une parfaite inconnue. Avant même que je puisse réfléchir à leur proposition, ils me demandent de me trouver un quart d'heure plus tard près de l'avion. Tout excitée, je bredouille : « *Yes, thank you very much.* » Le mécanicien me ramène chez moi en voiture. Je cours vite chez la maman pour lui expliquer que je vais à Nairobi en avion. Je prends Napiraï et je quitte la maman, très troublée par mon passage éclair. A la maison, je ramasse quelques affaires indispensables pour mon bébé et pour moi. J'explique à la femme du vétérinaire que je vais partir pour Nairobi et que je reviendrai le plus vite possible avec les pièces de rechange. Je la charge de saluer mon mari et de lui expliquer pourquoi je n'ai pu attendre son accord.

Puis je cours vers l'avion. Napiraï est accrochée à moi par un *kanga* et, dans une main, je tiens mon sac de voyage. Autour de l'avion se sont réunis beaucoup de curieux qui se taisent en me voyant arriver. La *mzungu* prend l'avion : en l'absence de mon mari, c'est un événement. Je suis consciente des problèmes que cela risque de provoquer. D'un autre côté, je me dis que Lketinga sera content que sa chère voiture remarche sans qu'il ait à aller à Nairobi.

Les Indiens arrivent dans la voiture des ouvriers juste au moment où surgit la maman ; elle avance d'un pas houleux, le visage sombre. Elle me fait comprendre qu'elle voudrait que je lui laisse Napiraï, mais, pour moi, c'est hors de question. Je la rassure et lui promets de revenir. Finalement, elle nous donne quand même sa bénédiction, « *Enkaï* ». Nous montons et le moteur vrombit. Effrayés, les spectateurs sautent sur le côté. Je fais à tous un signe de main, et voilà que l'avion avance déjà sur la piste en cahotant.

Les Indiens me posent beaucoup de questions. Ils veulent savoir comment j'ai rencontré mon mari et pourquoi nous vivons dans ce désert. Leur étonnement m'amuse, cela fait longtemps que je ne me suis pas sentie aussi gaie et libre. Au bout d'une heure et demie, nous arrivons à Nairobi. Pour moi, c'est miraculeux de faire ce long trajet en aussi peu de temps. Maintenant, les Indiens me demandent où ils doivent me déposer. Lorsque je réponds : à l'hôtel Igbol, près du cinéma Odéon, ils sont effarés et me disent que, pour une *lady* comme moi, ce quartier est trop dangereux. Mais je ne connais que ce quartier et j'insiste pour qu'ils m'emmènent là. L'un des Indiens, apparemment celui qui a la position la plus importante, me donne sa carte de visite et me dit de l'appeler le lendemain matin à neuf heures pour que son chauffeur vienne me chercher. Je les remercie très chaleureusement.

Une fois installée à l'Igbol, je me demande si je pourrai payer tout cela : j'ai tout juste l'équivalent de 1 000 francs suisses sur moi. C'est tout l'argent que j'avais à la maison, et encore, uniquement grâce à la discothèque. Je change Napiraï et nous descendons au restaurant. Il est difficile de manger à table avec elle. Soit elle fait tout tomber, soit elle veut marcher à quatre pattes par terre. Ici, tout est tellement sale que je ne veux pas la laisser faire. Mais elle gigote et crie jusqu'à ce qu'elle ait obtenu ce qu'elle veut. En peu de temps, elle est noire de crasse, et les autochtones ne comprennent pas pourquoi je tolère cela. En revanche, quelques voyageurs blancs s'amusent beaucoup de la voir se faufiler sous les tables. En tout cas, elle est contente et moi aussi. De retour dans la chambre, je la nettoie soigneusement dans le lavabo. Pour pouvoir prendre une douche, il faut que j'attende qu'elle se soit enfin endormie.

Le lendemain matin, il pleut des cordes. A huit heures et demie, je me mets dans la file d'attente qui s'est formée devant les cabines téléphoniques. Nous sommes déjà mouillées jusqu'à l'os quand une femme nous laisse passer devant. Je joins l'Indien du premier coup et je lui dis où je me trouve. Il me répond que son chauffeur passera me prendre dans vingt minutes. Je retourne en courant à l'Igbol pour nous mettre des vêtements secs. Ma petite fille est très courageuse. Bien qu'elle soit trempée, elle ne pleure pas. Le chauffeur nous attend devant le cinéma Odéon ; nous allons dans une zone industrielle où il nous introduit dans des locaux élégants. Derrière son bureau, l'Indien sympathique nous sourit et demande tout de suite s'il n'y a pas eu de problème. Il passe un coup de fil et, aussitôt, le mécanicien africain de la veille entre dans la pièce. L'Indien lui donne quelques adresses de magasins de pièces détachées où nous emmener. Quand il me demande si j'ai assez d'argent sur moi, je réponds : « *I hope so !* »

Nous traversons Nairobi dans tous les sens. A midi, nous avons trouvé les pièces de l'embrayage pour seulement 150 francs suisses. Napiraï et moi sommes assises à l'arrière. Comme la pluie a cessé et que le soleil est revenu, il fait vite très chaud dans la voiture. Mais je ne peux ouvrir les vitres car nous passons par moments dans les quartiers les plus chauds de Nairobi. Le chauffeur tente sa chance partout, il ne trouve pas la pièce qui manque. Napiraï transpire et pleure. Elle en a assez de la voiture : cela fait six heures que nous roulons pratiquement sans interruption. Le mécanicien finit par me dire qu'il n'a plus l'espoir de trouver la pièce aujourd'hui. Tous les magasins ferment à cinq heures : le lendemain, c'est le vendredi saint. J'avais oublié que nous approchions du week-end de Pâques ! Je tombe des nues, et je lui demande quand les magasins rouvriront. Les garages seront fermés jusqu'à mardi prochain, me répond-il. Je suis horrifiée à l'idée d'avoir à rester aussi longtemps dans cette ville avec Napiraï. Lketinga va devenir fou si je suis absente une semaine. Nous décidons de rentrer au bureau de l'Indien.

Le gentil Indien est désolé pour moi. Il examine la boîte de vitesse usée et demande au mécanicien si l'on ne peut pas la réparer. Le mécanicien dit non, probablement parce qu'il a envie de terminer sa journée de travail. L'Indien repasse un coup de fil. Un autre homme avec un tablier et des lunettes de protection apparaît dans l'embrasure de la porte. L'Indien lui ordonne de limer et de ressouder les endroits usagés. Energiquement, il informe l'homme ébahi que tout doit être prêt dans une demi-heure, parce qu'il doit partir en voyage et que je ne peux pas attendre plus longtemps non plus. En souriant, il me fait comprendre que, dans une demi-heure, je pourrai entamer le voyage du retour.

Je le remercie beaucoup et lui demande quels ont été ses frais. D'un geste poli de la main, il me signifie que je ne lui dois rien. Je peux l'appeler si j'ai de nouveau des problèmes, et sera toujours content de m'être utile. Quand je serai de retour à Barsaloi, je n'aurai qu'à aller voir le maître d'œuvre du chantier, qui s'occupera de faire monter les pièces ; il est au courant de tout. J'ai du mal à croire qu'on me propose une aide aussi importante gratuitement ! Peu après, je quitte le bureau de l'Indien. Les pièces sont très lourdes, mais je suis fière du succès de l'expédition. Le soir même, je vais jusqu'à Nyahururu pour attraper le car de Maralal le lendemain matin. J'ai du mal à porter les deux sacs avec Napiraï dans le dos.

Une fois à Maralal, je ne sais comment continuer jusqu'à Barsaloi. Epuisée après ce voyage sur cette route poussiéreuse, je vais au *lodging* pour boire et manger quelque chose. Il faut aussi que je nettoie quelques douzaines de couches, que je prenne une douche et que je

lave Napiraï. Morte de fatigue, je m'écroule dans mon lit.
Le matin, je demande partout si personne ne va à Barsaloi.
Chez mon marchand en gros, j'apprends qu'un camion
part chez les Somalis mais, après toutes ces fatigues, je ne
veux pas nous imposer un voyage en camion. J'attends un
peu car j'ai rencontré un garçon qui arrive justement à
pied de Barsaloi et qui m'informe que le père Roberto
viendra chercher le courrier à Maralal le lendemain.
Impatiente, le lendemain matin je prends position à côté
de la poste. J'attends quatre bonnes heures au bord de la
route avant d'apercevoir la voiture blanche de la Mission.
Soulagée, je m'avance vers Roberto pour lui demander si
je peux rentrer avec lui. Il répond qu'il n'y a pas de problème et qu'il repartira dans deux heures environ.

La situation s'aggrave

En descendant de la voiture, à Barsaloi, je vois mon
mari venir vers moi à pas de géant. Il me salue fraîchement et me demande pourquoi je rentre seulement maintenant. Agacée et déçue, je rétorque : « Comment ça,
seulement maintenant ? Je suis rentrée le plus vite que j'ai
pu. » Au lieu de me demander si tout s'est bien passé, il
veut savoir pourquoi je suis restée deux nuits à Maralal et
qui j'ai rencontré. Il me bombarde de questions mais ne
trouve pas un mot chaleureux.

Je suis gênée d'avoir à répondre devant le père Roberto
à des questions qui trahissent la méfiance de mon mari.
Je rentre à la maison avec Napiraï. Au moins, Lketinga
porte le sac, qui est très lourd, même pour un homme. Ses
yeux me surveillent pendant qu'il continue à me harceler.
Juste avant que j'explose de colère et de déception, James
et son ami arrivent, de très bonne humeur. Lui au moins
me demande comment tout s'est passé. Il a trouvé que
c'était courageux de ma part de monter dans l'avion à
l'improviste, comme je l'ai fait. Malheureusement, il était
au bord du fleuve, en train de laver ses vêtements, en
apprenant la nouvelle. Il aurait adoré venir avec moi. Son

souhait le plus cher est de prendre l'avion un jour, me confie-t-il.

Ses paroles me font du bien, et je me calme. Les garçons me préparent du *chai* tout en parlant beaucoup tandis que Lketinga sort, bien qu'il fasse nuit déjà. Je demande à James ce que mon mari a dit quand il a constaté, en rentrant, que j'étais partie. Il essaie de m'expliquer en souriant que la génération de Lketinga ne comprend pas les femmes autonomes et ne sait pas ce que c'est que la confiance. Lketinga a pensé que je m'étais sauvée avec Napiraï et que je ne reviendrais plus. Je ne comprends pas, même si je pense que je commence à avoir des raisons de me sauver. Mais où irais-je ? Napiraï a aussi besoin de son père !

James m'arrache à mes pensées sombres en me demandant quand nous allons enfin rouvrir la boutique. Il aimerait tellement travailler et gagner un peu d'argent, lui aussi ! Il a raison : il faut que nous trouvions un moyen de gagner de l'argent, sinon la voiture va manger nos dernières ressources. Dès que la Datsun sera réparée, nous referons une tentative avec le magasin, et cette fois-ci nous lancerons quelque chose de très classe et mettrons en vente des vêtements, des chaussures, des sodas et de la bière. Tant que les ouvriers de Nairobi vivent ici, il y a sûrement pas mal d'argent à gagner. Plus tard, des professeurs viendront s'installer avec leur famille. Avec James comme vendeur, je nous donne de bonnes chances. Mais je lui explique clairement que ce sera ma dernière tentative et que ce seront les derniers sous que j'investirai dans cette entreprise. L'euphorie des garçons est contagieuse, et j'oublie le chagrin que j'ai eu ces derniers temps à cause de Lketinga. Quand il rentre, les garçons s'en vont.

Le lendemain matin, Lketinga va spontanément voir les ouvriers et les informe que les pièces à monter sont arrivées. Après le travail, un mécanicien répare notre voiture, sans parvenir à tout monter le jour même. Ce n'est qu'au bout de trois jours que notre voiture de luxe fonctionne à nouveau. Maintenant, nous pouvons réapprovisionner le magasin. Nous partons à quatre. Joyeux, James tient Napiraï. Il ne se lasse jamais de jouer avec elle.

A Maralal, je commence par aller voir à la banque si mes derniers 4 000 francs suisses sont arrivés. L'employé regrette : il n'y a rien pour l'instant. Heureusement, l'argent arrive le lendemain, et nous commençons nos achats : une tonne de maïs et de sucre, bien sûr, puis autant de fruits et légumes que je peux trouver. J'investis l'argent qui reste dans des vêtements, des chaussures, du tabac, des bassines en plastique et des bidons d'eau, bref, dans tout ce qui peut se vendre avec de bons bénéfices. J'achète même vingt miches de pain. Je dépense mon dernier shilling dans l'espoir qu'il m'en rapportera deux.

La réouverture du magasin est un véritable événement. Les gens affluent des environs. Les *kangas* et les vêtements, ainsi que les bidons d'eau, sont vendus en deux jours. Les ouvriers achètent les légumes, le riz et les pommes de terre par dix ou vingt kilos. Nous avons presque un petit supermarché de brousse. Les premiers jours, nous sommes heureux, fiers et satisfaits, même si nous tombons de fatigue le soir. James est tellement assidu qu'il me demande s'il peut emménager dans la boutique pour pouvoir commencer plus tôt, le matin.

Nous ne proposons la bière qu'en cachette parce que je ne veux pas avoir d'ennuis. La plupart du temps, les quelques caisses qu'on achète sont vendues en deux jours. Comme je ne veux pas que nous restions plus d'un jour ou deux sans marchandises, je me sens responsable du réapprovisionnement. Avec l'argent que nous avons gagné, j'achète tout de suite d'autres vêtements puisque les gens de l'école ont besoin de beaucoup de chemises et de pantalons. Toutes les trois semaines, je me rends spécialement à Nanyuki, où a lieu une grande vente de linge. Dans notre boutique, les vêtements de femmes et d'enfants se vendent comme des petits pains. Je m'occupe aussi des commandes. Je me demande comment les gens ont trouvé de l'argent, tout à coup. En partie sûrement grâce à l'école où beaucoup ont déniché de petits boulots.

Les affaires sont florissantes et, pour beaucoup d'ouvriers, le magasin est devenu un lieu de rendez-vous. Au début, tout va bien, jusqu'au moment où Lketinga me refait des scènes de jalousie. Le matin, je ne suis jamais au magasin, je dois d'abord m'occuper de mon ménage. Je n'y vais que l'après-midi, et j'emmène Napiraï. Quand les garçons sont là, l'ambiance est toujours gaie. Napiraï est le centre d'intérêt, et elle adore ça ; il y a toujours des enfants qui la promènent ou qui jouent avec elle. Mon mari n'aime pas me voir joyeuse : il trouve qu'avec lui je ne ris jamais. Il est méfiant vis-à-vis de toute personne qui discute avec moi, ne serait-ce que cinq minutes. Sa jalousie se dirige d'abord contre les ouvriers qui viennent chez nous tous les jours. Il ne laisse plus entrer telle ou telle personne dans la boutique ou prétend devant moi qu'Untel ne vient que pour moi. Cela me gêne et, chaque fois, je quitte les lieux. James est lui aussi impuissant devant son frère aîné et ses scènes de jalousie injustifiées.

Nous nous disputons de plus en plus souvent, et je me surprends parfois à penser que je n'ai pas envie de continuer ainsi jusqu'à la fin de mes jours. Nous travaillons pendant que Lketinga passe son temps à agresser les clients ou moi, à moins qu'il ne soit à la maison pour tuer une chèvre, avec quelques autres guerriers, si bien qu'en rentrant je trouve le sol couvert de sang et d'os.

Une ou deux fois par semaine, je vais à Baragoi, beaucoup plus près que Maralal, pour remplacer ce qui manque. Un jour, il me faut de nouveau du sucre car il va y avoir une grande fête de mariage. Le guerrier qui se marie veut acheter 300 kilos de sucre à lui tout seul et, en payant un prix plus élevé, il voudrait que je le livre dans un village isolé. Il est un peu plus de midi, et je me mets vite en route. A l'aller, cela ne me prend qu'une heure et demie environ. J'atteins Baragoi sans problème. J'achète seulement 600 kilos de sucre car j'ai deux fleuves à traverser et ne veux pas surcharger la voiture inutilement.

La Datsun est chargée ; je tourne la clé de contact, mais le moteur ne démarre pas et, après quelques tentatives, rien ne marche plus. En un rien de temps, je suis entourée de Turkanas curieux. Le propriétaire du magasin sort et s'informe de mon problème. Quelques personnes essaient de pousser la voiture, mais cette tentative se solde par un échec. Le propriétaire du magasin me propose de descendre la route. Trois cents mètres plus loin, il y a une tente où campent d'autres *mzungus* qui ont eux aussi une auto.

En effet, je rencontre un jeune couple anglais à qui j'explique ma situation. L'homme saisit sa boîte à outils et vient examiner ce qui ne va pas. Il constate vite que la batterie est à plat. Il essaie de la recharger mais sans succès.

Quand je lui dis que je dois absolument retourner à Barsaloi aujourd'hui parce que j'ai un bébé à la maison, il me propose de me prêter sa propre batterie. Mais comme ils veulent partir dans deux jours pour Nairobi, je dois lui promettre de la leur rapporter d'ici là. Impressionnée par sa confiance, je lui promets de revenir à temps. Je laisse la batterie défectueuse sur place.

De retour à la maison, je raconte à mon mari ce qui s'est passé car, évidemment, il ne manque pas de me demander avec méfiance pourquoi je suis partie si longtemps. Bien sûr, je suis préoccupée par cette nouvelle dépense qui m'attend, tout l'argent que nous gagnons passe dans l'entretien et les réparations de la voiture. J'aurais aussi besoin d'urgence de quatre pneus neufs. C'est à désespérer, nous ne nous en sortirons jamais, si cela continue ainsi, et je suis déjà malade à l'idée d'avoir de nouveau à faire le voyage de Maralal le lendemain.

Heureusement, le hasard fait qu'une des voitures du chantier y descend pour aller chercher de la nourriture et de la bière. Je demande à Lketinga de bien vouloir y descendre avec eux et d'emporter la batterie. A Maralal, il en achètera une nouvelle, puis il prendra le *matatu* public jusqu'à Baragoi et il rapportera la batterie aux Anglais, qui lui proposeront sûrement de le raccompagner.

Je lui explique avec insistance qu'il est très important que ces gens récupèrent leur batterie le lendemain. Il m'assure que cela ne pose pas de problème et part pour Maralal dans la Land Rover des ouvriers, à travers la jungle. Inquiète, je me demande si tout va bien se passer, mais Lketinga m'a promis qu'il s'en occuperait, et il paraît fier d'avoir à se charger seul d'une mission aussi importante. Il faudra qu'il passe une nuit à Maralal et qu'il prenne tôt le matin le seul *matatu* quotidien pour Baragoi.

Le lendemain matin, je suis à la maison, puis je pars à la boutique afin d'aider James pour la vente de sucre. Nous attendons Lketinga d'un instant à l'autre mais, finalement, il est neuf heures du soir lorsque nous apercevons enfin au loin une lumière de phares. Rassurée, je prépare du *chai* pour pouvoir tout de suite lui offrir quelque chose à boire. Une demi-heure après, la Land Rover des Anglais s'arrête en bas, près de notre boutique. Je m'y précipite aussitôt et je leur demande, étonnée, où se trouve mon mari. Le jeune homme me jette un regard agacé et me dit qu'il ne sait pas qui est mon mari, mais qu'il veut récupérer sa batterie car ils doivent partir pour Nairobi le soir même ; leur avion pour l'Angleterre décolle le lendemain soir. Je me sens horriblement mal, j'ai honte que ma promesse n'ait pas été tenue.

Je suis très gênée d'avoir à leur dire que mon mari est parti avec la batterie et que, normalement, il aurait dû la leur apporter aujourd'hui à Baragoi. L'Anglais s'énerve, naturellement. Il a monté notre vieille batterie dans sa voiture mais elle ne marchera que jusqu'au moment où elle sera à plat, de nouveau, car elle ne se recharge plus. Je suis désespérée et en colère contre Lketinga. L'Anglais me dit que le *matatu* est bien arrivé à Baragoi, mais qu'il n'y avait pas de guerrier à bord. Il est maintenant neuf heures et demie du soir, je leur propose du thé pour que nous puissions réfléchir ensemble à ce qu'il convient de faire.

Pendant que nous buvons du thé, j'entends le bruit de moteur d'un camion. Il s'arrête à la hauteur de notre maison. Peu après, Lketinga rentre. En gémissant, il pose les deux lourdes batteries par terre. Je lui demande très sèchement où il a été pendant tout ce temps, et je lui signale que ces gens auraient voulu partir bien avant. De mauvaise humeur, l'Anglais remet sa batterie en place et, peu après, ils s'en vont. Je suis furieuse, j'ai le sentiment que Lketinga m'a laissée tomber. Il prétend qu'il a raté le *matatu*, mais je sens à son haleine qu'il a bu. En plus, non seulement il n'a plus d'argent mais il a encore besoin de 150 francs suisses pour pouvoir payer le chauffeur du camion. Sa désinvolture me coupe le souffle. La batterie a coûté 350 francs et il faut que j'allonge 150 francs en plus parce que, à force de boire des bières dans des bars, il a raté le car public, qui est bon marché. Cela signifie que tous nos bénéfices de ce mois-ci et du mois prochain se sont déjà évaporés.

Exaspérée, je vais me coucher. Mais, en dépit de toutes les contrariétés et frustrations, mon mari est décidé à me faire l'amour. Lorsque je lui fais comprendre que je n'autoriserai pas la moindre tentative en ce sens aujourd'hui, il s'énerve terriblement. Il est près de minuit et, en dehors de notre dispute, qui atteint un niveau sonore considérable, on n'entend pas un bruit. De nouveau, Lketinga me reproche d'avoir un amant. Il est sûr que je l'ai rencontré la nuit dernière, et que c'est pour cela que je l'ai envoyé à Maralal. Je ne veux plus en entendre parler et j'essaie de consoler Napiraï, qui s'est réveillée à cause du bruit.

Situation désespérée

Ma décision est prise. Je veux partir. De toute façon, nous ne pouvons pas survivre ici. Mes réserves financières s'épuisent. Mon mari me ridiculise partout et les gens nous évitent parce que Lketinga voit en tout homme un amant. D'un autre côté, je sais que, si je le quitte, il me prendra notre fille. Il l'aime aussi et, légalement, elle lui appartient, plus exactement elle appartient à sa mère. Je réfléchis désespérément à un moyen de sauver notre mariage car, sans Napiraï, je ne partirai pas.

Lketinga nous tourne tout le temps autour, maintenant, comme s'il sentait quelque chose. Quand je pense à la Suisse, il s'en rend compte immédiatement, comme s'il pouvait lire dans mes pensées. Il s'occupe beaucoup de Napiraï, passe des journées entières à jouer avec elle. Mes sentiments sont très partagés : d'un côté, il n'y a rien que je désire plus que de former une famille intacte avec le grand amour de ma vie, de l'autre, cet amour meurt petit à petit parce que Lketinga n'a pas confiance en moi. Je suis lasse d'avoir toujours à regagner sa confiance et, en même temps, de devoir porter seule la responsabilité de notre survie pendant que Lketinga reste assis dans un coin et ne s'occupe que de lui-même ou de ses amis.

De temps en temps, des hommes viennent nous voir pour regarder ma petite fille de huit mois et pour parler avec Lketinga d'éventuels projets de mariage. Cela me rend folle. Avec bienveillance, Lketinga écoute leurs propositions. Tantôt gentiment, tantôt fermement, j'essaie d'y mettre un terme. Notre fille choisira son mari elle-même, elle se mariera avec l'homme qu'elle aimera ! Je ne suis pas d'accord pour la vendre à un vieux comme deuxième ou troisième épouse. Nous nous disputons aussi souvent à propos de l'excision de la petite. Sur ce point, qui concerne pourtant un avenir lointain, je me heurte à l'incompréhension de mon mari.

Pendant ce temps, James s'efforce d'optimiser nos bénéfices au magasin. Il serait temps d'affréter de nouveau un camion, mais je n'ai pas assez d'argent. Nous décidons d'aller quand même à Maralal pour vider mon compte en banque.

Pendant tout ce temps, la batterie est restée dans un coin de la maison. Au moment où je m'apprête à partir à la Mission pour demander au père Giuliano de la monter, Lketinga déclare qu'il peut très bien le faire, lui aussi. J'essaie de l'en dissuader, mais sans succès. Comme je ne veux pas de nouvelle dispute, je le laisse faire et, en effet, la voiture démarre sans problème. Mais, au bout d'une heure et demie de trajet, elle s'immobilise en pleine brousse et le moteur ne répond plus. D'abord, je ne prends pas l'incident très au sérieux ; peut-être est-ce un câble mal fixé ? Mais en ouvrant le capot, je manque avoir une attaque : Lketinga a mal vissé la batterie : avec les cahots, elle s'est fissurée et le liquide fuit. Maintenant, je suis au bord de la crise d'hystérie. Cette nouvelle et coûteuse batterie est déjà cassée, parce qu'elle n'a pas été correctement montée. Avec du chewing-gum, j'essaie de sauver ce qui reste de liquide mais rien n'y fait, l'acide ronge tout. Je pleure, je suis en colère contre mon mari. Par une chaleur écrasante, nous sommes coincés en pleine brousse avec un bébé. La seule possibilité, c'est qu'il aille à pied jusqu'à la Mission pour chercher de l'aide, pendant que j'attends sur place avec Napiraï. Cela risque de prendre plusieurs heures.

Dieu merci, je peux toujours allaiter Napiraï ; autrement, le désastre aurait été complet. Au moins, j'ai de l'eau potable dans la voiture. Le temps s'écoule très lentement ; une famille d'autruches et quelques zèbres que je peux observer fournissent la seule distraction. Les pensées se bousculent dans ma tête, et je suis bien décidée à ne plus investir d'argent dans le magasin. Je veux partir d'ici et m'installer à Mombasa, comme Sophia. Là-bas, nous pourrions monter une boutique de souvenirs qui rapporterait plus et qui serait moins fatigante que ce magasin. Mais comment convaincre mon mari ? Il faut qu'il soit d'accord, sans quoi je ne pourrai jamais partir d'ici avec Napiraï. De toute façon, je ne pourrais faire le voyage toute seule : qui porterait Napiraï pendant le long trajet ?

Au bout de trois bonnes heures, j'aperçois enfin un nuage de poussière au loin ; je suppose que c'est le père Giuliano et, en effet, peu après, sa voiture s'arrête à côté de nous. Il examine la Datsun et, avec un geste qui traduit son incompréhension, il me demande pourquoi je ne lui ai pas fait monter la batterie. Maintenant, elle est inutilisable. Je me remets à pleurer en lui racontant qu'elle a tout juste une semaine. Giuliano dit qu'il va essayer de la réparer, mais il ne peut rien promettre ; dans deux jours, il part pour l'Italie. Puis il me donne une batterie de réserve, et nous rentrons à Barsaloi. Là-bas, il répare le boîtier avec du goudron chaud, mais cela ne tiendra pas longtemps. Je suis inquiète en disant au revoir au père Giuliano. Pendant les trois mois à venir, je n'aurai plus d'ange gardien, le père Roberto ne m'ayant jamais été d'un très grand secours.

Comme d'habitude, les garçons viennent le soir pour déposer la recette de la boutique. La plupart du temps, je prépare du *chai* et, quand Lketinga est là, je fais aussi à dîner. Les garçons me remontent toujours un peu le moral, je peux discuter avec eux. James est déçu que je ne veuille plus affréter de camion de ravitaillement.

Pour la première fois et avec précaution, j'évoque la possibilité de quitter Barsaloi ; nous aurons bientôt épuisé mes réserves financières. Un silence de mort s'installe dans la pièce lorsque je déclare que je ne possède plus assez d'argent pour continuer à tenir la boutique. La voiture nous ruine. Lketinga m'interrompt tout de suite en disant que la réouverture du magasin s'est très bien passée et qu'il souhaite continuer comme avant ; ici, c'est sa patrie, et il ne quittera pas sa famille. Je demande avec quel argent il compte renouveler les stocks. « Tu n'auras qu'à écrire à ta mère, comme d'habitude, pour qu'elle nous envoie de l'argent », me répond-il, très décontracté. Il ne veut pas admettre que l'argent que nous avons dépensé était le mien. Les garçons me comprennent mais ils ne peuvent participer à la conversation car mon mari rejette d'emblée leurs propositions. Je parle de la façon la plus convaincante possible, en présentant Mombasa comme un endroit rêvé pour le business. James serait prêt à partir pour Mombasa tout de suite car il aimerait bien voir la mer. Mais mon mari refuse que nous quittions Barsaloi.

Nous abandonnons le sujet pour aujourd'hui, et nous faisons une partie de cartes. On s'amuse beaucoup et Lketinga, qui ne veut pas apprendre ce jeu, suit la partie d'un air maussade. Les visites des garçons continuent à lui déplaire. La plupart du temps, il reste ostensiblement à l'écart, il mâche du *miraa* ou il embête les garçons jusqu'à ce que, à bout de nerfs, ils lèvent le camp. De toute façon, ce sont les seules personnes qui viennent encore nous voir. Tous les jours, j'aborde précautionneusement le sujet « Mombasa » parce qu'il est vrai que, sans aliments de base, il n'y a plus beaucoup d'argent à gagner avec la boutique, ce qui commence à inquiéter aussi Lketinga. Mais, pour l'instant, il ne cède pas.

Une fois de plus, nous jouons aux cartes à trois. Seule une lampe à pétrole éclaire la table. Lketinga fait les cent pas dans l'appartement. Dehors, il fait clair, c'est bientôt la pleine lune. A un moment donné, ressentant le besoin de me dégourdir les jambes, je me lève pour faire quelques pas. Pieds nus, je marche sur quelque chose de gluant et, dégoûtée, je pousse un petit cri.

Tout le monde rit, sauf Lketinga. Il va chercher la lampe qui est sur la table, et il examine cette drôle de chose qui gît par terre. Cela ressemble à un animal écrasé ; probablement, il s'agit d'un embryon de chèvre. Les garçons sont de cet avis. Comme l'animal ne dépasse pas dix centimètres, il n'est pas encore très définissable. Lketinga me regarde et prétend que c'est moi qui ai perdu cette chose. D'abord, je ne comprends pas ce qu'il veut dire.

Enervé, il me demande de qui j'étais enceinte, et il me dit qu'il comprend maintenant pourquoi les garçons viennent tous les jours. Il est sûr que j'ai une liaison avec l'un d'eux. Pendant que James essaie de le calmer, je suis pétrifiée. Lketinga repousse les bras de James et veut se précipiter sur son copain, mais les deux garçons, plus rapides, partent en courant. Lketinga vient vers moi ; il me secoue et exige de connaître enfin le nom de mon amant. Blême de colère, je me dégage et je crie : « *You are completely crazy ! Go out of my house, you are crazy !* » Je m'attends

302

qu'il me frappe pour la première fois. Mais il dit simplement qu'il va se venger de cette honte, qu'il va trouver ce garçon et le tuer. Sur ces mots, il quitte la maison.

Partout, les gens sont devant leurs huttes et nous regardent. Dès que mon mari est sorti de mon champ de vision, j'attrape une liasse d'argent, nos passeports et Napiraï, et je cours à la Mission. Je frappe à la porte comme une forcenée, et je prie pour que Roberto vienne m'ouvrir. Il apparaît peu de temps après et nous regarde d'un air effrayé. Brièvement, je lui explique ce qui s'est passé et le supplie de m'emmener tout de suite à Maralal. C'est une question de vie ou de mort, lui dis-je. Roberto se tord les mains et me dit qu'il n'a pas le droit de faire ce que je lui demande. Il faut qu'il reste plus de deux mois seul ici, avant le retour du père Giuliano, et il ne peut se permettre de se mettre les gens à dos. Il me conseille de rentrer à la maison et de ne pas prendre cette histoire au tragique. Visiblement, il a peur. Alors je me contente de lui donner l'argent et nos passeports, pour que mon mari ne puisse pas les détruire un jour.

A mon retour, il est déjà rentré, accompagné de la maman. Il me demande ce que je suis allée faire à la Mission, mais je ne réponds pas. Hors de lui, il me demande ce que j'ai fait de l'embryon. Je lui réponds que notre chat l'a emporté dehors, ce qui est vrai. Naturellement, il ne me croit pas et prétend que je l'ai sûrement fait disparaître dans les toilettes. Il explique à la maman qu'il sait maintenant que j'ai une liaison avec un garçon. Il ajoute que, probablement, Napiraï n'est pas de lui non plus mais de ce garçon avec qui j'ai partagé une chambre au *lodging* de Maralal, une nuit, avant mon premier voyage en Suisse. Comment est-il au courant de cette histoire ? J'avais voulu rendre service, et voilà que ma serviabilité se retourne contre moi et cause mon malheur. La maman me demande si c'est vrai. Evidemment, je ne peux pas nier que nous avons partagé la même chambre, et ils ne me croient pas quand je dis qu'il ne s'est rien passé. Je suis assise sur une chaise et je pleure, ce qui me rend encore plus suspecte.

Profondément déçue par Lketinga et sa mère, je n'ai plus qu'une idée : partir d'ici le plus vite possible. Après de longues discussions, la maman décide que Lketinga dormira cette nuit dans la *manyatta* et que nous verrons demain ce qu'il conviendra de faire. Or mon mari refuse de partir sans Napiraï. En hurlant, je lui dis de laisser mon enfant tranquille puisqu'il considère de toute façon qu'elle n'est pas de lui. Mais il disparaît avec elle dans l'obscurité.

Quand je me retrouve seule, assise sur le lit, j'ai une crise de larmes. Bien sûr, je pourrais prendre la voiture et quitter le village mais, sans mon enfant, il n'en est pas question. Dehors, j'entends des voix et des rires. Certaines personnes semblent se réjouir de la situation. Après quelque temps, le vétérinaire et sa femme viennent voir comment je vais. Ils ont tout entendu et essaient de me calmer. Cette nuit-là, je ne ferme pas l'œil. Je prie Dieu que nous puissions partir d'ici un jour. Au lieu d'amour, je ne ressens plus, pour l'instant, que de la haine. Je ne comprends pas comment tout a pu changer en aussi peu de temps.

Le lendemain matin très tôt, je vais dans l'arrière-boutique dire aux garçons que Lketinga rumine des projets de vengeance contre l'un d'eux. Puis je file chez la maman car je dois toujours allaiter Napiraï. La maman est assise avec elle devant la hutte. Mon mari dort encore. Je prends mon enfant et je lui donne le sein. La maman a le toupet de me demander si Lketinga en est vraiment le père. Les larmes aux yeux, je réponds seulement : « *Yes.* »

Impuissance et colère

Mon mari sort de la *manyatta* et m'ordonne d'aller à la maison. Puis il va chercher les garçons. Comme d'habitude, quelques curieux s'attroupent Mon cœur bat très fort ; je ne sais pas ce qui va se passer. Très énervé, il m'accable de reproches avant de me demander devant tout le monde si j'ai couché avec ce garçon. Il veut maintenant savoir, dit-il. J'ai honte et, en même temps, je suis prise d'une immense colère. Il s'érige en juge sans se rendre compte qu'il nous ridiculise. Je lui lance : « *No ! You are crazy !* » Avant que je puisse ajouter quelque chose, il me donne pour la première fois une gifle. Furieuse, je lui jette mon paquet de cigarettes à la figure. Alors il se retourne et il dirige son *rungu* contre moi mais, avant qu'il puisse s'en servir, les garçons et le vétérinaire interviennent. Indignés, ils le retiennent, ils tentent de le ramener à la raison et lui disent qu'il vaudrait mieux qu'il aille passer quelque temps dans la brousse jusqu'à ce qu'il ait retrouvé ses esprits. Il prend ses lances et s'en va. Je me précipite dans la maison et m'enferme pour ne plus voir personne.

Il ne revient pas pendant deux jours, et je ne quitte pas la maison. Je ne pourrais pas partir car, même contre un dédommagement, personne ne m'aiderait. J'écoute de la musique allemande toute la journée ou je lis des poèmes qui m'aident à rassembler mes pensées. Mon mari réapparaît au moment où je suis justement en train d'écrire une lettre à ma mère. Il éteint la musique et me demande pourquoi on chante, chez nous, et d'où me vient cette cassette. Je l'ai toujours eue, lui dis-je le plus calmement possible. Il ne me croit pas. Puis il découvre la lettre à ma mère. Il faut que je la lui lise, mais il doute que je lui en donne vraiment le contenu. Je déchire donc la lettre et je la brûle. Il ne dit pas un mot à Napiraï, comme si elle n'était pas là. Comme il est relativement calme, j'essaie de ne pas le provoquer. En fin de compte, il faudra bien que je me réconcilie avec lui si je veux partir d'ici un jour.

Les jours passent dans le calme : le garçon que Lketinga soupçonnait d'être mon amant n'habite plus à Barsaloi. J'apprends par James qu'il est parti chez des parents. La boutique reste fermée et, au bout de quinze jours, nous n'avons plus rien à manger. Je veux aller à Maralal, mais mon mari me l'interdit. Il déclare que d'autres femmes arrivent très bien à vivre de lait et de viande.

Je reparle régulièrement de Mombasa en disant que, si nous nous installions là-bas, ma famille me soutiendrait certainement. En revanche, si nous restons ici, nous n'aurons plus d'argent. J'insiste aussi sur le fait que nous pourrons toujours revenir à tout instant si nous n'arrivons pas à monter une boutique là-bas. Quand James mentionne un jour qu'il devra bientôt quitter Barsaloi pour se trouver un travail, Lketinga demande pour la première fois ce que nous ferions à Mombasa. Visiblement, sa résistance faiblit. Il faut dire que je me suis donné beaucoup de mal. J'ai détruit mes cassettes et mes livres. Je n'écris plus de lettres non plus. Même dans le domaine intime, je le laisse faire à contrecœur. Je n'ai qu'un seul but : partir d'ici avec Napiraï !

Je lui parle avec enthousiasme de la belle boutique massaï remplie de souvenirs que nous pourrions avoir. En vue du voyage à Mombasa, nous pourrions revendre aux Somalis tout ce qui reste dans le magasin. Même l'ameublement de l'appartement nous rapporterait de l'argent, car, ici, on ne trouve pas de lit, de chaises ou de table facilement. Nous pourrions aussi organiser une soirée discothèque qui nous permettrait à la fois de fêter nos adieux et de gagner de l'argent. James pourrait nous accompagner et nous aider à monter la boutique. Je parle sans interruption en essayant de dissimuler ma nervosité. Il ne faut pas que Lketinga se rende compte à quel point il est important pour moi qu'il donne son accord.

Finalement, il dit tranquillement : « *Corinne, maybe we go to Mombasa in two or three months.* » Effarée, je lui demande pourquoi il veut attendre aussi longtemps. Il me répond que Napiraï aura alors un an, qu'elle n'aura plus besoin de moi et qu'elle pourra rester auprès de la maman. Cette affirmation me terrifie. Pour moi, il est clair que je ne partirai pas sans Napiraï, ce que je fais comprendre à Lketinga. J'ai besoin de ma fille, lui dis-je, autrement le travail ne me procure aucun plaisir. James vient à mon aide en promettant de garder Napiraï. Et il ajoute que, si nous voulons partir, il faudrait le faire maintenant parce que, dans trois mois, on fêtera sa circoncision. Alors il deviendra guerrier et mon mari fera partie des anciens. Après la fête, qui durera quelques jours, James ne devra plus fréquenter que des hommes récemment circoncis pendant quelque temps. Nous discutons longuement et, finalement, nous nous mettons d'accord pour un départ dans trois petites semaines. Le 4 juin, je vais avoir trente ans, et je voudrais fêter mon anniversaire à Mombasa. Impatiente, je ne vis plus que pour le jour où nous quitterons Barsaloi.

Comme nous sommes au début du mois, nous voulons organiser la soirée discothèque le plus vite possible. Nous allons une dernière fois à Maralal pour acheter de la bière et d'autres boissons. A Maralal, mon mari exige que je téléphone en Suisse afin d'être sûr qu'on nous donne de l'argent pour la boutique à Mombasa. Je fais semblant de téléphoner, puis je lui dis que tout est en ordre et que je dois rappeler ma famille en arrivant à Mombasa.

La discothèque est de nouveau un grand succès. Je suis convenue avec Lketinga que nous ferons un petit discours d'adieu à minuit car, jusqu'à présent, personne n'est au courant de notre départ. Mais mon mari disparaît au cours de la soirée. Je me retrouve donc seule, à minuit, et je demande au vétérinaire de bien vouloir traduire le discours que j'ai préparé en anglais, en swahili pour les ouvriers et en massaï pour les autochtones.

James éteint la musique et les gens, étonnés, s'arrêtent de danser. Je me sens nerveuse lorsque, debout au milieu de la pièce, je demande un peu d'attention. D'abord, je prie l'assistance d'excuser l'absence de mon mari. Puis je les informe qu'à mon grand regret c'est la dernière soirée dansante que nous organisons et que nous quitterons Barsaloi dans deux bonnes semaines pour lancer une nouvelle affaire à Mombasa. Je dis que nous ne pouvons pas subsister à Barsaloi à cause des frais importants que nous occasionne la voiture et que, par ailleurs, ma santé ainsi que celle de ma fille exigent que nous partions. Je remercie tout le monde d'avoir été de fidèles clients, et je leur souhaite beaucoup de chance avec la nouvelle école.

J'ai à peine terminé mon discours que naît une grande agitation ; tout le monde parle en même temps. Même le petit *chief* est désolé et dit que je ne peux pas partir comme ça, maintenant que je suis acceptée par tous. Deux autres personnes parlent de nous en termes élogieux, expriment leurs regrets, notre départ représentera une perte pour eux. Nous avons offert à tout le monde un peu de vie et de distraction, ajoutent-ils, sans parler des nombreux services que j'ai rendus avec ma voiture. Les gens applaudissent. Très émue, je demande qu'on remette tout de suite la musique pour que l'ambiance redevienne joyeuse.

Au milieu de la cohue surgit tout à coup un jeune Somali ; il me dit qu'il regrette notre décision, lui aussi, et qu'il a toujours été admiratif de ce que j'ai fait. Très touchée, je l'invite à boire un soda et lui propose de racheter les marchandises qui restent dans la boutique. Il est tout de suite d'accord. Dès que j'en aurai fait l'inventaire, il les rachètera au prix où je les ai achetées. Il veut même reprendre la balance, qui vaut pourtant assez cher. Ensuite, je discute un peu avec le vétérinaire. Lui non plus n'était pas au courant de notre départ. Après tout ce qui s'est passé, il me comprend très bien. Il espère que mon mari redeviendra plus raisonnable à Mombasa. Probablement, le vétérinaire est le seul qui devine la vraie raison de notre départ.

A deux heures, nous fermons sans que Lketinga soit revenu. Je cours à la *manyatta* pour aller chercher Napiraï. Dans la hutte, mon mari discute avec la maman. Lorsque je lui demande pourquoi il est parti, il me répond que c'était ma fête à moi, puisque c'est moi qui veux partir. Cette fois-ci, je renonce à discuter, et je reste même dormir chez la maman. La pensée me traverse l'esprit que c'est peut-être la dernière fois que je dors dans une *manyatta*.

A la première occasion, j'informe Lketinga de ce dont je suis convenue avec le Somali. Il est vexé et, dédaigneusement, refuse de traiter avec lui. Je m'occupe donc de l'inventaire avec James. Le Somali demande qu'on lui apporte la marchandise dans deux jours ; d'ici là, il aura rassemblé l'argent. La balance représente à elle seule le tiers de la valeur de ce qu'on lui vend.

Nous avons beaucoup de visites de gens qui veulent nous racheter quelque chose. Bientôt, tout est réservé jusqu'à la dernière tasse. Je demande qu'on m'apporte l'argent le 20 ; le 21, tout le monde pourra venir récupérer son bien. Finalement, au moment d'apporter nos marchandises au Somali, mon mari se joint quand même à nous. Il trouve quelque chose à redire pour chaque prix. Lorsque j'apporte la balance, il la remballe aussitôt : il veut l'emporter à Mombasa. J'ai beau lui expliquer que nous n'en avons plus besoin et que nous pouvons en tirer un prix beaucoup plus intéressant ici, il ne comprend pas, et il tient absolument à l'emporter. Je suis malade d'avoir à rendre autant d'argent au Somali, mais je me tais. Surtout pas de dispute avant notre départ ! Il reste encore une bonne semaine jusqu'au 21 mai.

Les jours passent lentement, dans l'attente, et je suis de plus en plus tendue à mesure que le départ approche. Je ne resterai pas une heure de plus. La dernière nuit arrive. Presque tous les acheteurs sont venus apporter leur argent et nous avons donné tout ce dont nous n'avions plus besoin. La voiture est pleine à craquer et, dans la maison, il ne reste plus que le lit avec la moustiquaire, la table et les chaises. La maman est venue chez nous, et elle a gardé Napiraï toute la journée. Elle est attristée par notre départ.

En fin d'après-midi, une voiture s'arrête au village, chez le Somali, et mon mari descend voir tout de suite s'il n'y a pas de *miraa* à vendre. Pendant ce temps, James et moi préparons les étapes du voyage. Nous sommes tous deux très excités en raison du long voyage qui nous attend : il y a presque 1 460 kilomètres jusqu'à la côte sud.

Lorsque, au bout d'une heure, mon mari n'est toujours pas rentré, je commence à être inquiète. Enfin, il arrive, et je vois tout de suite à son expression que quelque chose ne va pas. « *We cannot go tomorrow* », m'annonce-t-il. Evidemment, il est encore en train de mâcher du *miraa*, mais il parle très sérieusement. Je sens une bouffée de chaleur me monter au visage, et je lui demande où il est allé pendant tout ce temps et pourquoi nous ne pouvons partir demain. Il me regarde avec des yeux fous et déclare que les anciens ne sont pas contents que nous voulions partir sans leur bénédiction. Il est impossible qu'il parte dans ces conditions.

Agacée, je demande pourquoi la prière de protection ne peut pas être prononcée demain matin, et James m'explique que nous devons d'abord tuer une ou deux chèvres et brasser de la bière. Les anciens ne nous accorderont leur « *Enkaï* » que s'ils sont bien disposés à notre égard. James comprend que Lketinga ne veuille pas partir sans leur bénédiction.

Maintenant, je craque et je demande à Lketinga en hurlant pourquoi cette idée ne leur est pas venue plus tôt. Ils connaissent notre date de départ depuis trois semaines, nous avons organisé une fête, nous avons tout vendu et préparé nos bagages. Je ne resterai pas un jour de plus, même si je dois partir seule avec Napiraï. Je fulmine et je pleure parce que je prends soudain conscience que cette

309

« surprise » repoussera notre départ d'au moins une semaine : la bière ne pourra pas être brassée avant.

Lketinga se contente de dire qu'il ne partira pas ; il mâche son herbe tandis que James quitte la maison pour demander conseil à la maman. Je suis allongée sur le lit et n'ai plus qu'une envie, mourir. Je n'arrête pas de me dire : je partirai demain, je partirai demain. Comme je dors à peine, je suis épuisée quand, au petit matin, James arrive avec la maman. De nouveau, ça discute, mais je me désintéresse de la conversation et je continue à préparer nos bagages. Mes yeux sont tellement gonflés par les larmes que je ne perçois que des silhouettes. Pendant que James parle avec la maman, beaucoup de gens viennent prendre des affaires ou dire au revoir. Je ne regarde personne.

James vient me voir et me demande de la part de la maman si je veux vraiment partir. En attachant Napiraï sur ma hanche, je réponds : « *Yes.* » La maman regarde longuement en silence sa petite-fille et moi, puis elle dit quelque chose à James, et le visage du garçon s'éclaircit. Joyeusement, il m'informe que la maman va aller chercher quatre vieux de Barsaloi pour qu'ils nous donnent leur bénédiction. Elle ne veut pas que nous partions sans cela car elle est sûre que nous ne reviendrons pas. Pleine de gratitude, je prie James de lui traduire que je prendrai toujours soin d'elle, où que je me trouve.

La salive bénite

Nous attendons une petite heure, et il arrive de plus en plus de monde. Je me retire dans la maison. Finalement, la maman revient avec trois vieillards. Nous nous mettons tous les trois à côté de la voiture, et la maman dit une prière, puis tout le monde répond en chœur « *Enkaï* ». Cela dure environ dix minutes, puis on nous passe un peu de salive sur le front. La cérémonie est terminée, je suis soulagée. Je donne à chaque vieux un objet utile tandis que la maman dit en plaisantant que tout ce qu'elle veut garder, c'est notre bébé.

Grâce à l'aide de la maman, j'ai gagné. Elle est la seule

que je serre dans mes bras avant de me mettre au volant. Je donne Napiraï à James, qui s'assoit à l'arrière. Lketinga hésite encore à monter. Lorsque j'allume le moteur, il finit par s'installer dans la voiture, l'air maussade. Sans jeter un regard en arrière, je fonce en avant. Je sais que la route sera longue mais qu'elle nous conduira vers la liberté.

Chaque kilomètre parcouru me redonne des forces. J'ai l'intention de ne pas m'arrêter avant Nyahururu, où je pourrai respirer de nouveau. Mais environ une heure avant Maralal, nous crevons. La voiture est chargée jusqu'au toit, et la roue de secours se trouve tout au fond ! Pourtant, je le prends avec sérénité : ce sera sans doute notre dernier changement de pneu en terre samburu.

L'arrêt suivant a lieu près de Rumurutti, peu avant Nyahururu, où commence la route asphaltée. Nous sommes contrôlés par la police. Les policiers demandent à voir ma carte grise ainsi que mon permis de conduire international. Celui-ci est périmé depuis longtemps mais ils ne s'en aperçoivent pas. En revanche, je suis priée d'amener la voiture au contrôle technique, où l'on me donnera un autocollant avec notre nouvelle adresse qu'il faudra coller sur le pare-brise. Je suis étonnée car, à Maralal, ce genre d'autocollant n'existe pas.

Nous passons la première nuit à Nyahururu et, le lendemain matin, nous nous enquérons de l'endroit où l'on peut trouver l'autocollant en question. Le stress bureaucratique recommence. Il faut d'abord amener la voiture au garage pour réparer tout ce qui doit l'être, puis on paie pour être admis au contrôle. La voiture reste une journée entière au garage, ce qui coûte de nouveau beaucoup d'argent. Le deuxième jour, nous pouvons enfin la présenter au contrôle. Je suis persuadée que cela va marcher mais, quand c'est enfin notre tour, le contrôleur voit tout de suite que notre batterie a subi une réparation provisoire et qu'il nous manque l'autocollant. Je lui explique que nous sommes en train de déménager et que nous ne savons pas encore où nous habiterons à Mombasa. Cela ne l'intéresse pas le moins du monde. Sans adresse fixe, je n'obtiendrai pas d'autocollant. Je commence à en avoir assez de toutes ces tracasseries. Je ne comprends pas pourquoi les choses sont si compliquées, et je décide de poursuivre le voyage sans autocollant. Nous avons perdu deux jours et dépensé de l'argent pour rien. Je veux aller à Mombasa. Nous roulons pendant quelques heures puis, quelques kilomètres après Nairobi, nous prenons un *lodging* dans un petit village. Je suis morte de fatigue car la conduite à gauche demande beaucoup de concentration. Maintenant, je dois laver les couches et allaiter Napiraï. Heureusement, elle dort beaucoup sur les routes asphaltées ; cela change des chemins cahoteux qu'elle a connus jusque-là.

Le lendemain, nous n'atteignons Mombasa qu'après sept heures de voyage. Ici, il fait une chaleur tropicale. Epuisés, nous nous mettons dans la file des voitures qui attendent le ferry pour la côte sud. Je fouille dans mon sac pour retrouver la lettre que Sophia m'a envoyée il y a quelques mois, peu après son arrivée à Mombasa. Elle habite près d'Ukunda. J'espère que nous pourrons passer la nuit chez elle.

Nous roulons pendant une bonne heure avant de trouver le bâtiment moderne où est installée Sophia. Cela a l'air très chic, mais personne n'ouvre. Je frappe à la porte de la maison voisine et une Blanche apparaît, qui m'informe que Sophia est partie pour quinze jours en Italie. Ma déception est grande, et je réfléchis à un autre logement possible. En fait, la seule personne qui pourrait nous héberger est Priscilla, mais mon mari refuse car il préfère partir sur la côte nord. Là, c'est moi qui ne suis pas d'accord, j'y ai fait de trop mauvaises expériences. L'ambiance est tendue, et je décide d'aller tout simplement dans notre ancien village. Là-bas, nous constatons que seule une maison sur cinq est encore habitable mais on nous apprend que Priscilla s'est installée dans un village voisin, à cinq minutes en voiture.

Nous arrivons dans le village kamau, construit en forme de fer à cheval. Les bâtiments ressemblent aux *lodgings* de Maralal ; des pièces adjacentes avec un grand magasin au milieu. D'emblée, ce village me plaît. Lorsque nous descendons de voiture, des enfants curieux s'approchent de nous, et le propriétaire du magasin sort la tête. Tout à coup, j'aperçois Priscilla qui vient vers nous. Elle n'en revient pas de nous voir ici. Elle est très contente, surtout en découvrant Napiraï. Depuis que nous nous sommes vues la dernière fois, elle a eu un autre garçon, qui est un peu plus âgé que Napiraï. Elle nous emmène tout de suite chez elle, puis elle nous prépare du thé et nous demande de raconter ce qui nous est arrivé. En apprenant que nous comptons rester à Mombasa, elle est ravie. Même Lketinga se laisse contaminer par sa joie et, pour la première fois depuis notre départ, il a l'air gai. Elle nous propose sa chambre et même ses réserves d'eau (ici aussi, il faut aller chercher l'eau au puits, avec de grands bidons). Cette nuit, elle dormira chez une amie et elle nous cherchera un endroit à nous dès le lendemain. Une fois de plus, je suis impressionnée par la simplicité avec laquelle elle propose son aide, et par son hospitalité.

Après ce fatigant voyage, nous nous couchons tôt. Le lendemain matin, Priscilla nous a déjà trouvé une chambre au début de la rangée de maisons pour que nous puissions garer notre voiture à côté. La pièce fait à peu près trois mètres sur trois. Tout est en béton, sauf le toit, qui est en chaume. Aujourd'hui, nous rencontrons quelques-uns des habitants du village. Ce sont tous des guerriers samburus, et nous en connaissons certains depuis notre premier séjour. Bientôt, Lketinga parle et rit avec eux, tout en promenant fièrement Napiraï avec lui.

Nouvel espoir

En entrant pour la première fois dans le magasin, je me sens comme au paradis. Ici, on peut tout acheter, même du pain, du lait, du beurre, des œufs, des fruits, et cela à deux cents mètres de la maison ! Je suis de plus en plus optimiste en ce qui concerne notre nouvelle existence à Mombasa.

James voudrait enfin voir la mer, et nous nous mettons en route. Nous atteignons la plage à pied en moins d'une demi-heure. Voir la mer me remplit de joie et me donne un sentiment de liberté. Mais je n'ai plus l'habitude d'être en présencce des touristes blancs avec leurs maillots de bain minuscules. James, qui n'a jamais vu cela, détourne pudiquement son regard et admire l'immense étendue d'eau. Comme son frère aîné à l'époque, il est très impressionné par la mer. En revanche, Napiraï joue tranquillement dans le sable, à l'ombre des palmiers. Ici, je peux de nouveau m'imaginer une vie au Kenya.

Nous allons dans un café de plage destiné aux Européens pour nous désaltérer. Tout le monde nous regarde fixement et, face à ces regards curieux, je me sens un peu mal à l'aise avec ma jupe, certes propre, mais rapiécée. Il ne reste pas grand-chose de la confiance que j'avais en moi. Lorsqu'une Allemande m'adresse la parole et me demande si Napiraï est mon bébé, je ne trouve même pas les mots pour lui répondre. Cela fait trop longtemps que je n'ai pas parlé allemand ou, a fortiori, suisse allemand. Je me sens comme une idiote en lui répondant en anglais.

Le lendemain, Lketinga part sur la côte nord. Il veut acheter quelques bijoux pour pouvoir participer aux danses massaïs et à la vente de bijoux qui aura lieu après. Je suis contente qu'il pense lui aussi à gagner de l'argent. Je lave les couches à la maison pendant que James joue avec Napiraï. Avec Priscilla, nous formons des projets d'avenir. Elle est enthousiaste quand je lui dis que je cherche une boutique pour pouvoir faire du commerce avec les touristes. Comme James ne peut rester plus d'un mois, à cause de la grande cérémonie de circoncision à laquelle il doit participer, je décide de visiter tous les hôtels, avec Priscilla, pour essayer de trouver une boutique vide.

Dans les hôtels, qui sont assez chics, les gérants nous reçoivent la plupart du temps avec une mine méfiante et, en effet, ils ne tardent pas à nous éconduire. Au cinquième hôtel, ma confiance en moi, déjà sérieusement ébranlée, s'est dissipée : je me sens comme une mendiante. Evidemment, je n'ai pas l'air d'une femme d'affaires sérieuse avec ma jupe à carreaux rouge et mon bébé dans le dos. Par hasard, à la réception d'un des hôtels, un Indien écoute notre conversation et me donne le numéro de téléphone de son frère. Dès le lendemain, mon mari, James et moi allons à Mombasa pour rencontrer cet homme. Il a quelque chose à louer dans un lotissement moderne, à proximité d'un supermarché, mais le loyer est de 700 francs suisses par mois. Je suis déjà sur le point de décliner l'offre, car cette somme me paraît beaucoup trop élevée, je demande quand même à voir le bâtiment.

La situation du magasin est assez chic, sur Diana

Beach, un peu à l'écart de la route principale. En voiture, c'est à un quart d'heure de la maison. Dans l'immeuble se trouve déjà une immense boutique de souvenirs indienne et, en face, un restaurant chinois qui vient d'ouvrir ; le reste est vide. Comme le bâtiment est construit en forme d'escalier, on ne voit pas le magasin de la rue. Néanmoins, je saute sur l'occasion, même si la boutique ne mesure que 60 mètres carrés. La pièce est vide, et Lketinga ne comprend pas pourquoi j'investis autant d'argent dans un magasin désert. Il continue à participer à des spectacles pour touristes, mais l'argent qu'il gagne disparaît aussitôt après dans la consommation de bière et de *miraa*, ce qui provoque des disputes assez déplaisantes.

Pendant que des autochtones construisent les étagères en bois d'après mes indications, j'achète avec James des piliers en bois à Ukunda et je les transporte à la boutique avec la voiture. Dans la journée, nous travaillons comme des fous, tandis que mon mari traîne avec d'autres guerriers à Ukunda.

Le soir, je fais la plupart du temps la cuisine et la lessive, et, quand Napiraï dort, je discute avec Priscilla. A la tombée de la nuit, Lketinga prend la voiture et emmène les guerriers dans les hôtels où ont lieu les spectacles. Je ne suis pas rassurée : il n'a pas son permis et, en plus, il boit de la bière. La nuit, quand il revient, il me réveille et me demande avec qui j'ai parlé. Si les guerriers qui habitent dans le voisinage sont rentrés avant lui, il est convaincu que j'ai parlé avec eux. Je le mets en garde et le prie avec insistance de ne pas tout détruire, de nouveau, avec sa jalousie. James essaie lui aussi de le calmer.

Enfin, Sophia revient, et la joie des retrouvailles est grande. Elle a peine à croire que nous sommes déjà en train de monter une affaire. Cela fait cinq mois qu'elle est installée ici, et elle n'a toujours pas ouvert le café dont elle rêvait. Mais mon euphorie se tempère quand elle me met en garde contre toute la bureaucratie que j'aurai à affronter. Contrairement à nous, Sophia vit dans le confort. Nous nous voyons brièvement presque tous les jours, ce qui déplaît à mon mari. Il ne comprend pas ce que nous avons à nous dire, et il suppose que je parle de lui à Sophia. Elle essaie de le rassurer et lui suggère de boire un peu moins de bière.

Depuis la signature du bail pour la boutique, quinze jours ont passé, et l'ameublement est déjà terminé. Je voudrais ouvrir à la fin du mois, mais nous devons d'abord demander une licence de vente et un permis de travail pour moi. Sophia sait qu'il faut aller à Kwale pour obtenir la licence ; nous nous mettons donc en route pour Kwale avec elle et son copain. Une fois de plus, il faut remplir des formulaires et attendre. Sophia est appelée en premier, et elle disparaît avec son ami dans un bureau. Cinq minutes plus tard, ils ressortent. Cela n'a pas marché car ils ne sont pas mariés. Ils nous prédisent que nous n'aurons pas plus de chance, ce que je refuse de croire. Mais l'*officer* me dit que, sans permis de travail, il ne peut m'accorder de licence, à moins que je mette toute l'affaire au nom de mon mari, devant notaire. En plus, il faut d'abord faire enregistrer la boutique à Nairobi.

Comme j'ai appris à haïr cette ville ! Et maintenant, il faudra y retourner. Au moment où nous revenons à la voiture, déçus et désemparés, l'*officer* nous rattrape et nous dit que, sans licence, nous n'obtiendrons pas de permis de travail non plus. Mais peut-être, en y réfléchissant bien, y aurait-il un moyen d'éviter de passer par Nairobi. Il dit qu'il doit aller à Ukunda à seize heures et propose de passer chez Sophia à ce moment-là. Naturellement, nous comprenons tous de quoi il retourne : il réclame un bakchich ! J'enrage intérieurement, mais Sophia se montre tout de suite prête à obtenir la licence de cette façon-là. Nous attendons chez elle l'heure du rendez-vous, et je m'en veux de ne pas être allée à Kwale seule avec Lketinga. Le type arrive à l'heure convenue et se faufile discrètement dans la maison. Il met du temps avant d'en venir aux faits, et finit tout de même par nous dire que la licence sera prête demain, à condition que nous apportions chacune 5 000 shillings dans une enveloppe. Sophia est d'accord, il ne me reste plus qu'à hocher la tête, moi aussi.

Nous obtenons la licence sans problème. Le premier pas est fait. Mon mari pourrait déjà vendre mais, quant à moi, je n'ai même pas le droit d'avoir une conversation avec un client. Je suis simplement autorisée à me tenir dans la boutique. Je suis consciente que nous ne pouvons pas en rester là, et j'arrive à persuader mon mari de venir avec moi à Nairobi pour demander un permis de travail et faire enregistrer le magasin. Nous baptisons le magasin « Sidai's Massaï Shop », ce qui provoque de grandes discussions avec Lketinga. Il est d'accord pour Sidai, qui est son deuxième nom, mais il ne veut pas que figure le mot « Massaï ». Or, comme la licence est déjà établie à ce nom, nous ne pouvons plus revenir en arrière.

Dans l'administration concernée, à Nairobi, au bout de plusieurs heures d'attente, une employée nous demande de la suivre. Je sais que l'enjeu est important, et je le fais comprendre à mon mari. Si nous nous heurtons à un refus, nous serons vraiment très embêtés. On nous demande pourquoi j'ai besoin d'un permis de travail. Laborieusement, j'explique à l'employée que nous formons une famille et que, comme mon mari n'est pas allé à l'école, je n'ai pas d'autre choix que de travailler. Elle accepte cet argument. Mais je n'ai pas apporté suffisamment de devises ; il me manque près de 2 000 francs suisses pour obtenir le permis de travail, en présentant la licence. Je promets de faire venir cet argent de Suisse et de revenir. Pleine d'espoir, je quitte le bureau. J'aurai de toute façon besoin d'argent, maintenant, pour pouvoir acheter de la marchandise. Epuisés, nous entamons le long voyage du retour.

En arrivant, morts de fatigue, à la maison, nous y trouvons quelques guerriers en train de fabriquer des lances pour la vente qui doit avoir lieu le lendemain. Edy est parmi eux. Nous sommes très contents de nous revoir, après tout ce temps. Nous parlons du passé, et Napiraï avance gaiement vers lui, à quatre pattes. Comme il est tard et que je suis fatiguée, je me permets d'inviter Edy pour le thé, le lendemain. C'est quand même lui qui m'a aidée, à l'époque, quand je cherchais désespérément Lketinga.

Dès que les guerriers sont partis, mon mari commence à me tourmenter avec des reproches et des insinuations sur Edy. Entre autres, il me dit qu'il sait maintenant pourquoi j'étais restée pendant trois mois seule à Mombasa, pourquoi je ne l'ai pas cherché plus tôt. Il m'accable de ses soupçons, et je n'ai plus qu'une envie, partir pour ne plus avoir à supporter ses horribles accusations. J'attache ma petite Napiraï endormie dans mon dos, et je sors dans l'obscurité de la nuit.

Je marche sans but jusqu'à ce que je me trouve tout à coup devant l'Africa Sea Lodge Hotel. Alors je ressens soudain le besoin d'appeler ma mère et de lui dire pour la première fois que mon mariage va mal. En sanglotant, je raconte à ma mère, qui tombe des nues, une partie de mes problèmes. Comme il est difficile pour elle de me donner un conseil en aussi peu de temps, je lui demande si quelqu'un de la famille peut faire un voyage au Kenya. J'ai besoin de conseils raisonnables et de soutien moral, et peut-être cela aidera-t-il aussi Lketinga à me faire enfin confiance. Nous convenons de nous rappeler le lendemain à la même heure. Après ce coup de fil, je me sens mieux et, trébuchant dans le noir, je retourne dans notre petite maison.

A mon retour, mon mari cherche de nouveau la bagarre ; il veut savoir d'où je viens. Quand je lui parle du coup de fil que j'ai passé et que je lui annonce la visite d'un membre de ma famille, il se calme.

A mon grand soulagement, j'apprends le lendemain soir que mon frère aîné est prêt à venir. Il arrivera dès la semaine prochaine et apportera la somme dont j'ai besoin. Lketinga est curieux de rencontrer un autre membre de ma famille. Le fait qu'il s'agisse de mon frère aîné lui en impose, et il est maintenant plus gentil avec moi. Il fabrique un bracelet massaï qu'il veut lui offrir, avec son nom brodé en perles de verre multicolores. Je suis touchée, malgré moi, que cette visite ait une telle importance pour lui et pour James.

Mon frère Marc s'installe à l'hôtel Two Fishes. Tout le monde est très content, bien qu'il ne puisse rester qu'une semaine. Il nous invite souvent à manger à l'hôtel. C'est merveilleux, et j'essaie de ne pas penser à la note qu'il aura à payer. Naturellement, mon mari lui montre ses meilleurs côtés. Cette semaine-là, il ne sort jamais boire de la bière ou consommer du *miraa*, et il ne quitte pas mon frère d'une semelle. En nous rendant visite à la maison, Marc est étonné de voir comment sa sœur, autrefois si élégante, vit maintenant. Mais il est enthousiaste en découvrant la boutique et me donne quelques bons tuyaux. La semaine passe beaucoup trop vite et, le dernier soir, Marc parle longuement avec mon mari. James lui traduit chaque mot. Lketinga, dans ses petits souliers, promet respectueusement à mon frère de ne plus me tourmenter avec sa jalousie, et nous sommes tous convaincus que cette visite a été un succès total.

Deux jours plus tard, James doit nous quitter, lui aussi. Nous l'accompagnons à Nairobi et retournons à l'immeuble Nyayu pour nous occuper de mon permis de travail. L'ambiance entre nous est bonne, je suis sûre que cela va marcher. Le nom de la boutique a été enregistré et nous avons rassemblé tous les papiers nécessaires. Dans le bureau, nous nous retrouvons devant la même préposée qu'il y a deux semaines et demie. En voyant les devises que nous avons apportées, elle m'accorde le permis de travail. En revanche, elle m'enlève la domiciliation, dont je n'aurai pas besoin dans les deux années à venir. D'ici là, le nom de mon mari doit figurer dans mon passeport, et Napiraï doit avoir des papiers kenyans. Cela m'est égal. L'essentiel, c'est que j'aie mon permis de travail pour deux ans. Beaucoup attendent des années avant d'obtenir ce tampon, qui m'aura tout de même coûté 2 000 francs suisses.

Nous allons au marché massaï, à Nairobi, et nous achetons de la marchandise en gros. Les affaires peuvent commencer. A Mombasa, je me mets à la recherche d'usines où acheter des bijoux, des masques, des tee-shirts, des *kangas*, des sacs et d'autres produits à des prix intéressants. La plupart du temps, mon mari m'accompagne avec Napiraï. Il est rarement d'accord avec les prix. Sophia est surprise en visitant ma boutique. Après seulement cinq semaines sur la côte, tout est prêt, y compris mon permis de travail, tandis que Sophia en est toujours au même point.

Je fais imprimer 5 000 tracts publicitaires où je présente la boutique, avec un petit plan de l'endroit où elle se trouve. Je m'adresse essentiellement aux Allemands et aux Suisses. Dans presque tous les hôtels, on m'autorise à déposer mon tract à la réception. Dans les deux plus grands hôtels, je loue en plus des vitrines pour exposer de la marchandise. Naturellement, j'y accroche aussi une photo d'un mariage plutôt inhabituel. Maintenant, tout est prêt.

Le matin à neuf heures, nous ouvrons la boutique. J'emporte de l'omelette et des bananes pour Napiraï. La matinée est très calme, seules deux personnes entrent un court instant. A midi, il fait très chaud et il n'y a aucun touriste dans la rue. Nous allons manger à Ukunda et rouvrons à deux heures. De temps en temps, des touristes longent la route principale pour aller au supermarché qui se trouve plus loin ; ils ne remarquent pas notre magasin.

Enfin, dans l'après-midi, arrive un groupe de Suisses tenant mon tract à la main. Ravie, je discute avec eux et, évidemment, ils me posent beaucoup de questions. Presque tous achètent quelque chose. Pour la première journée, je suis contente, mais je me rends compte qu'il faut faire plus de publicité. Le deuxième jour, je propose à mon mari de donner un tract à chaque Blanc qui passe car il attire tous les regards. Et, en effet, ça marche. L'Indien d'à côté ne comprend plus rien en voyant que tous les touristes passent devant son magasin et se dirigent vers le mien.

Le deuxième jour, nous commençons à faire de bonnes affaires, mais la vente est parfois difficile quand Napiraï ne dort pas. J'ai posé un petit matelas sous le présentoir des tee-shirts, où elle peut dormir tranquillement. Comme je continue à l'allaiter, il arrive que des touristes dont je dois m'occuper arrivent justement à ce moment-là. Elle n'aime pas du tout ces interruptions et le fait savoir bruyamment. Alors nous décidons d'engager une baby-sitter qui vient tous les jours. Lketinga trouve une jeune femme d'environ seize ans, l'épouse d'un Massaï. Elle me plaît d'emblée, elle vient en habits traditionnels, avec de belles parures. Elle s'entend bien avec Napiraï et convient à notre magasin massaï. Tous les jours, nous l'emmenons en voiture et, le soir, nous la déposons devant la maison de son mari.

Cela fait maintenant une semaine que notre boutique est ouverte, et la recette augmente de jour en jour. Il faudra aller nous réapprovisionner à Mombasa, ce qui pose un nouveau problème. Lketinga ne peut pas vendre seul toute la journée car, par moment, il y a jusqu'à dix clients en même temps. Nous avons donc besoin de quelqu'un qui aide mon mari ou moi quand nous sommes seuls l'un ou l'autre dans le magasin. Mais il faut que ce soit une personne de notre village car mon mari rentrera à la maison dans environ trois semaines pour assister à la cérémonie de circoncision de son frère James. En tant que membre de la famille, j'aurais dû venir, moi aussi, et j'ai eu beaucoup de peine à expliquer à Lketinga que je ne peux pas fermer la boutique aussi peu de temps après son ouverture. Il n'accepte que je reste que lorsque ma sœur cadette, Sabine, annonce son arrivée. Je suis ravie de cette nouvelle car pour rien au monde je ne serais retournée à Barsaloi.

Maintenant, Lketinga ne peut plus rien dire ; il veut même essayer de rentrer à temps pour faire la connaissance de ma sœur avant qu'elle ne reparte. Nous n'en sommes pas encore là. Il faut d'abord trouver une aide pour la boutique. Je propose Priscilla à mon mari, mais il s'y oppose d'emblée. Il ne lui fait pas confiance. Indignée, je lui rappelle tout ce que Priscilla a fait pour nous, sans arriver à le faire changer d'avis. En revanche, il emmène un soir un jeune Massaï. Il est originaire du Massaï Mara, et il a fréquenté l'école. Il porte donc un jean et une chemise, mais cela ne me gêne pas car il me donne l'impression d'être honnête. Je suis d'accord pour l'embaucher, et William devient notre nouveau collaborateur.

Enfin, je peux aller nous réapprovisionner en tee-shirts et en objets en bois pendant que les deux hommes gardent le magasin. La baby-sitter m'accompagne à Mombasa avec Napiraï. Il est fatigant d'aller voir les marchands les uns après les autres pour choisir la marchandise et négocier. Je suis de retour vers midi. Lketinga traîne au bar du restaurant chinois et boit de la bière au prix fort. William garde la boutique. Je lui demande combien de personnes sont venues. Pas beaucoup, malheureusement, me répond-il, il n'a vendu qu'un seul bijou massaï. Agacée, je demande si Lketinga n'a pas distribué notre prospectus. William fait signe que non et me dit que Lketinga a passé presque toute la matinée à boire de la bière au bar. Il a pris la réserve d'argent de la caisse pour cela. Cela m'énerve. A ce moment-là, Lketinga arrive en flânant, il sent la bière à plein nez. Evidemment, cela tourne à la dispute, et, à la fin, Lketinga prend la voiture et disparaît. Je suis déçue. Maintenant, nous avons un employé et une baby-sitter, et mon mari dépense tout l'argent pour se soûler.

Avec l'aide de William, je range les nouvelles marchandises. Dès que nous apercevons des Blancs, il se précipite dans la rue et leur donne un prospectus. Il arrive à emmener presque tout le monde dans la boutique et, à cinq heures et demie, quand Lketinga rentre, le magasin est plein de monde ; nous sommes en grande discussion avec les clients. Bien sûr, on m'interroge sur mon mari, et je le présente. Mais il ne prête aucune attention aux touristes qui s'intéressent à lui et regarde ostensiblement ailleurs. En revanche, il veut savoir ce que nous avons vendu et à quel prix. Son comportement me gêne beaucoup.

Un Suisse achète pour ses deux filles pas mal de bijoux et un masque en bois. C'est une bonne affaire. Avant de partir, il demande s'il peut prendre une photo de mon mari, Napiraï et moi. Je suis naturellement d'accord. Mais mon mari déclare qu'il faudra qu'il paie pour pouvoir nous photographier. Le gentil Suisse est un peu contrarié et j'ai honte. Il fait deux photos et donne 10 shillings à Lketinga. Une fois le Suisse parti, j'essaie de faire comprendre à Lketinga pourquoi il ne faut pas demander de l'argent à des clients qui veulent faire des photos. Il ne comprend pas et me reproche d'avoir toujours quelque chose à redire quand il veut gagner de l'argent. Tous les Massaïs réclament de l'argent pour être pris en photo, alors pourquoi pas lui ? me demande-t-il. Dans ses yeux brille un éclat méchant. Lasse, je réponds que les autres n'ont pas de boutique, eux.

Puis de nouveaux clients arrivent ; je prends sur moi et j'essaie de me montrer prévenante. Mon mari les observe avec méfiance et, dès que l'un d'eux touche quelque chose, il exige qu'il l'achète. Habilement, William, avec son tempérament calme, essaie d'arracher les clients aux griffes de Lketinga et de sauver la situation.

Dix jours après l'ouverture, nous avons déjà remboursé le loyer. Je suis fière de William et de moi. La plupart des touristes reviennent le lendemain en amenant d'autres personnes de leur hôtel, si bien que notre magasin commence à être connu, d'autant plus que les prix sont moins élevés que dans les boutiques des hôtels. Tous les trois à quatre jours, je dois aller me réapprovisionner à Mombasa.

Comme les gens demandent beaucoup de bijoux en or, je cherche une vitrine où les exposer. Ce n'est pas très facile mais, finalement, je trouve un atelier qui propose de m'en fabriquer une sur mesure. Une semaine plus tard, je vais la chercher. J'emporte toutes nos couvertures en laine, et je me gare directement devant l'atelier. Quatre hommes portent la lourde vitrine en verre jusqu'à la voiture. Pendant les dix minutes où j'étais absente, on m'a volé les couvertures en laine, bien que j'aie fermé la voiture à clé. La serrure a été forcée côté conducteur. Le propriétaire de l'atelier me prête de vieux sacs et des cartons pour que je puisse quand même rembourrer un peu le fond de la voiture. Le vol de mes couvertures suisses me contrarie beaucoup. Lketinga sera sûrement triste en apprenant que sa couverture rouge a disparu. Déçue, je retourne sur la côte sud.

William, qui est seul dans la boutique, vient à ma rencontre et m'annonce joyeusement qu'il a vendu pour 800 shillings de marchandise. Nous nous réjouissons ensemble. Comme nous ne pouvons pas décharger la vitrine seuls, il va à la plage pour chercher des copains qui puissent nous aider. Une demi-heure après, il revient avec trois Massaïs qui déchargent précautionneusement la lourde vitrine. Pour les remercier, j'offre à tous un soda et 10 shillings. Pendant que les autres boivent leur soda avec la baby-sitter et Napiraï, je commence à remplir la vitrine.

Comme toujours, dès qu'une tâche est accomplie, mon mari arrive. Il est accompagné du mari de notre baby-sitter, qui réprimande durement sa jeune femme, et les trois Massaïs qui nous ont aidés se sauvent. Effarée, je demande ce qui se passe, et William m'apprend que le mari ne veut pas que sa femme fréquente d'autres hommes. S'il la prend encore une fois sur le fait, il lui interdira de travailler à la boutique. Malheureusement, il ne faut pas que je m'en mêle ; je peux m'estimer heureuse que Lketinga ne se fâche pas, lui aussi. Je suis scandalisée par l'attitude du mari de la jeune fille, et je suis désolée pour elle. Tête baissée, elle se tient un peu à l'écart.

Heureusement, des clients arrivent à ce moment-là, et William se précipite à leur service. Quand je les entends dire qu'ils sont suisses, j'engage la conversation. Ils sont de Biel. Je suis curieuse d'avoir des nouvelles de ma ville. Nous discutons et, au bout d'un certain temps, ils m'invitent à boire une bière au bar du restaurant chinois. Je demande à Lketinga s'il est d'accord. « *Why not, Corinne, no problem, if you know these people* », dit-il généreusement. Bien sûr, je ne connais pas ce couple, qui a à peu près mon âge, mais peut-être connaissent-ils d'anciens amis à moi.

Nous restons une heure dans le bar avant de prendre congé. Je suis à peine rentrée que l'interrogatoire commence. Lketinga veut savoir d'où je connais ces gens, pourquoi j'ai autant ri avec cet homme, s'il s'agit d'un ami de Marc ou même d'un ancien petit ami à moi. Les questions pleuvent, et une question revient tout le temps : « *Corinne, you can tell me. I know, no problem, now this man has another lady. Please tell me, before you come to Kenya, maybe you sleep with him ?* » Je ne peux supporter ces reproches ; je me bouche les oreilles, des larmes me coulent sur les joues. Je suis tellement en colère que je n'ai qu'une envie, hurler.

Enfin nous fermons la boutique et rentrons à la maison. Bien sûr, William a entendu notre dispute et en a parlé avec Priscilla. Elle vient nous voir et nous demande si nous avons des problèmes. Je n'arrive pas à me contenir, et je lui raconte ce qui s'est passé. Elle promet d'essayer de raisonner Lketinga, et je vais me coucher avec Napiraï. Dans quinze jours, ma sœur viendra et, avec un peu de chance, mon mari sera déjà parti. Les disputes sont de plus en plus fréquentes, et les bonnes résolutions qu'il avait prises après la visite de mon frère se sont évanouies.

Tous les matins, je me lève à sept heures pour être au magasin à neuf heures. Des représentants passent presque quotidiennement pour nous proposer des objets en bois ou des bijoux en or. Ce mode de réapprovisionnement représente un grand soulagement, mais je ne peux en profiter que quand Lketinga n'est pas là car il se comporte de façon impossible. Les représentants s'adressent d'abord à moi, et mon mari ne le supporte pas. Il les renvoie et leur dit de revenir quand ils auront compris qui est le propriétaire de ce magasin. Il y a tout de même marqué « Sidai's Massaï Shop » sur l'enseigne, ajoute-t-il.

En revanche, William m'est d'un grand soutien. Il se glisse dehors et dit aux représentants de revenir dans l'après-midi, quand mon mari est à Ukunda. Plusieurs jours passent avant qu'il parte enfin pour Barsaloi. Il veut être de retour dans trois semaines, de façon à faire la connaissance de Sabine.

Tous les jours, William et moi allons à la boutique ensemble. La plupart du temps, la baby-sitter est déjà là quand nous arrivons, ou nous la rencontrons sur le chemin. Maintenant, des touristes viennent nous voir dès le matin. Ce sont surtout des Italiens, des Américains, des Anglais ou des Allemands. Cela me plaît beaucoup de pouvoir discuter avec tout le monde avec insouciance. Sans que j'aie à le lui demander, William va les voir dans la rue, et cette façon d'attirer les clients marche de mieux en mieux. Certains jours, nous vendons entre autres trois chaînes en or avec les armes du Kenya. Un des marchands vient nous voir deux fois par semaine, si bien que je peux passer mes commandes en fonction des demandes particulières des clients.

A midi, nous fermons régulièrement pour une heure et demie, et nous allons chez Sophia. Je peux maintenant manger des spaghettis et de la salade chez elle sans problème. Son restaurant vient d'ouvrir, bien qu'elle n'ait toujours pas le droit de travailler. Bien sûr, je paie aussi le repas de William, le prix représente près de la moitié de son salaire mensuel. La première fois qu'il s'en aperçoit, il refuse de revenir. Mais sans lui je ne pourrais pas y aller en voiture, avec Napiraï. Comme il travaille avec beaucoup de zèle, je l'invite volontiers. La baby-sitter rentre tous les jours chez elle pour déjeuner.

La recette a tellement augmenté que je dois déposer de l'argent à la banque tous les midis, maintenant. En plus, je n'ai plus de problèmes avec la voiture. Une fois par semaine, je vais faire des courses à Mombasa, et j'achète le reste aux marchands ambulants. Je me sens bien dans mon rôle de femme d'affaires. Ce sont les premiers jours harmonieux dans la boutique.

La deuxième semaine d'août, Sabine arrive à l'Africa Sea Lodge. Le jour de son arrivée, je vais à l'hôtel avec

Priscilla et Napiraï pendant que William garde le magasin. Les retrouvailles sont très joyeuses. Ce sont les premières vacances de Sabine sur un autre continent. Malheureusement, je n'ai pas beaucoup de temps car je ne voudrais pas abandonner trop longtemps la boutique. De toute façon, elle a envie de passer la première journée au soleil. Nous nous donnons rendez-vous le soir au bar de l'hôtel. Je l'emmène chez nous, au village, et à son tour elle s'étonne de nos conditions de vie très rudimentaires, mais cela lui plaît.

Il y a quelques guerriers dans le voisinage. Avec curiosité, ils demandent qui est cette jeune fille et, bientôt, tout le monde fait la cour à ma sœur. Elle semble elle aussi fascinée par eux. Je la mets en garde, lui donne de bons conseils et lui raconte les problèmes que j'ai avec Lketinga. Elle n'arrive pas trop à y croire et regrette qu'il ne soit pas là.

Elle veut rentrer à l'hôtel pour le dîner. Je l'emmène en voiture, et quelques-uns des guerriers en profitent pour se faire transporter. Je fais descendre tout le monde devant l'hôtel, et je donne rendez-vous à Sabine pour le lendemain soir, au bar de l'hôtel. En démarrant, je la vois discuter avec les Massaïs. Je vais chez Priscilla pour dîner avec elle. Maintenant que Lketinga est absent, nous faisons la cuisine à tour de rôle.

Le lendemain après-midi, Sabine vient à l'improviste me voir à la boutique, en compagnie d'Edy. Ils se sont rencontrés la veille au soir à la discothèque Bush Baby. Elle n'a que dix-huit ans, et elle veut profiter de la vie nocturne. Je n'ai pas de très bons pressentiments en les voyant ensemble, bien que j'apprécie Edy. La plupart du temps, ils traînent au bord de la piscine de l'hôtel.

Je travaille au magasin et ne vois ma sœur que rarement ; elle est souvent en vadrouille avec Edy. De temps en temps, je l'invite dans notre village à prendre le *chai*. Bien sûr, elle veut que nous allions en boîte ensemble, mais je ne peux pas à cause de Napiraï. En plus, cela créerait des problèmes avec Lketinga, à son retour. Ma sœur ne me comprend pas car elle m'a toujours connue comme quelqu'un de très indépendant. Il faut dire qu'elle n'a pas encore rencontré mon mari.

Déception amère

Huit jours plus tard, le moment est venu. William et moi sommes à la boutique. Comme il fait une chaleur étouffante, il n'y a pas grand monde, mais nous pouvons être satisfaits de notre recette, que Sophia est loin d'égaler, pour l'instant. Je suis assise sur la marche de l'entrée et Napiraï, malgré ses treize mois, est ravie de téter encore au sein. Tout à coup, un grand homme arrive de derrière le magasin indien et se dirige vers nous.

Je mets quelques secondes à reconnaître Lketinga. Je m'attends à éprouver un sentiment de joie mais, au lieu de cela, je reste pétrifiée. Sa vision me trouble. Il a fait raser ses longs cheveux roux, et une bonne partie des parures de sa tête ont disparu. A la rigueur, je pourrais m'habituer à sa nouvelle coiffure, mais il a aussi changé de vêtements, et son nouveau look lui donne un air ridicule. Il porte une chemise démodée et un jean rouge foncé qui est beaucoup trop serré et trop court pour lui. Il a des chaussures bon marché en plastique et sa démarche, d'habitude si souple, semble raide et coincée. « *Corinne, why you not tell me hello ? You are not happy I'm here ?* » Je prends alors conscience que j'ai dû le fixer bizarrement. Pour reprendre contenance, je saisis Napiraï et je lui montre son papa. Joyeusement, il la serre dans ses bras. Mais elle aussi semble désarçonnée car elle veut tout de suite revenir dans les miens.

Lketinga entre dans la boutique et examine tout. En découvrant les nouvelles ceintures massaïs, il veut savoir qui me les a données. Je réponds : « Priscilla. » Il les enlève de l'étalage et dit qu'il va les rendre tout à l'heure ; il ne veut rien prendre en dépôt venant d'elle. Je suis de plus en plus énervée et, instantanément, je commence à avoir des crampes à l'estomac. « *Corinne, where is your sister ?* » Je réponds brièvement : « *I don't know. Maybe in the hotel.* » Il exige les clés de la voiture pour aller la voir, bien qu'il ne sache même pas à quoi elle ressemble.

Une heure plus tard, il est de retour et, naturellement, il ne l'a pas trouvée. A la place, il a acheté du *miraa* à Ukunda. Il s'assoit devant l'entrée et commence à mâcher.

Peu après, le sol est jonché de feuilles et de branches rongées. Je lui suggère d'aller mâcher son herbe ailleurs, mais lui comprend que je veux me débarrasser de lui. William subit un véritable interrogatoire.

J'ai du mal à obtenir des nouvelles de James et de la maman. Lketinga a juste attendu la circoncision de son frère, puis il a quitté la fête prématurément. En m'efforçant de ne pas avoir l'air trop choquée, je lui demande où sont ses *kangas* et pourquoi il s'est coupé les cheveux. Il réplique que les *kangas* ainsi que sa chevelure sont dans le sac, qu'il ne fait plus partie des guerriers maintenant et qu'il n'a donc plus besoin de *kangas*.

Je réplique que la plupart des Massaïs à Mombasa continuent à porter leurs habits traditionnels, leurs parures et leurs cheveux longs, et que cela serait mieux aussi pour notre boutique ; il en conclut que tous les autres me plaisent plus que lui. J'aimerais seulement qu'il échange au moins la chemise et le jean contre des *kangas* parce que ces vêtements simples lui vont beaucoup mieux. Mais, pour l'instant, je renonce à le persuader.

Lorsque nous rentrons à la maison, Sabine est assise avec Edy et d'autres guerriers devant la hutte. Je la présente à mon mari, qui la salue chaleureusement. Sabine me jette un regard un peu surpris. Bien sûr, elle est étonnée par son look, elle aussi. Lketinga, lui, ne semble pas se demander pourquoi Sabine est assise là.

Une demi-heure plus tard, elle s'apprête à rentrer à l'hôtel pour le dîner. Pour moi, c'est la seule occasion d'échanger quelques mots avec elle en tête à tête ; je demande donc à Lketinga de bien vouloir garder Napiraï dix minutes pendant que je ramène Sabine. Pour lui, c'est hors de question ; il veut la ramener à l'hôtel lui-même. Ma sœur me jette un regard effrayé et me fait comprendre qu'elle ne montera en aucun cas dans la voiture avec Lketinga au volant, elle ne le connaît pas et il n'a pas l'air de quelqu'un qui maîtrise une voiture. Je ne sais pas que faire, et je le dis à ma sœur. Tournée vers Lketinga, elle répond : « *Thank you, but it's better I walk with Edy to the hotel.* » Je retiens mon souffle un instant tout en réfléchissant à ce qui va se passer. Lketinga réplique en riant : « *Why you go with him ? You are sister from Corinne. So you are like my sister.* »

Comme rien n'y fait, il veut la retrouver le soir au Bush Baby Bar ; il se sent responsable d'elle et ne veut pas la laisser y aller seule. Sabine, qui commence à s'énerver un peu, répond : « *No problem, I go with Edy and you stay with Corinne or come together with her.* » A l'expression de Lketinga, je vois qu'il comprend ce qui se joue. Sabine profite de l'occasion pour disparaître avec Edy. Moi, je m'occupe ostensiblement de Napiraï. Lketinga mâche longuement du *miraa* sans dire un mot. Puis il me demande ce que j'ai fait tous les soirs. Je parle de mes visites chez Priscilla, qui n'habite qu'à trente mètres de chez nous. Autrement, je me suis toujours couchée tôt. Il me demande qui a dormi près de moi. Je vois où il veut en venir, et je réponds d'une voix un peu plus sèche : « *Only Napiraï !* »

Je vais au lit en espérant qu'il restera encore un long moment dehors car je ne ressens pas la moindre envie de me laisser toucher par lui. Je me rends compte à quel point mes sentiments envers cet homme ont changé. Après ces deux semaines et demie d'indépendance, la vie commune et la pression qu'exerce mon mari sur moi me paraissent d'autant plus difficiles à supporter.

Quelque temps après, Lketinga me rejoint. Je me mets tout contre le mur, avec Napiraï, et je fais semblant de dormir. Il me parle, mais je ne réagis pas. Lorsqu'il essaie de me faire l'amour, ce qui, dans d'autres circonstances, serait normal après cette séparation, j'en suis presque malade de peur. Je ne peux pas et ne veux pas faire l'amour avec lui. La nouvelle déception est trop grande. Je le repousse en disant : « *Maybe tomorrow. — Corinne, you are my wife, now I have not seen you for such a long time. I want love from you ! Maybe you got enough love from other men !* » A bout de nerfs, je crie : « *No, I have not got love, I don't want love !* »

Naturellement, les voisins entendent notre dispute, mais je ne peux plus me maîtriser. Lorsque nous en venons aux mains, Napiraï se réveille et se met à pleurer. Furieux, Lketinga se lève, met ses parures et ses *kangas*, et disparaît. Napiraï crie et ne veut plus se calmer. Soudain, Priscilla surgit dans la pièce. Elle s'occupe de Napiraï. Je suis tellement éreintée que je suis incapable de lui parler. Je lui dis seulement que Lketinga est fou. Elle répond que tous les hommes sont ainsi, mais qu'il ne faut pas pousser des hurlements pareils, sans quoi nous aurons des problèmes avec le propriétaire. Puis elle se retire.

Le lendemain, lorsque je vais à la boutique avec William, je ne sais pas où mon mari a passé la nuit. L'ambiance est tendue ; la baby-sitter et William ne parlent pas beaucoup. Nous sommes contents chaque fois que des touristes viennent faire diversion, bien que je me tienne à l'écart des discussions, aujourd'hui.

Lketinga n'apparaît que vers midi. Il n'arrête pas d'envoyer William à droite et à gauche. Maintenant, il ne va plus distribuer les tracts lui-même, dans la rue, mais il expédie William. Il refuse de l'inviter à déjeuner bien que nous n'allions qu'à Ukunda. Je n'ai plus le droit d'aller chez Sophia non plus parce qu'il ne comprend pas notre besoin de discuter toutes les deux.

Depuis quelques jours, il me semble qu'il manque de l'argent dans la caisse mais je ne peux pas le dire avec certitude, je ne vais plus à la banque tous les jours. En plus, mon mari prend lui aussi de l'argent, de temps en temps, et j'achète aux marchands avec l'argent de la caisse. Mon intuition me dit pourtant que quelque chose ne tourne pas rond. Mais je n'ose en parler à mon mari.

Les vacances de ma sœur se terminent sans que nous ayons passé beaucoup de temps ensemble. L'avant-dernier soir, nous allons avec elle et Edy en discothèque. C'est elle qui a émis ce désir, sans doute pour me sortir un peu. Nous laissons Napiraï chez Priscilla. Lketinga et moi restons assis pendant que Sabine et Edy s'amusent sur la piste de danse. C'est la première fois depuis longtemps que je bois de l'alcool. Je me souviens du jour où j'étais venue avec Marco ; quand Lketinga est entré, j'ai failli m'évanouir. Que de choses se sont passées depuis ! J'essaie de retenir mes larmes. Je ne veux pas gâcher à Sabine sa soirée d'adieu et, en plus, je ne veux pas de conflit avec mon mari. Lui aussi était plus heureux à l'époque.

Ma sœur revient à la table et se rend compte tout de suite que je ne vais pas bien. Je me précipite aux toilettes. Je me passe de l'eau froide sur la figure ; elle se tient à côté et me prend dans ses bras. Nous restons un moment enlacées en silence. Puis elle me tend une cigarette et me dit de la fumer tranquillement plus tard. Le tabac est mélangé avec de la marijuana, et elle pense que cela me fera du bien. « Si tu as envie d'en avoir d'autres, tu n'aurais qu'à demander à Edy », ajoute-t-elle.

Nous retournons à la table, et Lketinga propose à Sabine de danser. Pendant qu'ils dansent, Edy me demande si j'ai des problèmes avec Lketinga. Je réponds simplement : « Parfois. » Edy veut danser avec moi, mais je refuse. Peu après, nous partons, Lketinga et moi, c'est la première fois que j'ai laissé Napiraï chez Priscilla et je suis inquiète. Je dis au revoir à Sabine et lui souhaite un bon retour.

Nous marchons dans l'obscurité jusqu'au village. J'entends ma petite fille de loin, mais Priscilla me rassure : Napiraï vient seulement de se réveiller à l'instant et, bien sûr, comme elle est habituée au sein, cela lui manque. Pendant que Lketinga discute avec Priscilla, je vais dans notre chambre. Une fois que Napiraï s'est rendormie, je sors devant la maison dans la chaleur nocturne, j'allume le joint et j'inhale avidement la fumée. Juste au moment où j'éteins le mégot, Lketinga arrive : j'espère qu'il ne remarquera pas l'odeur.

Je me sens mieux et plus libre, et je souris sans raison. Quand ma tête commence à tourner, je m'allonge sur le lit. Lketinga se rend compte de mon changement d'humeur, mais il se l'explique par le fait que je n'ai pas l'habitude de boire de l'alcool. Je n'ai pas de mal à remplir mon devoir conjugal. Même Lketinga est étonné de me voir aussi disponible.

Dans la nuit, je me réveille, car j'ai envie d'uriner. Je me faufile dehors et je fais mes besoins juste derrière la maison, les toilettes à la turque étant trop loin ; je continue à avoir la tête qui tourne. Quand je remonte dans notre grand lit, mon mari me demande dans le noir d'où je viens. Effrayée, je lui explique pourquoi je suis sortie. Il se lève, prend la lampe de poche et exige que je lui montre l'endroit. Comme je suis encore sous l'effet de la marijuana, tout me paraît extrêmement drôle. Mais Lketinga en conclut que j'avais donné rendez-vous à quelqu'un. Je n'arrive pas à le prendre au sérieux, et je lui montre le cercle humide par terre. Nous nous recouchons en silence.

331

Le lendemain matin, ma tête bourdonne et toute ma tristesse est revenue. Après le petit déjeuner, nous prenons la voiture pour aller à la boutique et, pour la première fois, William est introuvable mais, quand nous arrivons au magasin, il est déjà là. Naturellement, cela ne me regarde pas, et je ne lui demande pas où il était. Il est nerveux et plus réservé que d'habitude. Aujourd'hui, les affaires ne marchent pas très bien et, après la fermeture du magasin, je m'aperçois qu'en effet quelqu'un a pris de l'argent dans mon sac. Que faire ? Dorénavant, j'observe de plus près William et mon mari, lorsque celui-ci est présent. Je ne remarque rien de spécial et, quant à la baby-sitter, je la crois incapable de vol.

Un jour, en rentrant de la douche, je trouve Priscilla en discussion avec Lketinga. Elle raconte que William dépense tous les soirs beaucoup à Ukunda, et elle nous suggère de faire plus attention car elle ne comprend pas d'où il tire tout cet argent. Je ne me sens pas à l'aise à l'idée qu'on me vole, mais je n'en dis rien et décide d'en parler avec William en tête à tête. Mon mari le licencierait tout de suite, et c'est moi qui aurais à faire tout le travail. Et puis j'ai tout de même toujours été satisfaite de lui.

Le lendemain, il vient de nouveau depuis Ukunda. Lketinga lui dit que nous le soupçonnons de vol, mais il nie tout. Lorsque les premiers touristes arrivent, William commence à travailler comme d'habitude. Mon mari va à Ukunda. Je suppose qu'il veut chercher à savoir où William passe ses soirées.

Quand je me trouve seule avec William, je lui dis clairement que je sais qu'il m'a volé de l'argent, et ce quotidiennement. J'ajoute que je ne dirai rien à Lketinga s'il me promet d'être sérieux à l'avenir, que je ne le licencierai pas et que, dans deux mois, quand commencera la haute saison, il aura une augmentation de salaire. Il me regarde sans rien dire. Je suis sûre qu'il est désolé et qu'il n'a volé que pour se venger du mauvais traitement que lui fait subir mon mari. Quand nous étions tous les deux, il n'a jamais manqué un shilling dans la caisse.

Quand Lketinga rentre d'Ukunda, il sait que William a passé la nuit dans une discothèque. De nouveau, il lui demande des comptes. Cette fois-ci, je m'en mêle en faisant remarquer que William a reçu une avance, hier. Peu à peu, le calme revient, mais l'atmosphère reste tendue.

Après cette dure journée de travail, il me semble qu'un joint pourrait m'apporter une agréable détente, et je réfléchis à un moyen de rencontrer Edy. Pour aujourd'hui, je n'ai pas d'idée, mais je décide d'aller à l'Africa Sea Lodge le lendemain, pour me faire faire des tresses. Cela mettra bien trois heures et, donc, j'ai de bonnes chances de rencontrer Edy au bar.

Après le déjeuner, je vais à l'hôtel en voiture. Les deux coiffeuses sont occupées, et je dois attendre une demi-heure. Puis l'opération douloureuse commence. Mes cheveux sont tressés avec des fils de laine, et au bout de chaque tresse est fixée une perle de verre. Comme j'insiste pour avoir beaucoup de tresses fines, cela prend plus de trois heures. Il est bientôt cinq heures et demie, et l'opération n'est toujours pas terminée.

Situation sans issue

Soudain, mon mari surgit avec Napiraï. Je ne comprends pas ce qu'il vient faire là puisque j'ai pris la voiture et que notre boutique se trouve à plusieurs kilomètres. Il regarde sa montre et me demande sur un ton très sec ce que j'ai fait pendant tout ce temps. Le plus calmement possible, je réponds que, comme il peut le constater, la coiffeuse vient seulement de terminer. Il pose la petite Napiraï en sueur sur mes genoux. Ses couches ont besoin d'être changées. Agacée, je demande ce qu'il vient faire avec elle et où se trouve notre baby-sitter. Il me répond qu'il l'a renvoyée chez elle, ainsi que William, et qu'il a fermé la boutique, tout simplement. Il ajoute qu'il n'est pas fou et qu'il sait très bien que j'avais donné rendez-vous à quelqu'un, sinon je serais revenue depuis longtemps. Malade de jalousie, Lketinga rejette tous mes arguments. Il est convaincu que j'avais un rendez-vous avec un autre guerrier avant d'aller chez le coiffeur.

Je veux quitter l'hôtel le plus vite possible, et nous rentrons à la maison directement Te n'ai plus envie de travailler. Je n'arrive pas à comprendre pourquoi je ne peux pas partir seule chez le coiffeur pendant trois heures et demie sans que mon mari perde la tête. Cela ne peut plus durer. Sentant monter la colère et la haine, je propose à mon mari de rentrer à Barsaloi et de prendre une deuxième épouse. Je lui promets que je continuerai à l'aider financièrement, mais il vaut mieux qu'il parte pour que nous retrouvions tous un peu de calme. Je n'ai pas d'autre amant et je n'ai pas envie d'en avoir. Je veux seulement travailler et vivre en paix. S'il veut, il peut revenir dans deux ou trois mois, et nous verrons alors ce que nous ferons.

Mes arguments ne le touchent pas. Il ne veut pas d'autre femme, dit-il, il n'aime que moi. Il voudrait que tout soit de nouveau comme avant la naissance de Napiraï. Il ne comprend pas que c'est lui qui a tout détruit avec sa fichue jalousie. Je ne respire que lorsque nous sommes séparés. Nous nous disputons et je pleure. Je ne vois plus d'issue. Je n'ai même plus la force de consoler Napiraï, tellement je suis malheureuse moi-même. Je me sens prisonnière. Il faut que je parle à quelqu'un. Sophia me comprendra ! La situation est au plus mal, alors je prends la voiture et je pars en laissant mon mari et mon enfant. Lketinga se met en travers de ma route, mais je démarre sans prendre garde. « *You are crazy, Corinne !* » sont les derniers mots que j'entends.

Sophia est effarée en me voyant. Comme je ne suis pas passée la voir depuis longtemps, elle pensait que tout allait pour le mieux. Quand je lui raconte l'étendue du désastre, elle est indignée. Dans mon désespoir, je lui dis que je vais peut-être retourner en Suisse parce que j'ai peur qu'il arrive un jour quelque chose de plus grave. Sophia essaie de me persuader de prendre un peu sur moi, maintenant que j'ai obtenu un permis de travail et que les affaires marchent bien. Peut-être Lketinga va-t-il quand même finir par rentrer chez lui, puisqu'il ne se sent pas bien à Mombasa. Nous parlons de beaucoup de choses mais, intérieurement, je me sens vide. Je lui demande si elle a de la marijuana. En effet, son ami en a et m'en donne. Un peu soulagée, je rentre à la maison tout en me préparant à la prochaine dispute. Mais mon mari, allongé par terre devant la maison, joue avec Napiraï.

Pour une fois, il ne dit pas un mot et ne veut même pas savoir où je suis allée.

Dans la chambre, je me roule vite un joint et le fume. Je me sens mieux, tout me semble plus facile à supporter. De bonne humeur, je m'assois dehors et observe avec amusement ma fille qui essaie inlassablement de monter sur un arbre. Une fois l'effet du joint un peu dissipé, je vais acheter du riz et des pommes de terre pour préparer le dîner. Le joint me donne faim. Plus tard, je lave comme d'habitude Napiraï dans le lavabo avant d'aller prendre une « douche de brousse ». Comme tous les soirs, je mets les couches à tremper pendant la nuit pour pouvoir les laver le matin, avant de partir au travail. Puis je vais me coucher. Mon mari emmène des guerriers à un spectacle de danse.

Les jours se suivent et, tous les soirs, je me réjouis de fumer un joint. Nous avons de nouveau une vie sexuelle ; non que j'y prenne plaisir, mais cela me laisse indifférente. Je me sens vide. Machinalement, j'ouvre la boutique le matin et je vends la marchandise avec William, qui vient de façon de plus en plus irrégulière. En revanche, Lketinga passe maintenant presque toute la journée au magasin. Les touristes arrivent avec des appareils-photo et des caméscopes et, bientôt, nous nous retrouvons sur de nombreux films. Mon mari continue à exiger de l'argent, mais cela ne me scandalise plus. Il ne comprend pas pourquoi les gens veulent nous photographier et dit à juste titre que nous ne sommes pas des singes.

Beaucoup de touristes demandent où est notre fille car ils supposent que Napiraï est la fille de la baby-sitter, qui est en train de jouer avec elle. Je dois expliquer à tout le monde que l'enfant, qui a maintenant seize mois, est notre Napiraï. Avec la baby-sitter, nous rions de ce malentendu jusqu'à ce que mon mari commence à se demander pourquoi tout le monde a la même idée. J'essaie de le calmer et de lui dire que nous n'avons pas à être concernés par ces méprises. Mais il n'arrête pas de demander avec insistance aux clients étonnés pourquoi ils ne reconnaissent pas tout de suite la mère de l'enfant, si bien que quelques-uns prennent peur et quittent notre boutique. Il a aussi un comportement méfiant vis-à-vis de la baby-sitter.

Cela fait un mois que ma sœur est rentrée en Suisse. Edy vient de temps en temps demander si nous avons reçu des lettres d'elle, mais Lketinga l'interprète autrement. D'après lui, Edy vient pour moi et, un jour, il me surprend en train d'acheter de la marijuana à Edy. Il m'insulte comme si j'étais une criminelle et menace de me dénoncer à la police.

Mon propre mari veut me faire mettre en prison, alors qu'il connaît les terribles conditions de détention ! Au Kenya, la réglementation est très stricte en matière de drogue. Edy a toutes les peines du monde à le dissuader de nous dénoncer à la police d'Ukunda. Je suis là, incrédule, sans même arriver à pleurer. Si je consomme cette saloperie, c'est tout de même pour pouvoir le supporter, lui ! Je dois lui promettre de ne plus jamais fumer de la marijuana, autrement il me dénoncera. Il ne veut pas vivre avec quelqu'un qui enfreint les lois en vigueur au Kenya. Le *miraa* est autorisé, dit-il, donc c'est autre chose.

Mon mari fouille mes affaires et sent chaque cigarette que j'allume. A la maison, il raconte l'histoire à Priscilla et à tous ceux qui veulent l'entendre. Evidemment, tout le monde est effaré, et je me sens misérable. Chaque fois que je vais aux toilettes, il m'accompagne. Je n'ai plus le droit d'aller à l'épicerie, au village. Je passe mon temps à la boutique et, quand je suis à la maison, je reste assise sur le lit. La seule chose qui m'importe, c'est mon enfant. Napiraï semble sentir que je ne vais pas bien. La plupart du temps, elle reste avec moi et elle dit « maman, maman » et quelques mots incompréhensibles. Priscilla a pris ses distances. Elle ne veut pas avoir d'histoires.

Le travail ne me procure plus aucun plaisir. Lketinga n'arrête pas de nous tourner autour. Il me surveille sans arrêt, soit à la boutique, soit depuis le bar du restaurant chinois. Il fouille mon sac jusqu'à trois fois par jour. Un jour entrent de nouveau des touristes suisses. Comme je n'ai pas grande envie de discuter avec eux, je dis que je ne me sens pas très bien et que j'ai mal à l'estomac. Mon mari arrive justement au moment où la femme est en train d'admirer Napiraï et de dire, sans penser à mal, qu'elle ressemble à la baby-sitter. Une fois de plus, je détrompe la touriste, et Lketinga demande : « *Corinne, why all people know this child is not yours ?* » Cette phrase réduit à néant mes derniers espoirs et le peu de respect que j'avais gardé pour Lketinga.

Dans un état second, je me lève et je vais au restaurant chinois sans répondre aux questions qu'on me pose. Je demande au propriétaire si je peux téléphoner. Quand la liaison avec les bureaux de Swissair à Nairobi est établie, je m'informe sur le prochain vol pour Zurich, pour moi et ma petite fille d'un an et demi. Au bout de quelque temps, on m'apprend qu'il reste de la place pour dans quatre jours. Bien que je sache que les particuliers ne peuvent pas réserver par téléphone, je prie instamment mon inter-locutrice de me réserver des places. Je lui dis que je ne pourrai venir les prendre et les payer que la veille du départ, mais que c'est très important et que je viendrai sans faute. Mon cœur bat très fort lorsque je l'entends dire : « *OK.* »

Lentement, je retourne à la boutique et je dis sans détour que je vais partir en vacances en Suisse. D'abord, Lketinga rit d'un air mal assuré, puis il déclare que je peux partir sans Napiraï ; de cette façon, il sait que je vais revenir. Epuisée, je réponds que mon enfant partira avec moi, que je reviendrai, comme d'habitude, mais que j'ai besoin de repos, après le stress du magasin et avant le début de la haute saison, en décembre. Lketinga n'est pas d'accord et refuse de me signer une autorisation de sortie du territoire. Je n'en fais pas moins mes bagages, deux jours plus tard. Priscilla et Sophia parlent avec lui. Tout le monde est persuadé que je vais revenir.

Fuite

Le dernier jour, je laisse tout derrière moi. Mon mari veut que je ne prenne que très peu d'affaires pour Napiraï. Je lui donne toutes mes cartes bancaires pour qu'il voie que j'ai l'intention de revenir. Qui abandonnerait volontai-rement autant d'argent, une voiture et une boutique rem-plie de marchandises ?

Sans trop savoir s'il doit me croire ou pas, il nous accompagne à Mombasa. Peu avant notre départ pour Nairobi, il n'a toujours pas signé. Je le lui demande pour la dernière fois, mais je suis décidée à partir de toute façon. Je me sens si vide, intérieurement, et si insensible que je ne peux plus verser de larmes.

Le chauffeur du car démarre. Lketinga est debout à côté de nous dans le car et demande pour la énième fois à l'un des voyageurs de lui traduire ce qui est marqué sur la feuille de papier qu'il lui tend : l'autorisation selon laquelle mon mari, Lketinga Leparmorijo, me permet de quitter le Kenya avec notre fille Napiraï pour passer trois semaines de vacances en Suisse.

Le chauffeur du car klaxonne pour la troisième fois. Lketinga griffonne son signe sur le papier et dit : « *I don't know if I see you and Napiraï again !* » Puis il saute du car, et nous partons. Ce n'est qu'à ce moment-là que mes larmes se mettent à couler. Je regarde par la vitre et je dis adieu aux images familières qui passent devant moi.

Cher Lketinga,

J'espère que tu pourras me pardonner ce que je dois t'annoncer maintenant : je ne reviendrai plus au Kenya.

J'ai beaucoup réfléchi. Il y a plus de trois ans et demi, je t'aimais tellement que j'étais prête à vivre avec toi à Barsaloi. Je t'ai aussi donné une fille. Mais depuis le jour où tu m'as affirmé que cette enfant n'était pas de toi, mes sentiments pour toi ont été changés. Tu t'en es rendu compte aussi.

Je n'ai jamais eu envie de personne d'autre que toi, et je ne t'ai jamais menti. Durant toutes ces années, tu ne m'as jamais comprise, peut-être aussi parce que je suis une *mzungu*. Mon monde est très différent du tien, mais je pensais qu'un jour nous nous retrouverions dans le même.

Or, après notre installation à Mombasa qui a été notre dernière chance, je constate que tu n'es pas heureux, et moi encore moins. Nous sommes encore jeunes et nous ne pouvons plus continuer ainsi. D'abord, tu ne me comprendras pas mais, au bout d'un certain temps, tu verras que tu peux de nouveau être heureux avec quelqu'un d'autre. Il te sera facile de trouver une femme qui vive dans le même monde que toi. Trouve-toi maintenant une femme samburu et non pas une Blanche ; nous sommes trop différents. Un jour, tu auras beaucoup d'enfants.

J'ai emmené Napiraï avec moi parce que c'est la seule chose qui me reste. Je sais aussi que je n'aurai plus jamais d'enfants. Sans Napiraï, je ne pourrais survivre. Elle est ma vie ! S'il te plaît, Lketinga, pardonne-moi ! Je n'ai plus la force de vivre au Kenya. Je me suis toujours sentie très seule, là-bas, je n'avais personne à qui me confier, et tu m'as traitée comme une criminelle. Tu ne t'en rends pas compte parce que l'Afrique est ainsi. Je te le répète encore une fois : je n'ai jamais rien fait de mal.

Maintenant, tu dois réfléchir à ce que tu veux faire de la boutique. J'écris aussi à Sophia, elle pourra t'aider. Je te cède tout. Mais si tu veux la vendre, il faudra que tu négocies avec Anil, l'Indien.

D'ici, je vais t'aider du mieux que je peux, et je ne te laisserai pas tomber. Si tu as des problèmes, parles-en à Sophia. Le loyer de la boutique est payé jusqu'à la mi-décembre mais, si tu ne veux plus travailler, tu dois absolument en parler à Anil. Je te donne aussi la voiture. Je te joins un papier signé comme preuve. Si tu décides de vendre la voiture, tu en obtiendras au minimum 80 000 shillings, mais tu dois trouver une personne de confiance pour t'aider. Après, tu seras un homme fortuné.

S'il te plaît, Lketinga, ne sois pas triste, tu trouveras une meilleure femme, tu es jeune et beau. Je veillerai à ce que Napiraï garde un bon souvenir de toi. S'il te plaît, essaie de me comprendre ! Je serais morte si j'étais restée au Kenya, et je ne pense pas que tu souhaites ma mort. Ma famille ne pense pas de mal de toi, ils continuent à bien t'aimer, mais nous sommes trop différents.

Nous t'embrassons, Corinne et la famille.

Cher James,

J'espère que tu vas bien. Je suis en Suisse, et je suis très triste. Je sais maintenant que je ne reviendrai plus jamais au Kenya. J'ai envoyé une lettre dans ce sens à Lketinga aujourd'hui car je n'ai plus la force de vivre avec ton frère. Je me sentais très seule parce que j'étais blanche. Tu nous as vus ensemble. Je nous ai redonné une dernière chance à Mombasa, mais, au lieu de s'arranger, la situation n'a fait que s'aggraver. Et dire que je l'ai follement aimé, au début ! Mais depuis notre dispute au sujet de Napiraï, notre amour était atteint. Depuis ce jour, nous n'avons plus fait que nous disputer du matin au soir. Lketinga n'a que des pensées négatives. Je ne crois pas qu'il sache ce que c'est que l'amour car, quand on aime quelqu'un, on ne peut pas lui dire les choses qu'il m'a dites.

Mombasa était mon dernier espoir, mais Lketinga n'a pas changé. Je vivais comme dans une prison. Le magasin que nous avons ouvert marchait bien, mais je ne crois pas qu'il puisse y travailler tout seul. S'il te plaît, va le plus vite possible à Mombasa et parle-lui ! Il n'a plus personne maintenant ; il est tout seul là-bas. S'il veut vendre la boutique, je peux téléphoner à Anil, mais je dois savoir ce que Lketinga compte faire. Il peut aussi garder la voiture. Please, James, va le plus vite possible à Mombasa car Lketinga aura besoin de toi quand il recevra ma lettre. Depuis la Suisse, j'essaierai d'aider du mieux que je peux. S'il vend tout, il sera un homme fortuné. Mais il doit faire attention, autrement sa grande famille dépensera vite tout l'argent. Je ne sais pas si la boutique pourra fonctionner sans moi mais, jusque-là, nous avons fait de bonnes affaires. S'il te plaît, va voir où en sont les choses car il y a pas mal d'objets de valeur, des bijoux en or, entre autres. Je ne veux pas qu'on arnaque Lketinga. J'espère que vous tous me pardonnerez ce que j'ai été obligée de faire. Si je rentrais au Kenya, j'en mourrais très vite.

S'il te plaît, explique tout à la maman. Je l'aime et je ne l'oublierai jamais. Malheureusement, je ne peux pas parler avec elle. Dis-lui que j'ai tout essayé pour que la vie avec Lketinga soit possible. Mais, dans sa tête, il vit dans un autre monde. Réponds-moi vite, je t'en prie, dès que tu auras reçu cette lettre. J'ai moi-même pas mal de problèmes puisque je ne sais pas si je peux rester en Suisse. Autrement, j'irai en Allemagne. Pour les trois mois à venir, j'irai vivre chez ma mère.

Amitiés, Corinne.

Cher père Giuliano,

Je suis en Suisse depuis le 6 octobre 1990. Je ne reviendrai plus au Kenya. Je n'ai plus la force de vivre avec mon mari, et je le lui ai dit dans une lettre envoyée il y a quinze jours. Maintenant, j'attends sa réponse. Ce sera un coup

341

dur, pour lui, car il ne m'a autorisée à partir en Suisse que pour passer des vacances. S'il avait su que je resterais ici, il ne m'aurait jamais laissée sortir du pays avec Napiraï.

Comme vous savez, nous avons ouvert une superbe boutique sur la côte sud. Dès le premier jour, nous avons fait de bonnes affaires. Mais entre mon mari et moi, cela ne s'est pas arrangé. Il était excessivement jaloux, même si je ne parlais qu'avec des touristes. Il ne m'a jamais fait confiance durant toutes ces années. A Mombasa, je vivais comme dans une prison. Nous nous disputions à longueur de journée, ce qui n'était pas bon pour Napiraï non plus.

Le cœur de mon mari est bon mais quelque chose ne va pas bien dans sa tête. Il m'est très douloureux de dire cela, mais je ne suis pas seule à le penser. Tous nos amis nous ont abandonnés. Il faisait même peur parfois aux touristes. Selon les jours, la situation variait mais, à la fin, c'était devenu insupportable presque tout le temps. J'ai tout laissé à mon mari, la boutique, la voiture, etc. Il peut tout vendre et rentrer à Barsaloi, sa fortune est faite. Je serais heureuse qu'il trouve une femme bien et qu'il ait beaucoup d'enfants.

Je joins à la présente quelques shillings kenyans que vous pouvez donner à la mère de mon mari. Il me reste de l'argent à la banque Barclays. Peut-être pourriez-vous faire en sorte que la maman reçoive cet argent ? Je vous en serais très reconnaissante. Tenez-moi au courant, s'il vous plaît.

Je vous ai écrit cette lettre pour que vous me compreniez, le jour où vous entendrez parler de ce qui s'est passé. Vous pouvez me croire, j'ai essayé tout ce qui était en mon pouvoir. J'espère que Dieu pourra me pardonner, lui aussi.

Bien cordialement, Corinne et Napiraï.

Bonjour Sophia !

Je viens de recevoir ton appel. Je suis très triste et je n'arrête pas de pleurer. Je t'ai dit que je ne reviendrai pas. C'est la vérité. Je l'ai su avant même d'arriver en Suisse. Tu connais un peu mon mari, toi aussi. Je l'ai aimé comme je n'ai jamais aimé personne dans ma vie ! Pour lui, j'étais prête à mener une vraie vie de Samburu, et ce alors que j'ai été si souvent malade, à Barsaloi, mais je suis restée parce que je l'aimais. Beaucoup de choses ont changé depuis que j'ai mis au monde Napiraï. Un jour, Lketinga a prétendu que cette enfant n'était pas de lui. Ce jour-là, mon amour s'est brisé. Les jours passaient avec des hauts et des bas, et il me traitait souvent mal.

Sophia, je te jure devant Dieu que je n'ai jamais eu d'histoire avec un autre homme, jamais ! Pourtant, j'ai dû supporter des reproches du matin au soir. A Mombasa, je nous avais redonné une dernière chance. Mais je ne peux pas continuer à vivre ainsi. Il ne se rend même pas compte de ce qu'il m'a fait subir ! J'ai tout abandonné, même ma patrie. J'ai sûrement changé, moi aussi, mais je pense que c'est normal, dans ces circonstances. Je suis désolée pour lui et pour moi. Je ne sais pas où je trouverai un chez moi, à l'avenir.

Mon plus grand souci, c'est Lketinga. Il n'a plus personne pour tenir la boutique, et il ne peut pas s'en occuper tout seul. Fais-moi savoir s'il veut la garder, s'il te plaît. Je serais heureuse s'il arrivait à s'organiser ; sinon, qu'il vende tout. Idem pour la voiture. Napiraï reste avec moi. Je sais qu'elle est plus heureuse ainsi. S'il te plaît, Sophia, occupe-toi un peu de Lketinga, il en aura besoin. Malheureusement, je ne peux pas l'aider. Si je revenais encore une fois au Kenya, il ne me laisserait plus jamais retourner en Suisse.

J'espère que son frère James va venir à Mombasa. Je lui ai écrit. Soutiens-le en parlant avec lui, je t'en prie. Je suis consciente que tu as aussi beaucoup de problèmes, et j'espère pour toi qu'ils vont se résoudre bientôt. Je te souhaite beaucoup de bonheur et que tu retrouves une amie blanche. Napiraï et moi ne vous oublierons jamais.

Tous mes vœux de bonheur, je t'embrasse.

Corinne.

Je remercie toutes les amies qui m'ont soutenue pendant la rédaction de ce témoignage, en particulier :

Hanny Stark, sans l'encouragement de qui je n'aurais pas commencé à écrire ce livre, et Anneliese Dubacher, qui s'est chargée de la longue et laborieuse tâche qui consista à saisir mon manuscrit sur l'ordinateur.

Cet ouvrage a été réalisé par la
SOCIÉTÉ NOUVELLE FIRMIN-DIDOT (Mesnil-sur-l'Estrée)
pour le compte de LA LIBRAIRIE PLON

Achevé d'imprimer en mai 2000

Imprimé en France
Dépôt légal : mai 2000
N° d'édition : 13233 - N° d'impression : 51339